KB129076

Personality Psychology

# 쉽게 풀어 쓴 성격심리학

김민정 저

학지사

# 머리말

성격심리학에 대해 풍부한 정보와 통찰을 제공하는 번역서와 저서는 많이 있습니다. 이에 더하여, 이해하기 쉽고 실용적인 성격심리학 교재도 필요하다고 생각했습니다. 성격심리학을 처음 접하는 사람들이 성격심리학의 기본 개념을 이해하고, 이해한 내용을 자신과 다른 사람의 행동에 적용하여 익히고, 더 나아가서는 성격심리학 연구에 관심을 갖도록 안내할 수 있는 교재를 만들고 싶었습니다. 이를 위해 기획 단계에서 다음 몇 가지에 주안점을 두었습니다.

첫째, 성격심리학의 개념을 사례를 들어 설명하고자 하였습니다. 저자는 상담자이기도 한 탓에 성격심리학의 개념들을 이론적으로 접근하는 것만이 아니라 그것을 실제 개개인을 이해하는 데 적용하는 것이 익숙합니다. 그리고 다년간의 강의를 통해 알게 된 것은 사례를 통해 개념을 설명했을 때 학습자의 이해가 높아진다는 것입니다. 물론 이 교재에서 다룬 사례들은 상담 사례가 아닙니다. 다만, 우리 주위에서 흔히 만날 수 있는 사람들의 행동을 예로 들어 개념을 설명함으로써 학습자의 이해를 돕고자 하였습니다.

둘째, 활동을 통해 이론을 실생활에 적용해 볼 수 있도록 하였습니다. 각 장에는 성격심리학 학습을 촉진하고 자기나 타인을 이해하는 데 유용한 13개의 활동이 제시되어 있습니다. 이 활동들은 성격검사의 원리를 활용하고 구조화 집단상담의 흐름을 차용한 것입니다. 활동을 하나하나 따라가다 보면 각 장에서 습득한 개념을 자신의 것으로 익히고 자신의 성격에 대해 탐구할 수 있을 것입니다.

셋째, 국내 연구를 다수 인용하여 개념을 설명하였습니다. 기존의 번역서나 저서들이 주로 해외 연구를 중심으로 개념을 설명한 것과 달리, 이 책에는 최신 국내 연구를 다수 포함하였습니다. 이는 독자로 하여금 성격심리학 연구에 대해 친밀감을 갖도록 하기 위함입니다. 양질의 다양한 국내 연구를 소개한 것이 성격심리학 연구라는 영역에 흥미를 갖게 하고, 독자에게 직접 원문을 찾아볼 마음을 갖게 하는 데 도움이 되면 좋겠습니다. 전공과목에서 이 책을 사용하게 된다면 여기에서 소개한 연구논문을 읽고 토론함으로써 보다 심화된 학습을 할 수 있을 것입니다.

이 책을 집필하는 시간은 매우 길고 더디었습니다. 저자가 게으른 탓과 저자의 본업이 집필이 아니라는 등의 이런저런 이유가 있었습니다. 그렇지만 길고 더딘 작업시간을 보내면서 사례와 활동에 대한 더 많은 아이디어가 생길 여지가 있어서 한편으로는 다행이라는 생각도 듭니다. 긴 시간을 기다려 주신 학지사에 죄송하고 감사할 뿐입니다. 이 교재가 성격심리학이라는 학문에 대한 진입장벽을 낮추는 역할을 하기를 기대합니다.

저자 김민정

# 차례

머리말 _ 3

제1장 성격심리학의 이해 11

1. 성격이란 … 11
2. 성격심리학이란 … 14
3. 성격심리학 연구방법 … 17
   1) 자료수집 방법 _ 18
   2) 자료 간 관계 검증 방법 _ 23

활동 1 성격심리학 학습목표 명료화하기 _ 32

/ 제1부 / 성격에 대한 관점

제2장 특질로 성격 보기 37

1. 유형과 특질 … 37
   1) 성격유형 _ 37
   2) 성격특질 _ 41
   3) 성격의 5요인 _ 50

활동 2 특질 용어로 성격 표현하기 _ 55

2. 특질에 더하여 … 58

1) 특질 관점의 유용성과 주의점 _ 58
2) 상태, 기질, 특질 _ 60
3) 특질은 안정적일까 _ 64
4) 평가와 적용 _ 70

활동 3 상황과 특질의 상호작용 _ 76

제3장 정신역동적으로 성격 보기 79

1. 무의식의 힘 … 79

1) 정신역동적으로 성격을 이해한다는 것 _ 79
2) 프로이트에서 시작하기 _ 83

활동 4 단어연상검사 _ 100

2. 프로이트를 넘어서 … 104

1) 관계적 인간 _ 104
2) 전생애적 발달 _ 113
3) 평가와 적용 _ 122

활동 5 투사검사를 응용한 자기이해 _ 127

제4장 내적 경험으로 성격 보기 133

1. 개인적 구성개념과 인본주의와 실존주의 … 133

1) 개인적 구성개념 이론 _ 134
2) 인본주의 _ 137
3) 실존주의 _ 143

2. 내적 경험으로 성격을 이해한다는 것 … 145

1) 내적 경험에 귀 기울이는 것의 가치 _ 145
2) 평가와 적용 _ 147

활동 6 역할 구성개념 목록 검사 _ 153

## 제5장 행동주의적으로 성격 보기 155

1. 행동주의적으로 성격을 이해한다는 것 … 155
2. 조건형성 … 156
3. 행동주의 개념 … 158
   1) 고전적 조건형성 _ 158
   2) 조작적 조건형성 _ 164
4. 평가와 적용 … 173
   1) 행동평가 _ 173
   2) 적용 _ 174

**활동 7** 행동주의적 관점의 성격 변화를 위한 계획 _ 176

## 제6장 인지로 성격 보기 179

1. 사회인지적 관점 … 179
   1) 사회인지적 관점의 이해 _ 180
   2) 인지, 행동, 환경의 상호작용 _ 186
   3) 인지도식 _ 189

**활동 8** ABCDE 연습하기 _ 196

2. 성격을 설명하는 인지양식 … 197
   1) 통제소재 _ 197
   2) 귀인양식 _ 203
   3) 설명양식 _ 208
   4) 자기개념 _ 210
   5) 평가와 적용 _ 215

**활동 9** 설명양식 짚어 보기 _ 218

## 제7장 생물학적으로 성격 보기 221

1. 뇌와 성격 … 221
   1) 뇌의 생화학적 활동과 성격 _ 222
   2) 뇌의 구조와 성격 _ 223
   3) 뇌의 활동과 성격 _ 225

2. 성격과 유전 … 228

1) 유전 연구방법 _ 229
2) 유전되는 성격 _ 233

3. 유전이냐 환경이냐 … 236

1) 환경에 대해 생각할 점 _ 236
2) 유전에 대해 생각할 점 _ 238
3) 유전과 환경의 상호작용 _ 239
4) 평가와 적용 _ 242

활동 10 성격과 유전에 대한 고찰 _ 245

## / 제2부 / 성격과 삶

제8장 자기 249

1. 자기존중감 … 250

1) 자존감 수준 _ 254
2) 자존감 안정성 _ 256
3) 자존감 수반성 _ 258

2. 자기효능감 … 260

3. 자기조절 … 264

활동 11 나의 자존감 이해하기 _ 268

제9장 일과 사랑 273

1. 성격과 일 … 273

1) 성격과 진로선택 _ 273
2) 성격과 직업만족 _ 276
3) 성격과 직무수행 _ 280

2. 성격과 사랑 … 282

1) 성격과 대인관계 _ 282
2) 성격과 연애 _ 286

활동 12 나의 대인관계양식 알아보기 _ 291

제10장 성격을 통합적으로 이해하기 295

1. 성별과 성격 … 296
   1) 생물학적 관점에서 성차 설명하기 _ 298
   2) 경험의 관점에서 성차 설명하기 _ 302
   3) 성차에 대한 통합적 이해 _ 304
2. 행복과 성격 … 307
   1) 성격과 행복 _ 307
   2) 유전자와 성격과 행복 _ 308
   3) 문화와 성격과 행복 _ 309
   4) 성격 변화와 행복 _ 311

활동 13 학습 다지기 _ 314

활동 설명 _ 316
참고문헌 _ 326
찾아보기 _ 332

제1장

# 성격심리학의 이해

## 1. 성격이란

대부분의 교과목은 강의 첫 시간 또는 교재 첫 단원에서 '~란 무엇인가'를 주제로 한다. 성격심리학을 다루는 이 책 역시 '성격이란 무엇인가'와 '성격심리학이란 무엇인가'를 우선적으로 짚어 본다. 이 장은 이후 장에서 무엇(성격)에 관해서 어떻게(과학적으로) 이야기하는지를 이해하도록 돕는 초석이 될 것이다.

**성격**이란 뭘까? 우리는 "너 성격 좀 고쳐라." 또는 "제 성격이 고민이에요."와 같이 성격이라는 말을 빈번하게 사용한다. 이 경우 우리는 무엇을 고치고, 무엇을 고민하는 것일까?

우선 성격은 인간의 행동과 관련이 있다. 일반적으로 행동이라고 하면 겉으로 관찰할 수 있는 어떤 사람의 움직임을 뜻하지만, 심리학에서 인간의 행동은 조금 더 넓은 의미로 사용된다. 외현적으로 관찰 가능한 움직임뿐만 아니라 명확히 드러나지는 않지만 움직임이 있는 인지와 정서 그리고 더 넓게는 생리적 움직임까지 포함하여 행동이라 한다. 그리고 우리가 누군가의 성격을 논할 때는 그 사람의 인지적 · 정서적 · 외현적 행동에 대해 이야기하는 것이다. 예컨대, A가 비관적인 생각을 자주 말한다면 성격이 비관적이라고 평가될 것이고, B가 늘 우울한 표정을 짓고 있다면 우울한 성격이라고 파악될 것이다. C가 씩씩대며 욕설이나 주먹질을 하는 모습이 자주 보인다면 성격이 공격적이라는 평을 듣게 될 것이다. 즉, 성격은 인간의 행동과 관련된 것으로 볼 수 있다.

또한 누군가의 성격을 논할 때에는 그 사람의 행동이 인간의 보편적인 행동일 때에는 예외로 한다. 예컨대, 대학생 수현이가 과제로 보고서를 작성했는데 그 보고서가 평소에 관심이 있던 주제에 대해 매우 열심히 만족스럽게 작성된 것이라고 하자. 그런데 담당교수가 수업시간에 공개적으로 수현이의 보고서에 대해 납득할 수 없는 이유로 신랄하게 비판을 하고 집어던지다시피 했다. 이 사건으로 수현이가 화가 났다면, 우리는 수현이가 화를 잘 내는 성격이라고 평하게 될까? 이 사례는 한 연구(김민정, 이기학, 2014)에서 대학생에게 보편적으로 분노감을 유발하는 상황으로 묘사된 사례이다. 말하자면 이 상황은 보편적으로 화가 날 상황이고, 보편적으로 화가 날 상황에서 화를 경험한다고 해서 이를 그 사람의 성격으로 보지는 않는다. 좌절을 경험할 때 분노감을 경험하는 것은 인간의 보편성이지 개인의 성격은 아니기 때문이다. 마치 "종일 아무것도 먹지 않았더니 배가 고파요." "잠을 안 잤더니 졸려요."라고 말한 사람에게 "너는 그런 체질이구나."라고 반응할 수 없는 것과 같다. 즉, 성격은 개인의 고유한 행동과 관련된 것으로 볼 수 있다.

그런데 누군가의 성격을 이야기할 때 우리는 그 사람의 고유한 행동 중 일관성 있게 나타나는 행동에 주목한다. 적어도 성격이라고 말할 수 있으려면 행동이 일관된 패턴으로 나타나야 한다. 예컨대, 사교적인 성격의 사람이라면 학과나 동호회에서 타인을 만나거나 엘리베이터에서 낯선 사람을 만날 때 사람과 쉽게 잘 사귀는 모습이 일관성 있게 반복적으로 나타날 것이다. 물론 이러한 일관성이 '항상' 동일한 패턴으로 행동을 해야 한다는 것은 아니다. 가끔은 사람을 잘 사귀지 않는 행동이 나타날 수도 있지만, 낯선 사람과 '주로' '대체로' 쉽게 사귀는 정도의 경향성이 있는 것으로도 일관성이 있다고 볼 수 있다. 또는 '익숙한 환경에서는' 낯선 사람과 쉽게 사귀는 행동이 나타난다면 이 역시 일관성 있는 패턴이라 할 수 있다. 그 사람의 행동에 일관된 규칙이 있기 때문이다. 어쩌다 한 번 평소와 다르게 행동해서 낯선 사람과 쉽게 사귀게 되었다고 해서 그 사람을 사교적인 성격이라고 하지는 않는다. 물론 그 한 번의 시도가 일관성 있는 행동의 시작이 되기도 하고, 그렇게 그 사람의 성격이 변화하기도 한다. 다만 몇 번의 행동만 가지고 성격이라 칭하기에는 부족하다는 것이다.

성격은 또한 이러한 행동 패턴이 지속적으로 나타나는 것이다. 앞에서 제시한 것처럼 A가 비관적인 생각을 '자주' 말하고, B는 '늘' 우울한 표정을 짓고 있으며, C는 씩씩대며 욕설이나 주먹질을 하는 모습이 '자주' 보인다면 이들의 행동 패턴에는 지속성이 발견된다. 다양한 상황에서 특정한 행동 패턴이 나타나는(일관성) 기간이 상당히 길어야(지속성), 우리는 비로소 그것이 그 사람의 성격이라고 평하게 된다. 오랫동안 알고 지낸 친구 B가 원래 그렇지 않았는데 요 며칠 우울한 얼굴로 다닌다면, 우리는 그 친구의 성격이 변했다고 성급하게 말하기보다는 "요즘 상태가 이상해."라고 말하는 것이 더 정확한 표현일 것이다. 다른 장에서 자세히 살펴보겠지만, 일시적인 상태를 성격과 혼용해서는 안 되기 때문이다. 즉, 성격을 논하기 위해서는 지속적인 행동 패턴에 주목해야 할 것이다.

요약하면, 성격이란 다양한 상황에서 일관되고 지속적으로 나타나는 개인의 고유한 행동 패턴이다. 물론 '다양한' 상황이 '모든' 상황을 뜻하지는 않고, '일관된' 행동이라는 것이 '완전히 일치하는' 행동을 뜻하는 것은 아니다. 다만 누군가의 성격을 논한다는 것은 여러 가지 상황에서 유사한 형식으로 나타나고, 비교적 긴 시간 동안 발견되며, 인간의 보편적 행동과 다른 그 사람의 고유한 행동 패턴이 무엇인지에 주목한다는 뜻이다.

그러니 "너 성격 좀 고쳐라."라는 말은 "너의 일관되고 지속적인 고유한 행

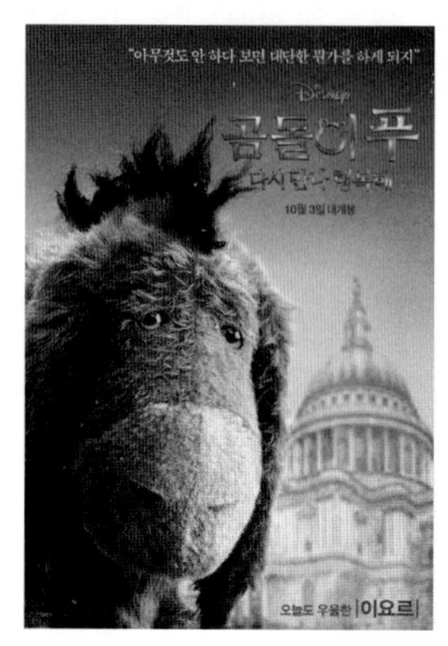


**[그림 1-1]** 낙관적인 올라프(좌)와 우울한 이요르(우)

성격은 일관되고 지속적인 개인의 고유한 행동 패턴이다.

동 패턴을 다른 패턴으로 변화시켜라."라는 말이 된다. 그리고 "제 성격이 고민이에요."라는 말은 "저의 일관되고 지속적인 고유한 행동 패턴이 고민이에요."라는 말이 된다. 이렇게 풀어 보니 어떤가? 조금은 어렵고 고급스러운 어휘에 압도될 수도 있지만, 첫 번째 표현이 막연한 느낌이었다면 두 번째 표현은 더 접근이 가능하고 해 볼 만한 과제로 느껴지지는 않나? 변화는 거기서 시작될 것이다.

## 2. 성격심리학이란

성격심리학은 무엇일까? 우선 심리학이 무엇인지를 생각해 보자. 심리학은 인간의 행동을 과학적으로 연구하는 학문이다. 여기서 말하는 행동 역시 외현적으로 무엇을 하는가와 내적인 정신작용을 모두 포함하는 말이다. 중요한 것은 심리학이 이러한 인간의 행동을 '과학적으로' 연구하는 학문이라는 것이다. 과학적으로 연구를 한다는 것은 가설이나 연구문제를 설정하고 타당한 방법으로 그것을 검증하여 법칙을 찾는다는 것이다.

우리가 재미로(또는 혹자는 진지하게) 누군가의 성격을 설명할 때 사용하는 것으로 혈액형별 성격유형이 있다. 다들 한 번씩은 들어 보았을 법한 'A형 성격' 'B형 성격'에 대한 설명 말이다. 정말 혈액형으로 개인의 성격을 이해할 수 있을까? 이러한 궁금증에서 몇 가지 연구가 진행되었는데, 그 결과들은 혈액형과 실제 성격은 관련이 없으며(조소현, 서은국, 노연정, 2005), 혈액형별 궁합이나 혈액형별 연애 스타일 등 애정과 관련한 영역에서 혈액형으로 애정 방식을 설명하는 것은 타당하지 않다는 것을 보고한다(주현덕, 박세니, 2006). 만약 이 연구 결과들이 당신이 혈액형에 대해 알고 있는 것과 다르다면, 그 차이를 어떻게 이해할 것인가? 우선 이 연구들은 소위 말하는 '과학적으로' 검증된 결과를 보고하고 있다. 그 내용을 상세히 살펴본 후, 혈액형과 성격의 관계라는 주제에 대해 어떤 입장을 취할지 다시 생각해 보자.

국내의 한 연구진(조소현, 서은국, 노연정, 2005)은 혈액형과 성격의 관계에 대해 알아보기 위해 대학생들을 대상으로 연구를 실시했다. 첫 번째 연구에서는 혈액형과 일반적인 성격유형이 관련이 있는지 알아보기 위해 가장 보편적으로 알려진 성격검사인 성격 5요인 검사를 사용하여 성격 5요인을 측정하고 이 점수가 각 참여자의 혈액형과 관련 있는지 분석하였다. 그 결과, 대중 심리학의 예상과는 달리 성격의 5요인과 혈액형은 유의미한 관계가 없는 것으로 나타났다. 두 번째 연구에서는 우리가 혈액형별 성격에 대해 갖고 있는 고정관념을 나타내는 형용사를 사용하여 연구 참여자의 성격을 측정하고 이것을 혈액형과 비교하였다. 흔히 혈액형 A형(소심하다, 꼼꼼하다, 내성적이다)이나 B형(변덕스럽다, 다혈질이다) 등을 묘사하는 단어들을 사용하여 참여자 자신의 성격을 평정하도록 하고, 이 평정치와 혈액형을 비교한 것이다. 그 결과, 앞서 진행한 연구와 달리 혈액형에 따라 성격에 차이가 있는 것으로 나타났다. 앞선 연구와 그다음 연구의 차이는 어디서 온 것일까?

흥미로운 결과는 두 번째 연구의 자료를 혈액형별 성격유형학에 대해 얼마나 신뢰하는지를 기준으로 집단을 나누어서 비교했을 때 나타났다. 혈액형이 누군가의 성격을 잘 나타낸다는 것을 얼마나 믿는지 측정한 후, 참여자들을 그 정도에 따라 '믿음 수준 높음' 집단과 '믿음 수준 낮음' 집단으로 나누어 분석했다. 그 결과, 믿음 수준이 높은 집단은 자신의 성격을 혈액형별 성격 고정관념에 일치하는 방향으로 응답하는 것이 발견되었다. 믿음 수준이 낮은 집단은 혈액형에 따른 성격 차이가 없는 것으로 나타났고, 이러한 결과는 성격 5요인과 혈액형을 비교했을 때와 동일한 것이었다. 이 연구에서는 비록 혈액형과 성격이 실질적으로 관계가 없더라도, 사람들이 혈액형과 성격이 관련이 있다고 믿는다면 이것이 그들의 생각과 행동에 영향을 미치고 자신이나 타인에 대한 평가를 형성할 수 있다고 해석하였다.

〈표 1-1〉 믿음 수준에 따른 혈액형별 자기보고 혈액형 성격특징 점수 차이

| 구분 | | A형 | B형 | O형 | AB형 | $F$ | 사후검증 |
|---|---|---|---|---|---|---|---|
| 믿음 수준 낮음 (N=119) | A형 성격특징 | 3.13(.59) | 2.90(.66) | 2.95(.66) | 2.66(.69) | 1.934 | |
| | B형 성격특징 | 2.85(.91) | 3.01(.87) | 3.14(.87) | 2.96(.80) | .632 | |
| | O형 성격특징 | 3.58(.48) | 3.52(.54) | 3.45(.63) | 3.71(.74) | .722 | |
| | AB형 성격특징 | 2.98(1.00) | 3.28(.82) | 2.85(.90) | 3.19(.69) | 1.440 | |
| 믿음 수준 높음 (N=61) | A형 성격특징 | 3.37(.74) | 3.00(.66) | 2.64(.61) | 3.00(.53) | 4.126* | 1>3 |
| | B형 성격특징 | 2.82(1.14) | 3.86(.77) | 2.89(.75) | 2.93(.56) | 3.609* | 2>1, 3 |
| | O형 성격특징 | 3.66(.60) | 3.54(.42) | 3.96(.56) | 3.58(.63) | 1.739 | |
| | AB형 성격특징 | 2.76(.87) | 3.45(.82) | 2.78(.83) | 3.06(.56) | 2.070 | |

$^{*}p<.05$

1. A형 집단, 2. B형 집단, 3. O형 집단, 4. AB형 집단

출처: 조소현 외(2005).

성격심리학은 성격을 과학적으로 연구하는 학문이다. 앞서 소개한 연구에서는 '혈액형과 성격이 관계가 있을까?'라는 연구문제를 도출하였고, 이러한 연구문제를 검증하기 위한 타당한 방법을 모색한 후 그 방법대로 연구를 실행하였다. 타당한 방법이란 "내가 딱 보니까 그래." 또는 "사람들이 다들 그렇게 말하잖아."와는 달리, 논리적이고(가능하다면 측정할 수 있는) 보편화할 수 있는 방법이다. 그리고 이렇게 검증된 연구문제는 인간의 성격에 대한 유용한 법칙을 뒷받침할 수 있는 근거로 활용된다.

혈액형과 실제 성격이 소름 끼칠 정도로 맞아떨어지지는 않는다는 연구결과가 있지만, 여전히 혈액형별 성격이나 연애 스타일이 대중의 관심을 받고 있는 것을 보면 심리학적 접근법으로 발견된 법칙이 대중의 의견과 다를 수 있겠다. 중요한 것은 어떤 법칙이 맞는지가 아니라 법칙을 발견하기 위해 어떤 태도로 접근하는 것이 적절한지이다. 즉, 일관되고 지속적인 개인의 행동 패턴을 이해할 수 있는 정확한 법칙을 발견하기 위해 어떤 태도로 법칙을 탐구하는 것이 유용한지를 고민해 볼 필요가 있다. 성격심리학이 제안하는 태도는 '과학적인' 태도이다. 즉, 문제를 도출하고 타당한 방법으로 검증하여 법칙을 발견, 수정 및 보완하는 것이다.

## 3. 성격심리학 연구방법

성격심리학은 일관된 방식으로 지속적으로 나타나는 개인의 고유한 행동 패턴에 대한 법칙을 과학적으로 연구하는 학문이다. 그러니까 우리는 이 책에서 '과학적인 방법으로 검증된, 개인의 일관되고 지속적인 행동 패턴에 대한 법칙'을 살펴볼 것이다. 그에 앞서 그 법칙들을 발견하는 데 사용된 방법들을 간단히 설명하고자 한다. 연구방법을 이해하게 되면 기존에 발견된 법칙들을 더 객관적으로 이해하거나 비판할 수도 있고, 더 정교한 법칙을 찾기 위한 새로운 연구 아이디어가 떠오를 수도 있다.

## 1) 자료수집 방법

과학적인 연구는 연구자의 공상이 아닌 자료를 근거로 이루어져야 한다. 따라서 연구를 위해서는 적절한 자료가 필요하다. 성격심리학 연구를 위해서 연구자들은 주로 어떤 방식으로 자료를 수집하는지 살펴보자.

### (1) 검사

믿을 만한 검사로 개인의 성격에 대한 자료를 수집하는 것은 자료수집의 가장 보편적인 방식이다. 만약 당신이 당신 자신의 성격을 알고자 한다면, 가장 먼저 떠올릴 수 있는 방법이 바로 **성격검사**를 사용하는 것일 것이다. 그런데 여기에 조건이 붙는다. 성격심리학 연구에서 사용하는 검사는 '믿을 만한' 검사여야 한다. 믿을 만한 검사는 일단 ① 그 검사가 측정하는 것이 '정말 그 검사가 측정한다고 주장하는 그것을 재는 것인지', 즉 **타당도**(validity)가 검증되어야 하고, ② 그 검사의 결과로 제시되는 점수가 '정말 그것의 점수를 가리키는 것인지', 즉 **신뢰도**(reliability)가 검증되어야 한다. 타당도와 신뢰도에 대한 설명이 다소 어렵게 느껴지고 더 궁금하다면 심리검사에 대한 자료를 더 찾아보면 될 것이고, 여기서 강조하고 싶은 것은 아무 검사나 사용해서 성격에 대한 자료를 수집해서는 적절한 자료로 활용할 수 없다는 것이다.

성격심리학 연구에서 사용하는 검사는 믿을 만하다고 검증된 검사이다. 흔히 '재미로 보는 심리테스트'로 사람들 사이에서 회자되고 있는 검사들을 떠올려 보자. 하나 떠오르는 것은 '숲 속 오두막을 발견한 당신은 오두막 안으로 들어갑니다. 테이블 위에 양초가 놓여 있네요. 불이 켜진 양초는 몇 개인가요?'와 같은 것이다. 당신은 이런 검사가 정말로 당신의 심리에 대한 자료를 제공한다고 믿는가? 테이블 위 양초의 수가 정말 당신의 절친한 친구의 수와 일치하는가? 설령 당신이 "친구들이랑 해 봤는데, 진짜 딱 맞던데요?"라고 하더라도, 안타깝지만 그것은 이 검사가 믿을 만한 검사라는 증거가 되지는 않는다. 이러한 심리테스트들이 믿을 만한 검사가 되려면, 그에 대한 과학 검증이 이루어져야 한다. 예컨대, 적어도 여러 피험자의 절친한 친구의 수를 먼저 측정하고, 이 심리테스트에서 답한 양초의 수에 대한 자료를 수집한 후, 두 수 사이의 상관관계를 분석해야 한다. 두 수가 관련이 있는 것으로 검증이 된다면, 일단 이 심리테스트는 믿을 만한 검사에 한 걸음 다가가게 되고, 믿을 만하다는 근거가 쌓이면 성격심리학 연구에서 적절한 자료수집 방법으로 채택될 수 있을 것이다.

검사로 성격에 대한 자료를 수집할 때 가장 흔히 쓰이는 방법은 **자기보고식 검사**를 사용하는 것이다. 자기보고식 검사는 잘 선별된 문항에 피험자 스스로가 응답하는 검사이다. 잘 선별된 문항이란 그 검사가 측정하고자 하는 것을 정말 잘 측정할 수 있도록 신중하게 선택된 문항이라는 뜻이다. 〈표 1-2〉의 예를 보자. 당신은 지시문에 따라 제시된 문항에 대해 스스로 답을 할 수 있다. 그리고 당신이 응답한 내용은 수치화되어 당신의 성격에 대한 자료로 사용된다. 아마도 문항의 내용은 동일하지 않겠지만 지금까지 살면서 이러한 형태의 검사에 응해 본 경험은 적어도 한두 번은 있을 것이다.

자기보고식 검사를 사용하여 성격을 측정하는 방법은 가장 수월한 방법이다. 믿을 만한 검사 도구와 피검자의 참여 의지만 있다면 가능하기 때문이다. 여러 명을 대상으로 검사를 실시하더라도 검사에 소요되는 시간이나 비용이 비교적 적다. 바꿔 생각하면, 자기보고식 검사는 검사가 믿을 만하지 않거나 피검자가 흔쾌히 참여할 의지가 없다면 성격에 대한 적절한 자료가 될 수 없다. 대부분의 자기보고식 검사는 피검자가 거짓으로 보고하더라도 이를 선별하기 어렵기 때문이다. 따라서 검사의 필요성이나 유용성에 대해 피검자에게 충분히 설명한 후 참여 의지를 고취시키는 것이 반드시 필요하다.

〈표 1-2〉 자기보고식 검사 문항 예

• 다음 문장이 당신에 대한 설명에 얼마나 가까운지 답하라.

| 문항 | 전혀 그렇지 않다 | 그렇지 않은 편이다 | 보통 이다 | 그런 편이다 | 매우 그렇다 |
|---|---|---|---|---|---|
| 나는 대부분의 사람에게 친절하다. | 1 | 2 | 3 | 4 | 5 |
| 나는 문제가 생겼을 때 신중하게 생각한다. | 1 | 2 | 3 | 4 | 5 |

• 다음 문장에 대해 당신이 얼마나 동의하는지 답하라.

| 문항 | 전혀 동의하지 않는다 | 동의하지 않는 편이다 | 보통 이다 | 동의하는 편이다 | 매우 동의한다 |
|---|---|---|---|---|---|
| 다른 사람을 무조건 믿는 것보다 일단 의심하는 것이 안전하다. | 1 | 2 | 3 | 4 | 5 |
| 나보다 더 오래 살아온 사람들의 의견을 듣는 것은 유용하다. | 1 | 2 | 3 | 4 | 5 |

자기보고식 검사만큼 흔하지는 않지만 **타인평정 검사**도 가능하다. 이는 검사 대상자에 대해 다른 사람이 응답함으로써 성격에 대한 자료를 수집하는 방식이다. 예컨대, 아동이나 청소년의 특성에 대한 자료는 이들을 가까이에서 지켜보는 부모로부터 수집할 수 있다. 한국판 아동・청소년 행동평가척도(Korean-Child Behavior Checklist: K-CBCL)는 아동 및 청소년의 심리적 적응에 대한 문항들에 부모가 응답하는 방식이다. 이 검사를 통해 수집된 자료는 자녀의 성격에 대한 자료로 활용된다.

자기보고식 검사나 타인평정 검사는 명확히 제시된 문항에 대해 자신이나 타인을 떠올리고 자신이 생각하는 대로 점수를 매긴다. 이러한 방식은 대상에 대해 평정자가 어떻게 생각하는지에 따라 결과가 달라지게 된다. 물론 이러한 결과는 실제와 크게 다르지 않다. 우리는 대부분 자신이나 가까운 사람들에 대해 비교적 정확하게 알고 있기 때문이다. 그런데 우리 성격의 어떤 측면은 우리가 의식적으로 알지 못할 수 있다. 예컨대, 자신의 공격성에 대해 보통 수준이라고 알고 있지만 자신도 모르는 마음 저 깊은 곳에는 높은 수준의 공격성이 자리 잡고 있을 수 있다. 이러한 성격의 깊은 부분에 대한 자료를 수집하고자 할 때 **투사적 검사**를 사용한다. 흥미롭지 않은가? 내가 모르는 나의 깊은 마음속에 대한 자료라니. 투사적 검사에 대해서는 다른 장에서 더 자세히 다루도록 한다.

### (2) 면담

검사가 특정 도구를 사용하여 누군가의 성격에 대한 자료를 수집하는 방법이라면, 면담은 면담자 자신과 언어가 도구가 되어 자료를 수집하는 방법이다. 면담은 질의응답과는 다르다. 상상해 보자. 난생 처음 보는 소위 연구자 또는 전문가가 당신에게 방긋 웃으며 "당신 자신에 대해 이야기해 보세요. 어떤 이야기든 좋으니 편안하게 털어놓아 보세요."라고 한다면, 당신은 정말 그 사람에게 당신의 모든 생각, 감정, 행동과 마음속 내밀한 이야기를 술술 털어놓을 것인가? 면담을 통해 적절한 자료를 수집하려면 우선 피면담자가 면담에서 자신의 이야기를 하는 상황을 안전하게 여기며 기꺼이 자신의 내면을 열어 보일 수 있도록 하는 공감과 경청의 자세가 필요하다. 그리고 피면담자의 마음의 흐름을 깨지 않으면서 유용한 정보를 탐색할 수 있는 질문 기술이나 피면담자의 이야기를 정확하게 확인할 수 있는 요약 기술 등이 필요하다. 따라서 면담을 통해 개인의 성격에 대한 좋은 자료를 수집할 수 있으려면 잘 준비된 면담자가 반드시 필요하다.

면담으로 성격에 대한 자료를 수집하는 것은 성격을 연구하는 가장 오래된 방법이다. 숙련된 면담 기술을 가진 면담자에 의해 수집된 자료는 원자료만으로도 가치가 있다. 그렇지만 현대에는 수집된 원자료를 부호화하고 수량화하는 과정을 거치기도 한다. 원자료를 부호화하고 수량화함으로써 자료들은 더욱 객관성을 갖게 되고, 이에 따라 자료에 대한 신뢰도가 높아진다.

### (3) 행동관찰

어떤 사람이 외현적으로 보여 주는 행동을 잘 들여다보면 그 사람의 성격에 대한 자료가 드러난다. 여러 상황에서 일관되게 나타나는 행동 패턴을 살펴보는 가장 좋은 방법은 그 사람의 자연스러운 일상을 관찰하는 것이다. 〈우리 아이가 달라졌어요〉나 〈세상에 나쁜 개는 없다〉와 같은 방송 프로그램에서 출연자(또는 출연견)의 일상 장소에 CCTV를 설치하고 자연스러운 행동을 관찰함으로써 행동 패턴을 파악하는 것을 본 적이 있을 것이다. 이처럼 실험실이나 관찰실이 아닌 자연스러운 생활상황에서 대상의 행동을 관찰함으로써 성격에 대한 자료를 얻는 것을 **자연관찰법**이라 한다.

안타깝게도, 방송국만큼의 지원이 없는 일개 연구자는 피험자의 자연스러운 행동을 관찰할 만한 인적 · 물적 자원이 없다. 그렇지만 연구자는 피험자의 협조하에 **원격행동표집** 방법으로 성격에 대한 자료를 얻을 수 있다. 연구자가 피험자의 일상을 직접 관찰하지는 못하지만, 피험자에게 관찰의 목표가 되는 행동을 알려 주고 일정한 시각에 자신의 행동을 스스로 관찰하고 기록하도록 할 수 있다. 예컨대, 한 연구(김민정, 이기학, 2009)에서는 피험자의 자존감이 얼마나 불안정한지를 측정하기 위하여 1주일 동안 14회에 걸쳐 상태자존감 검사에 응하도록 하였다. 피험자는 1주일 동안 일상생활을 하다가 연구자가 휴대폰으로 메시지를 보내면 바로 그 시각에 자신의 상태자존감을 평정하게 된다. 이렇게 원격행동표집 방법으로 수집된 자료는 피험자의 자존감 안정성에 대한 자료로 활용되었다.

### (4) 생리적 반응 측정

생물학적 차원에서 나타나는 행동 패턴에 대한 자료를 수집하기 위해서는 복잡한 장치들이 필요하다. 먼저, 생리적 반응을 측정하는 가장 오래되고 널리 사용된 도구는 **폴리그래프**이다. 폴리그래프는 자율신경계의 활동을 기록하는 도구인데, 심장이 뛸 때 수축되는 근육의 전기적 활동 패턴을 탐지하는 심전도(electrocardiogram: EKG)나 혈액의 양이 변화하는 것을 탐지하는 혈량계 등이 측정한 정보를 기록하게 된다. 이러한 정보는 개인의 신체적 각성 정도, 스트레스에 대한 생리적 반응 패턴 등에 대한 자료가 된다.

특히 뇌는 성격과 관련된 생물학적 정보를 많이 제공한다. 정서적으로 각성된 상태는 대뇌가 활성화되는 것과 밀접하게 관련되는데, 대뇌피질이 얼마나 활성화되어 있는지는 뇌파로 추론할 수 있다. 따라서 뇌파를 측정하기 위해 사용되는 **뇌전도**(electroencephalograph: EEG) 역시 생물학적 차원의 성격에 대한 유용한 자료수집 방법이다.

이 외에도 뇌를 연구하기 위해 **양전자 방출 단층촬영**(Positron Emission Tomograhpy: PET)이나 **자기공명영상**(Magnetic Resonance Imaging: MRI)과 같은 뇌 영상 기술들을 사용하고 있다. 현재 뇌 연구에서 가장 주목받고 있는 방법은 **기능적 자기공명영상**(functional MRI: fMRI)을 활용해 자료를 수집하는 것이다. 우리 뇌는 신경세포 덩어리이다. 기능적 자기공명영상은 대뇌에 포함된 신경세포들이 만들어 내는 자기장을 영상으로 찍는 기술이다. 특히 우리가 과제를 수행하고 있을 때, 즉 우리의 뇌가 활동하는 중에 대뇌의 어느 영역이 얼마나 활동하는지를 영상으로 보여 준다. 움직이는 뇌를 들여다볼 수 있다는 것은 매우 획기적인 연구방법이다. 이렇게 표현하면 마치 뇌의 활동을 동영상으로 촬영하는 것으로 오해할 수 있겠다. 사실 아직까지는 fMRI를 사용하여 뇌가 활동하는 중에 사진을 여러 장 찍어 내는 수준이지만, 그래도 이러한 기술을 이용하여 뇌의 활동과 인간 행동의 관계에 대해 많은 정보와 법칙을 발견하고 있다. 모두 알고 있듯이 기술은 점차 발전하고 있고, 앞으로 더 많은 영역을 탐구할 수 있을 것이다.

### 2) 자료 간 관계 검증 방법

성격심리학자들은 성격에 대한 이론이나 법칙을 찾아내려 한다. 예를 들면, '자존감이 낮은 사람은 우울하다'거나 '외상(trauma) 경험이 있는 아이는 성인이 되어서 대인관계를 잘 맺지 못한다'와 같은 가설을 설정하고, 실제로 그런지 자료를 통해 검증하여 인간의 성격을 설명하는 보다 정확하고 정교한 법칙을 찾고자 한다. 그래서 그들은 성격에 대해 수집된 자료들이 서로 어떤 관계가 있는지를 살펴보기 위해 다양한 과학적인 방법들을 사용한다. 그중 대표적인 몇 가지를 살펴보자.

### (1) 존재하는 자료들의 관계 검증

자료들 사이의 관계를 살펴보는 가장 기본적인 방법은 두 자료 간의 **상관**(correlation)을 분석하는 것이다. 낮은 자존감과 높은 우울의 관계를 살펴보거나 아동기의 학대 경험과 성인기의 대인관계 어려움의 관계를 살펴볼 때에도 상관분석이 사용될 수 있다. 상관이나 다른 연구방법을 소개하기에 앞서 **변인**(variable)이 무엇인지 잠깐 살펴보자. 변인 또는 변수는 변화하는 요인을 뜻하는 것으로, 연구에서 연구자가 관심을 갖는 요소나 특성을 말한다. 앞선 예에서 자존감, 우울, 아동기의 외상 경험, 성인기의 대인관계 어려움 등이 변인이다. 즉, 자존감이 높을수록 우울이 낮은지를 보려는 연구에서 자존감과 우울은 변화하는 요인이며 연구자의 주 관심사로 '변인'이라 한다.

다시 상관으로 돌아가서, 연구에서 상관이란 한 변인과 다른 변인의 관련성을 말한다. '두 변인 간에 상관이 있다'는 말은 한 변인의 변화가 다른 변인의 변화와 일정한 관련성이 있는 것으로 관찰될 때 사용된다. 만약 두 변인 간에 상관이 있다면, 그 관련성의 형태에 따라 정적상관 또는 부적상관으로 구분된다. 정적상관이란 한 변인의 크기가 커질수록 다른 변인의 크기가 커지는 관계(화가 날수록 목소리가 커지는 것처럼)이며, 부적상관이란 한 변인의 크기가 커질수록 다른 변인의 크기가 작아지는 관계(화가 날수록 말수가 적어지는 것처럼)이다.

예를 들어 보자. 한 교실에 30명의 학생이 있고, 이들에게 자기보고식 검사를 실시하여 30명 각각의 자존감 점수를 수집했다. 또한 담임교사에게 30명 각각의 외향성 정도를 평정하도록 하여 30명의 외향성 점수도 수집하였고, 숙련된 면담자가 30명과 일대일 면담을 하여 각 학생의 우울 정도를 평정하였다. 그리고 우리는 30명 각자의 키와 휴대폰에 저장된 연락처의 개수를 알고 있다. 이제 우리에게는 여러 방법을 사용하여 수집된 30명의 자존감, 외향성, 우울, 키, 휴대폰 연락처 수라는 자료가 있다.

정적상관을 살펴보자. 먼저 좌표에서 X축을 외향성 점수로 놓고 Y축을 휴대폰 연락처 수로 놓는다고 가정해 보자. 그 반대여도 괜찮다. 그 위에 각 30명의 위치를 점으로 찍는다면 대략 [그림 1-2]와 같은 모양으로 나타날 것이다. 정확한 수치는 통계적으로 분석해 보아야 알겠지만, 어떤 사람의 외향성이 높다면 휴대폰 연락처 수가 많은 경향성이 보인다. 이때 외향성과 휴대폰 연락처 수는 정적상관이 있다고 해석된다. 다음으로, 부적상관을 살펴보자. 이번에는 좌표에서 X축을 자존감 점수로 놓고 Y축을 우울 점수로 놓는다고 가정해 보자. 이 역시 그 반대여도 괜찮다. 그 위에 각 30명의 위치를 점으로 찍는다면 대략 [그림 1-3]과 같은 모양으로 나타날 것이다. 어떤 사람의 자존감이 높다면 우울 정도가 낮은 경향성이 보인다. 이때 자존감과 우울은 부적상관이 있다고 해석된다. 마지막으로, X축을 외향성 점수로 놓고 Y축을 키로 놓는다고 가정해 보자. 외향성이 높거나 낮은 것과 그 사람의 키가 크거나 작은 것은 관련이 없을 것으로 예상이 된다. 즉, 상관이 없을 것이고, 그렇다면 아마 [그림 1-4]와 같이 그려질 것이다.

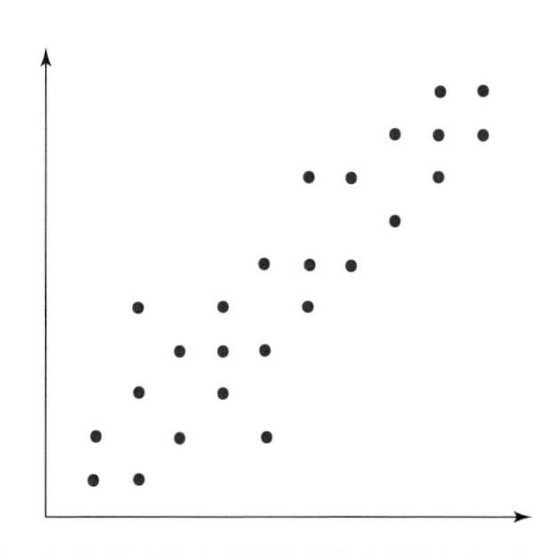

**[그림 1-2]** 외향성과 휴대폰 연락처 수(예상)

[그림 1-3] 자존감과 우울(예상)

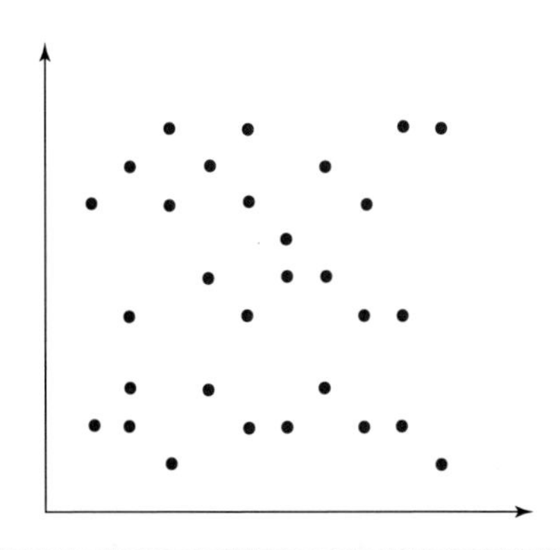

[그림 1-4] 외향성과 키(예상)

상관은 다음과 같이 표기한다.

$$r = .25$$
$$r = -.87$$

여기서 $r$은 상관계수를 뜻하고, 등호 다음에 상관계수는 방향과 크기를 표시한다. 정적상관일 때는 +의 관계인데, 이때 +는 생략한다. 이와 달리 부적상관일 때는 −의 관계이며, 이때 −는 표시를 해 준다. 모든 상관계수는 절댓값이 1을 넘지 않기 때문에 통상적으로 소수점과 그 아래 숫자만 표시하고, 그 절댓값이 클수록 관련성이 큰 것으로 해석된다. 그러니까 두 변인의 관계가 $r=.25$라면 한 변인이 커질수록 다른 변인이 커지는 양상이 조금 있는 관계이며, $r=-.87$라면 한 변인이 커질수록 다른 변인이 작아지는 양상이 뚜렷하게 있는 관계이다.

상관관계를 해석할 때 주의할 점은 두 변인이 상관이 있다고 해서 한 변인이 다른 변인의 원인이라고 해석을 해서는 안 된다는 것이다. 외향성과 휴대폰 연락처 수가 상관이 있다고 해서 외향성이 높은 것이 휴대폰 연락처 수를 높인다고, 즉 외향성이 휴대폰 연락처 수의 원인이라고 해석하는 것은 곤란하다. 물론 직관적으로 생각했을 때 그렇게 판단할 수는 있지만, '상관관계 분석을 했더니 외향성이 원인이라고 나왔다'라고 한다면 이는 틀린 해석이 된다. 앞선 예에서 그래프의 X축과 Y축을 바꿔도 무관하다고 했다. 무엇이 X이고 무엇이 Y이든 상관없다는 뜻이다. 예컨대, 초등학생의 키와 어휘력은 상관이 있다. 실제로 1학년부터 6학년까지 학생들의 키를 재고 어휘력을 재어 각각을 X축과 Y축으로 놓고 점을 찍는다면 [그림 1-2]와 흡사한 모양이 나타날 것이다. 그렇다고 큰 키가 높은 어휘력의 원인이라고 할 수는 없다. 상관분석을 토대로 '어휘력을 향상시키기 위해 우유를 많이 먹어야 한다'라는 주장을 하면 곤란하다.

둘 이상의 변인 간의 조금 더 정교한 관계를 밝히기 위한 방법도 있다. 여러 변인 간의 영향력이나 관련성 정도를 살펴보기 위해 다양한 통계적 검증 방법을 사용한다. 예컨대, 이런 연구문제를 검증해 볼 수 있다. '아동기의 학대 경험이 성인이 되었을 때 대인관계 문제에 영향을 줄까?' 이 연구문제에도 아동기의 학대 경험과 성인기의 대인관계 문제라는 두 변인이 등장하지만, 상관분석과의 차이점은 이 연구문제는 선후가 분명하다는 것이다. 적어도 성인기의 대인관계 문제가 어린 시절의 학대 경험에 앞서 일어나지는 않았을 것이다. 그렇다면 두 변인이 관련이 있다면 아동기의 학대 경험이 성인기의 대인관계 문제에 영향을 주었다고 가정할 수 있다.

조금 더 정교하게는 '어린 시절의 외상 경험이 성인의 인지 도식에 영향을 미치고 이것이 다시 대인관계 문제에 영향을 미칠까?'를 검증할 수 있다. '어린 시절의 학대 경험'과 '성인의 인지 도식' 그리고 '대인관계 문제'라는 세 가지 변인의 관계를 살펴보는 것이다. 또는 연구자가 선행 연구나 문헌들을 읽고 고민한 끝에 이 사람의 타고난 '낙관성'이 이 관계에서 어떤 역할을 하는 것으로 연구문제를 설정할 수 있다([그림 1-5] 참조). 그리고 이 역시 연구자가 다양한 방법으로 자료를 수집하고 통계적으로 분석하여 관계를 검증할 수 있다.

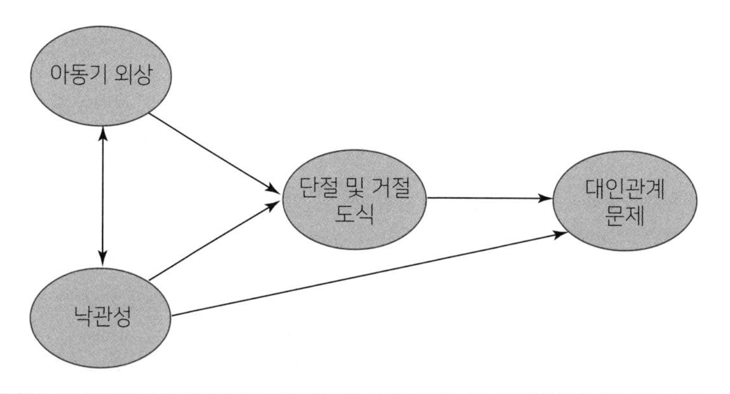


**[그림 1-5] 둘 이상 변인 간의 관계를 밝히기 위한 연구 예**

출처: 장숙경, 김민정(2020).

존재하는 자료들을 사용하여 변인 간 관계를 검증하는 연구방법의 한계점은 수집한 자료로는 무엇이 원인이고 무엇이 결과인지를 실제로 검증하기 어렵다는 점이다. 연구자는 많은 문헌과 연구자의 고찰을 토대로 원인과 결과를 추론할 뿐이다. 자존감과 우울의 관계를 예로 들어 보자. 자존감이 낮아서 우울한 걸까, 아니면 우울해서 자존감이 낮게 느껴지는 걸까? 즉, 무엇이 원인이고 무엇이 결과일까? 자존감이 낮은 것이 우울을 높이는 원인이라고 생각할 수도 있지만, 실제로 우울감을 많이 경험하는 사람은 자신에 대해 긍정적인 마음이 사라지기도 한다. 이처럼 현재 존재하는 자료들을 수집해서 그것을 가지고 인과관계를 검증하기에는 한계가 있다.

### (2) 연구자가 개입한 자료의 관계 검증

변인들의 인과관계를 밝히기 위해서는 **실험**이 필요하다. 즉, 원인이라고 생각되는 변인을 연구자가 인위적으로 처치를 하고 그것에 따른 결과를 확인하는 것으로 인과관계를 밝힐 수 있다. 만약 피험자에게 어떤 처치를 하고 나서 무언가가 변화한다면 그 처치가 변화의 원인이라고 말할 수 있을 것이다. 그러나 이때 처치를 하지 않은 피험자도 존재해야 한다. 그리고 처치를 하지 않은 피험자는 그 무언가가 변화하지 않거나 변화하더라도 처치를 한 피험자보다 훨씬 덜 변화해야 한다. 그래야 그 변화가 시간의 흐름에 따라 원래 나타나는 변화이거나 우연히 일어난 변화가 아니라 연구자가 주목한 그 처치에 의한 변화라고 확실히 말할 수 있을 것이다. 실험의 간략한 절차는 [그림 1-6]과 같다.

양육자와의 스킨십이 유아의 정서적 안정을 높이는 원인이 될 것이라고 가정한 연구자가 있다고 상상해 보자. 이 연구자는 스킨십을 원인으로 가정했기 때문에 양육자와의 스킨십을 처치하는 실험을 계획할 것이다. 실험을 위해서는 전체 실험 참여자를 실험집단(처치를 받을 집단)과 통제집단(처치를 받지 않을 집단)에 고르게 배치한다. '고르게'라는 말은 두 집단의 사람들이 각각 고유한 어떤 특징을 갖고 있어서는 안 된다는 말이다. 이 연구에서는 실

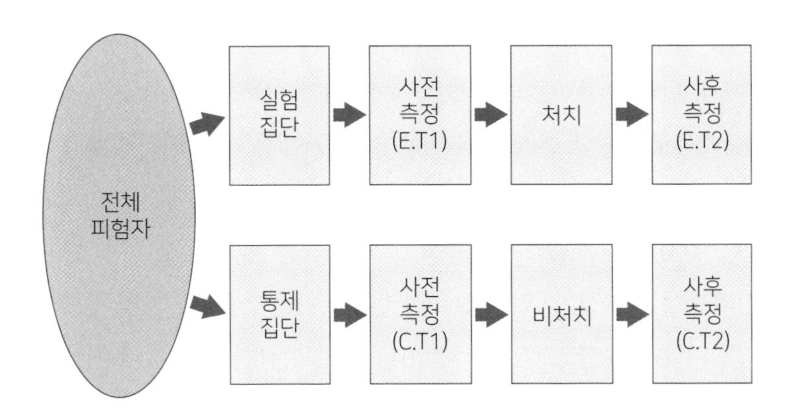


**[그림 1-6] 실험 절차**

험집단 피험자들(유아들과 양육자들)이 통제집단 피험자들보다 실험에 더 적극적이라거나, 더 교육 수준이 높다거나, 더 심리적으로 안정적이라거나 또는 그 반대여서는 곤란하다. 실험 전에는 두 집단이 동일한 상태여야 처치 후에 두 집단에서 나타나는 차이가 처치 때문에 일어난 차이라고 확신할 수 있기 때문이다.

사전측정 단계에서는 '결과'로 예상되는 변인을 측정한다. 이 연구자는 아마도 유아의 정서적 안정을 나타내는 다양한 점수(우울, 불안, 분노 등)를 다양한 자료수집 방법을 사용하여 얻을 것이다. 이때 만약 두 집단이 고르게 나누어졌다면 실험집단의 사전측정(Experimental group. Time 1: E.T1) 점수와 통제집단의 사전측정(Control group. Time 1: C.T1) 점수가 비슷한 것을 확인할 수 있을 것이다.

처치(비처치) 단계에서는 원인으로 가정하는 처치를 하거나(실험집단) 하지 않는다(통제집단). 이 연구에서 실험집단은 양육자가 일정 기간 동안 일정 시간과 방법으로 스킨십을 하도록 안내를 받는다. 이와 달리 통제집단은 일정한 처치 없이 일상을 보내게 된다.

정해진 기간 동안의 처치(또는 비처치)가 끝나면, 사후측정 단계에서는 사전측정 때와 동일한 방법으로 동일한 변인들이 측정된다. 만약 연구자의 가정대로 양육자와의 스킨십이 유아의 정서적 안정을 높이는 원인이 된다면, 두 집단의 사후검사 점수와 사전검사 점수 간에는 큰 차이가 있을 것이다. 즉, C.T2와 C.T1의 차이보다 E.T2와 E.T1의 차이가 훨씬 크다는 것이 발견된다면 이 연구자는 스킨십과 유아의 정서적 안정 간의 인과관계를 성공적으로 밝힌 것이다.

실험은 존재하는 자료들을 사용하는 방법과는 비교할 수 없을 만큼 확실하게 인과관계를 밝힐 수 있는 강력한 방법이다. 그렇지만 몇몇 주제에 대해서는 실험이 불가능할 수 있다. 예컨대, 앞서 언급한 아동기의 외상 경험과 성인기의 대인관계 문제 간 관계의 경우는 확실한 인과관계를 밝히기 위하여 아동을 처치집단에 포함시킬 수는 없는 노릇이다. 자존감이 우울의 원인인지 또는 우울이 자존감의 원인인지에 대한 무수한 논쟁이 있지만, 이를 확인하기 위하여 개인을 처치집단에 할당하고 자존감을 낮추는 처치 또한 할 수 없는 것이다. 연구자들은 성격에 대한 보다 정교하고 정확한 법칙을 찾기 위해 가능한 다양한 방법을 사용하고 있다. 그러나 무엇보다 성격심리학의 연구 대상은 인간이기 때문에 개인의 안녕을 해치는 방법을 사용하는 것은 용납되지 않는다.

## 활동 1 성격심리학 학습목표 명료화하기

학습목표는 학습자에게 나침반 역할을 합니다. 1장에서 성격심리학이라는 학문을 대략적으로 이해하게 되었다면, 이 영역에 대한 학습을 통해 무엇을 얻고 싶은지 떠올려 볼 수 있을 것이고, 이것이 학습동기를 높일 수 있습니다.

1. **성격에 대한 궁금증**: 당신은 성격에 대해 어떤 점이 궁금한가요? 당신 자신에 대해 또는 다른 사람에 대해 성격 측면에서 궁금한 점이 있다면 무엇인가요?

2. **성격심리학에 대한 이해**: 제1장을 학습한 지금, 성격심리학을 공부하면 어떤 것을 할 수(또는 알 수) 있게 될 것이라고 기대하나요?

3. 이제 나만의 성격심리학 학습의 목표를 정해 봅시다.

   **나는 성격심리학을 학습하고 나서 ...................................**

   **................................... 을(를) 할 수(알 수) 있다.**

4. 이 책이 제안하는 학습목표는 다음과 같습니다. 자신만의 학습목표에 더하여 다음 목표도 염두에 둔다면 더욱 의미 있는 학습이 될 것입니다.

- 성격이란 무엇인지 설명할 수 있다.
- 성격을 설명하는 다양한 관점이 있음을 이해하고 각 관점의 특징을 설명할 수 있다.
- 성격이 개인의 삶에 어떻게 영향을 미치는지 이해한다.
- 자신의 성격을 다양한 측면에서 이해한다.
- 성격심리학 연구의 유용성과 한계점을 이해한다.

# 제 1 부

# 성격에 대한 관점

제2장 특질로 성격 보기
제3장 정신역동적으로 성격 보기
제4장 내적 경험으로 성격 보기
제5장 행동주의적으로 성격 보기
제6장 인지로 성격 보기
제7장 생물학적으로 성격 보기

제2장

# 특질로 성격 보기

## 1. 유형과 특질

우리가 누군가의 성격을 설명하는 상황을 떠올려 보자. "그 사람 성격이 어때?"라는 질문에 대해 가장 일반적으로 하게 되는 답변은 "그 사람은 외향적이야." "엄청 친절해." 또는 "무뚝뚝해." 등의 형식을 띤다. 성격을 '외향적인' '친절한' '무뚝뚝한' 등으로 표현하는 것은 유형(type) 또는 특질(trait)로 성격을 보는 관점이라고 볼 수 있다. 이 장에서는 유형과 특질이 무엇인지 비교한 후 이들 개념을 설명하는 주요 이론들을 이해하고, 유형과 특질로 성격을 보는 관점이 어떠한 유용성과 제한점이 있는지를 살펴보도록 하자.

### 1) 성격유형

#### (1) 성격유형 이해하기

**성격**을 **유형**으로 보는 관점에서는 개인의 성격이 유형별로 각각 명확하게 구분된다고 설명한다. 예컨대, A와 B의 성격이 다르다면 A의 성격과 B의 성격 사이에는 명확한 경계선이 있고, 둘은 질적으로 다르며, 그 경계선을 넘어서는 것이 성격의 변화라고 본다. 가령 누군가의 성격을 '외향형' '친절형' '무뚝뚝형' 등으로 말할 수 있다면 이는 성격을 유형화한 관점에서 비롯된 것일 것이다. 흔히 혈액형이나 탄생 별자리로 사람의 성격을 설명하려는 것이 성격을 유형화하는 관점에 따른 것이라 할 수 있다.

성격을 유형화하려는 시도는 오래전부터 시작되었지만, 현재까지 통용되고 있는 성격유형 이론은 융(Carl G. Jung)의 이론이 대표적이다. 융은 인간의 정신에는 양극단의 상반되는 에너지들이 존재한다고 보았다. 그 대표적인 예로 외향성와 내향성, 남성성과 여성성, 감정과 사고 등이 있다. 융에 의하면 이러한 양극단의 에너지들 중 그 사람을 편안하고 자연스럽게 행동하도록 하는 에너지가 존재하며, 이것이 그 사람의 성격유형인 것이다. 즉, 그는 외향적인 사람과 내향적인 사람은 생활태도나 에너지의 방향 등에서 명확한 차이가 있다고 본다. 후에 융의 이론을 근거로 성격유형을 측정하는 검사인 MBTI(Myers-Briggs Type Indicator)가 개발되었고 현재까지 널리 사용되고 있는데, 이 책에서는 성격평가 부분에서 보다 자세히 다루도록 하자.

인간의 성격을 유형화할 때 가장 명확하고 즉각적으로 판단되는 차원이 외향성과 내향성이다. 한 연구(신지은, 서은국, 손미나, 2014)에서 남성의 목소리를 듣고 여성이 그 사람의 외향성을 타당하게 판단할 수 있는지를 알아보았다. 연극 대사를 읽는 남성의 목소리를 15초간 듣고 판단한 그 남성의 외향성은 그가 스스로 평가한 자신의 외향성 점수, 행동 활성화 체계 그리고 친구의 수와 유의미한 상관이 있었다. 게다가 혼자 신문을 읽는 3초간의 목소리를 듣고 내린 판단 역시 실제 외향성과 유의미한 상관이 있었다. 이 연구가 외향성과 내향성을 유형으로 구분하여 실시한 연구는 아니었지만, 연구 결과는 외향성-내향성이 성격을 판단함에 있어서 얼마나 명확하게 두드러지는 특성인지를 시사한다. 이 외에도 많은 연구가 외향성과 내향성의 차이에 주목해 왔다. 일례로, 외향성 집단과 내향성 집단의 행복을 비교한 연구(박은미, 정태연, 2015)는 두 집단이 행복을 경험하는 방식에서 차이가 있음을 보여 주었다. 2주 동안의 행복 에피소드 일기 쓰기를 근거로 연구 참여자들의 행복 경험을 비교했는데, 외향성 집단의 사람은 대인관계에서 유쾌함, 황홀, 애정, 자부심을 높게 경험하고 내향성 집단의 사람은 안락함을 높게 경험하는 것으로 보고되었다. 행복을 경험한 에피소드에 있어서 외향성 집단은 대인관계 영역에서 행복을 빈번하게 경험했고, 내향성 집단은 정적인 활동과 평안 및 즐거움을 더 빈번하게 경험한 것으로 나타났다.

### (2) 유형으로 인간 행동을 설명하는 것의 유용성

앞서 언급한 것처럼, 우리가 일상에서 흔히 사용하는 혈액형이나 별자리 등으로 사람의 성격을 이해하려는 것은 성격을 유형화하는 관점에 따른 것이다. 혈액형과 별자리가 개인의 성격을 얼마나 반영하는지는 그 타당성이 검증되지 않았다. 그럼에도 불구하고 그 둘을 다시 끌어들이는 것은 우리가 이처럼 혈액형과 별자리로 사람의 행동을 읽어 내려는 시도, 즉 성격을 유형화하여 인간의 행동을 설명하려는 시도에 매료되는 데는 이유가 있을 것이기 때문이다.

유형론의 가장 큰 장점은 이해와 소통을 비교적 쉽게 해 준다는 것이다. 우리는 나를 포함한 인간의 행동을 이해하고자 하는 욕구가 있는데, 복잡하고 무수한 사람들의 성격을 하나하나 들여다보고 정교하게 이해하기에는 수집하고 분석해야 할 정보의 양이 너무나 많다. 이에 비하여 성격을 유형화한다면 우리의 뇌가 기억해야 할 정보의 양은 매우 간략하게 된다. 예컨대, 어떤 사람이 다른 사람을 만날 때 쉽게 말을 걸고 일상생활에서 보여 주는 에너지가 많다면 그 사람을 '외향적'이라고 이해할 수 있다. 이것은 '외향적'이라는 하나의 유형으로 그 사람을 이해하려는 시도이다. 또는 우리가 누군가를 '외향적'이라고 설명한다면, 그 말을 듣는 순간 다른 사람과 외부세계에 관심이 많고 사람들에게 스스럼없이 다가가며 활동적인 어떤 사람을 떠올리게 된다. 이는 성격유형으로 서로가 쉽게 소통할 수 있는 예라 하겠다.

게다가 성격을 유형화했을 때에는 특정 집단들에 대한 연구가 연속적으로 이루어지고 축적되기에 용이하다. 예컨대, 외향성 집단에 적절한 교육방법 연구, 사고형 집단에 적절한 대인관계 기술 훈련 등과 같이 선행 연구에서 특정 집단에 대한 정보를 제안했다면, 이를 동일한 유형의 집단에 적용하며 현장에 개입하거나 후속 연구를 실시하기에 유용할 것이다. 이 역시 성격의 유형화가 학자 및 실무자 간 소통을 용이하게 하기 때문인 것으로 이해된다. 이처럼 유형론은 이해와 소통을 쉽게 해 준다는 장점을 갖고 있고, 따라서 성격을 유형화하는 관점에 대한 사람들의 흥미를 유발하고 학문적 발전에 기여한다.

### (3) 유형으로 인간 행동을 설명할 때 주의할 점

'외향적'이라는 말로 누군가의 성격을 설명하는 것은 장점도 있지만, 동시에 맹점도 존재한다. 성격유형론의 맹점 중 하나는 그것으로는 개인차를 정교하게 반영하지 못한다는 점이다. 유형론에서는 이 세상의 모든 사람이 특정 유형에 속한다고 가정하고 있는데, 그렇다고 해서 하나의 유형에 속한 사람들이 모두 동질적이라고 볼 수는 없을 것이다. 예를 들어, 주위에 외향적이라고 평가되는 사람들을 떠올려 보자. 어떤 사람은 외향적이어서 스스럼없이 남에게 다가가고 타인을 편안하게 해 주는가 하면, 다른 사람은 외향적이어서 남을 침범하고 피곤하게 하기도 한다. 이때 그 사람의 성격은 단순히 '외향성'이라는 유형으로만 설명되지는 않으며 보다 정교한 부연설명이 필요할 것이다.

유형론을 사용할 때, 물론 하나의 차원(예: 외향성 대 내향성)에 대해서 특정 유형(예: 외향성)에 속한 사람들은 다른 유형(예: 내향성)에 속한 사람들에 비하여 동질적인 것은 사실일 것이다. 그렇다고 해서 그 유형에 속한 모든 사람이 그 특성을 동일한 정도(양)로 갖고 있다고 가정하는 것은 무리가 있어 보인다. 우리는 외향적인 사람들 중에서도 '매우' 외향적이거나 '조금' 외향적인 사람들이 구분되는 현실을 자주 접한다. 오죽하면 혈액형으로 성격을 이야기할 때에도 '트리플 A형'과 같은 표현을 쓰겠는가. 즉, 유형론은 간단하고 흥미롭지만, 복잡하고 다양한 인간의 성격을 정교하게 반영하는 것에는 한계가 있다.

## 2) 성격특질

### (1) 특질 관점의 이해

성격유형론이 개인의 성격을 질적으로 구분되는 유형들 중 하나에 속하는 것으로 보는 관점을 취한다면, 성격을 **특질**로 보는 관점에서는 인간의 행동을 나타내는 특성들은 양적인 개념으로 설명될 수 있다고 본다. 말하자면 인간 행동을 표현하는 특성들이 있는데 개개인은 그러한 특성을 많이 갖고 있거나 적게 갖고 있는 것에서 개인차가 나타난다. 앞서 언급한 "그 사람은 외향적이야." "엄청 친절해." 또는 "무뚝뚝해."와 같은 성격 묘사들을 "그 사람은 조금 외향적인 편이야." "엄청 많이 친절해." 또는 "조금 무뚝뚝해."와 같이 한다면 특질 관점에서 성격을 설명하는 것으로 볼 수 있을 것이다. 외향성과 내향성을 예로 들자면, 특질 관점에서는 어떤 사람을 '외향성'으로 구분하기보다 외향적인 특질이 높은 것으로, '내향성'으로 구분하기보다 내향적인 특질이 높은 것으로 설명할 수 있다. 내향성과 외향성의 구분은 현재까지도 두 특성이 단일한 차원의 양극단에 존재하는 것인지 또는 각각이 독립적인 차원을 이루는 것인지에 대하여 의견이 일치되지 않고 있다. 즉, 외향성이 낮으면 내향성이 높은 것으로 이해할 수 있다는 견해와 외향성과 내향성이 독립적이어서 외향성이 낮다고 해서 반드시 내향성이 높다고 볼 수는 없다는 견해가 공존한다. 여하튼 특질 관점에서는 외향성과 내향성을 명확한 절단선이 없는 스펙트럼상의 특성이라고 본다.

다른 설명으로, 역시 유형론에서 종종 구분하던 남성성과 여성성을 예로 들어 보자. 융이 한 인간 속에 남성성과 여성성이 모두 존재한다고 제안한 이후로 개인 속에 있는 남성성과 여성성에 대한 연구들이 꾸준히 이루어져

왔다. 그런데 많은 연구가 개인을 남성성 집단과 여성성 집단 그리고 남성성과 여성성이 공존하는 양성성 집단으로 구분하여 이루어졌다. 연구에서 양성성 집단을 고려한다는 것은 개인 내에 남성성과 여성성이 공존할 수 있다는 관점을 시사한다. 그리고 연구에서는 지속적으로 양성성 집단이 가장 높은 적응성을 보이는 것으로 보고되었다. 그런데 남성성과 여성성이 한 개인 내에 존재하며 두 특성이 서로 독립적이라면, 그 사람의 성격을 설명할 때 남성성 유형, 여성성 유형 또는 양성성 유형으로 구분하지 않고 '남성성이 중간 정도이며 여성성이 높은' 것으로 설명할 수도 있지 않을까? 또는 '남성성이 매우 높고 여성성이 낮은' 것으로 설명할 수 있을 것이다. 이러한 설명이 전자를 여성성 유형, 후자를 남성성 유형으로 구분하는 것보다 더 많은 정보를 제공하는 것으로 보인다. 왜냐하면 여성성 유형의 집단에는 앞에서 설명한 '남성성이 중간 정도이며 여성성이 높은' 사람도 포함되겠지만 '남성성이 매우 낮고 여성성이 매우 높은' 사람도 포함될 것이며, 이 둘은 행동 측면에서 차이가 있을 것으로 예상되기 때문이다.

### (2) 특질이론의 발전

특질이라는 개념을 심리학에 처음으로 제시한 학자라는 점에서 **올포트**(Allport)는 특질이론의 발전사에서 언제나 가장 처음으로 소개되는 인물이다. 사실상 현재 심리학 연구에서 개인의 성격을 다룰 때 특질 관점에서 성격을 고려하는 것이 대세라는 점에서 성격심리학 전반에 대한 올포트의 기여는 크다고 할 것이다.

올포트는 개인이 자극에 대해 특정 방식으로 반응하는 경향성을 특질이라고 보았다. 예를 들어 보자. 대학생 소영이는 조별 과제 때문에 처음 만난 조원들에게 먼저 말을 건네고, 시험공부를 할 때에는 친구와 연락해서 함께 도서관에 간다. 매우 오랜만에 친척들과 만나면 반갑게 그동안의 안부를 묻고, 애인과 데이트를 할 때에 대화가 끊이지 않는다. 길에서 아는 사람을 만나면 반갑고, 모르는 사람을 만나면 관심을 보인다. 소영이가 접하는 다양한 자극

(처음 만난 조원들, 시험공부 상황, 친척 모임, 데이트, 아는 사람, 모르는 사람 등)에서 소영이는 특정 방식(먼저 말을 건네고, 친구에게 연락하고, 안부를 묻고, 끊임없이 대화하고, 반가워하고, 관심을 보이는)으로 반응을 하는데, 이렇게 반응하는 경향성을 우리는 '사교성'이라는 특질이 작용한 것으로 이해할 수 있다. 즉, 소영이의 사교성은 생활 전반에 걸쳐 비교적 일관되고 시간적인 안정성을 두고 작용하며 소영이가 일정한 방향으로 반응하도록 한다. 특질은 다양한 자극 상황에 대해 일관되고 지속적으로 반응하는 경향성을 결정짓는다는 것을 알 수 있다.

올포트에 의하면 특질은 공통특질과 개인특질로 구분할 수 있다. **공통특질**이란 동일한 문화권에 속한 사람들이 공유하고 있는 특질들인데, 그 특질을 가진 정도에 있어서는 개인차가 있을 수 있다. 예컨대, 이 책에서 이후에 설명할 성격 5요인에 해당하는 특질들(외향성, 신경과민성 등)은 문화권의 구성원들이 공통적으로 가지고 있는 특질이며, 개인에 따라서 그러한 특질을 갖고 있는 정도는 다를 수 있는 것이다. 이와 달리 **개인특질**은 그 사람만이 가지고 있는 고유의 행동성향을 의미한다. 개인특질은 다른 사람과의 양적인 비교가 불가능하며 그 개인의 주관적인 이야기, 발달사, 일기 등을 통해서 이해할 수 있다. 한마디로 말해, 개인특질은 그 사람에 대한 이야기이다.

특질을 공통특질과 개인특질로 구분하여 제시한 올포트의 이론에서 우리는 성격에 대한 연구에서의 두 가지 다른 접근법을 이해할 수 있다. 그것은 개별사례 접근과 법칙 정립적 접근으로 불리는데, 공통특질은 법칙 정립적 접근에서 제시된 것인 반면, 개인특질은 개별사례 접근에서 제시된 것이다. 이들은 현재 성격심리학자들이 개인의 성격을 연구하기 위해 사용하는 상이한 접근법들이다. 여기서 잠깐 각각을 살펴보는 것이 올포트의 이론을 비롯한 이후의 성격이론들을 이해하는 데 도움이 될 것이다.

**개별사례 접근**은 어떤 사람의 성격을 이해하기 위해서 그 사람의 개인적인 삶과 자기에 대한 주관적 기술(일기, 편지, 자기보고 등)을 들여다보고 그 사람을 고유하게 만드는 특질들을 찾는 방법이다. 개별사례 접근에서 설명할 수 있는 성격은 지구상의 인구수만큼 다양하다. 예로써 대학생 태환이의 개인사를 들여다보면, 일생을 헌신한 회사에서 해고당하고 일자리를 찾아 전전긍긍하시는 아버지와 정이 많고 걱정도 많은 어머니와 살아왔다. 어느 날 태환이는 친구에게 이런 메일을 썼다. "잘 지내냐? 우리 얼굴 본 지 한참 된 것 같다. 너 어떻게 사나 궁금하기도 하고 답답해서 몇 자 써 본다. 졸업하고 뭘 해야 할지 정하는 게 이렇게 어려운 일인지 몰랐어. 사실 내가 하고 싶은 일이 뭔지는 잘 모르겠고, 하고 싶은 일이 있다고 해서 그걸 해도 될지 그리고 할 수 있을지도 의문이야. 우리 집 사정을 생각하면 일단 취직을 하는 게 맞는 것 같은데 요새 취직이 쉽지도 않고……." 이와 같은 자기보고식 진술들을 더 수집하고 그것들을 분석하면 태환이를 고유한 존재로 만드는 특질들을 찾아낼 수 있을 것이다. 말하자면 태환이는 '정이 있는' '우유부단한' '걱정이 많은' '자신 없는' '책임감 있는'과 같은 특질로 설명될 수 있을 것이다. 그리고 이러한 특질 용어들은 태환이를 설명하는 데 사용되는 것들로, 이와 동일한 용어들을 사용하여 다른 사람을 설명하는 것은 개별사례 접근에서는 불필요하다.

혹은 태환이에게 자신의 성격을 묘사하도록 요청한다면, "저는 걱정이 많고 우유부단하고 자신감이 부족한 편이예요. 정이 많고 책임감이 있는 사람이기도 하지요."와 같이 이야기할 수 있다. 이 역시 개별사례 접근으로 개인의 특질을 찾는 방법인데, 올포트는 이와 같은 방식으로 중심특질(central trait), 이차특질(secondary trait), 주특질(cardinal trait)이라는 세 가지 다른 특질을 발견하였다. 중심특질은 그 사람을 설명하는 데 주요한 두드러진 특질로, 속속들이 잘 알지 못하는 사람을 간략하게 묘사할 때 사용할 수 있는 특질이다. 예컨대, 공식적인 추천서나 소개서 등에서 사용할 법한 5~10개 정도의 특질 형용사로 이해할 수 있다. 이차특질은 두드러지지 않고 항상 나타나지는 않는 특질로, 그 사람을 잘 아는 사람이 묘사할 수 있는 특질이다. '이성 앞에서는 수줍어진다'거나 '화가 나면 매우 공격적이다'와 같은 특질이 그 예이다. 주특질은 모든 사람이 갖고 있는 특질은 아니며, 아주 독특한 개인을 온전히 설명하는 데 사용되는 단 한 가지 특질이 있을 때 그것을 주특질로 명명한다. 주특질을 가진 사람을 일상생활에서 만나기는 어려운데, 만일 당신이 온전히 '정의의 수호자' '비련의 여주인공'과 같은 특질로 설명되는 행동들을 하는 사람을 만난다면 당신은 주특질을 가진 사람을 발견한 것이다. 가공의 인물들 중에는 주특질이 빈번하게 발견되는데, 예컨대 돈키호테는 그 자신을 온전히 지배하는 독특한 성격특질을 가진 인물이다.

이와 달리 **법칙 정립적 접근**은 지구상의 모든 사람에게 적용이 가능한 보편적인 특질을 찾는 것에 관심이 있다. 개별사례 접근에 따르면 개개인은 모두 고유의 독특성을 갖고 있는데, 그렇다면 현실적으로 개인의 성격을 설명하기 위해 지구인의 수만큼의 용어가 필요하다. 법칙 정립적 접근은 다양한 특질을 잘 조직화해서 보편적으로 사용이 가능하면서 각양각색의 인간의 성격에 대한 정보를 충분히 담을 수 있는 특질들을 찾아내려 한다. 특질로 성격을 설명할 때에는 행동들에 대한 단순한 묘사나 명명을 넘어서 개인을 이해하는 데 도움이 되는 특질 용어를 사용하는 것이 필요하다(그렇지 않았을 때 일어나는 문제를 이후 주의점 부분에서 설명한다). 사실상 특질이론들이 공통적으로 시도한 것들은 인간의 다양한 행동을 포괄할 수 있으면서 많은 정보를 담고 있는 그리고 간략하게 사용할 수 있는 특질 용어들이 무엇인지 밝히는 것이었다. 즉, 특질이론들은 공통적으로 성격의 주요 차원들을 발견하고자 노력하였는데, 그 대표적인 방법으로 **심리어휘들을 사용한 요인분석 방법**이 있다. 여기에서 심리어휘란 자신과 타인의 성격을 묘사할 때 사용하는 무수한 어휘들을 말한다.

다양한 언어 문화권에서는 인간의 성격을 묘사하는 데 사용되는 심리어휘들이 있다. 예컨대, 성실한, 친절한, 부지런한, 까칠한, 무책임한, 씩씩한 등과 같은 무수한 어휘들이 각 문화권마다 사용되고 있다. 사실상 애초에 이러한 어휘들이 나타나고 계속해서 사용되는 이유는 해당 문화권에서 인간의 행동에 있어서 개인차를 설명하기 위하여 이러한 특성들을 중요하게 보고 있기 때문일 것이다. 이러한 가정하에 연구자는 어휘들을 목록화하여 그 언

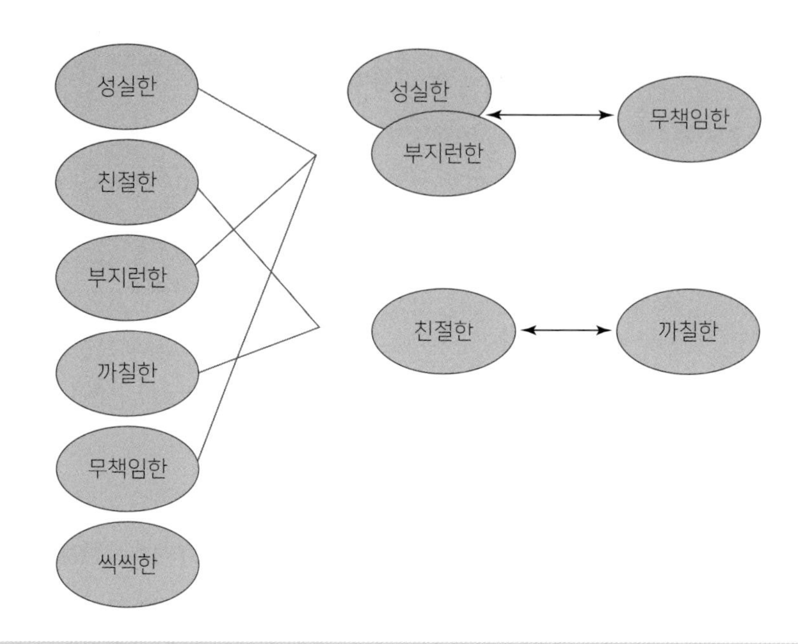


[그림 2-1] 심리어휘 분석

어 문화권에 속한 사람들에게 자기 자신(또는 특정한 다른 사람)이 해당 특질을 얼마나 갖고 있는지 평정하도록 한다. 예컨대, 1점은 '전혀 그렇지 않다'로, 그리고 점차적으로 해당 특질이 높은 것으로 평정하여 10점은 '매우 그렇다'로 평정하도록 했다고 가정해 보자.

만일 어떤 사람이 자신을 '성실한'에 대해 9점으로 평정했다면 그 사람은 '부지런한'에 대해서는 자신을 몇 점 정도로 평정할까? 정확하지는 않겠지만 대략 8~10점 정도로 평정할 것으로 예상된다. 그리고 '무책임한'에 대해서는 1~3점 정도로 평정하지 않을까 생각된다. 그렇다면 '성실한'과 '부지런한' 그리고 '무책임한'은 서로 관련이 있는 어휘로 판단할 수 있을 것이며, 어쩌면 동일한 차원에서 '성실한'과 '부지런한'의 반대편에 '무책임한'이 자리 잡고 있을 것이다. 이러한 평정치를 한 사람이 아닌 수백, 수천 명으로부터 수집한다면 어휘들 간의 관련성은 더욱 명확해질 것이다. 유사한 패턴이 '친절한'과 '까칠한'에서도 발견될 것으로 예상된다. 즉, '친절한'에서 낮은 점수로 자신을 평정한 사람은 '까칠한'에서 높은 점수로 자신을 평정할 것이며, 이러한 패턴이 더 많은 평정자의 자료들을 통해 명확해진다면 두 어휘는 동일한 차원(아마도 양극단)에 속하는 것으로 이해될 것이다. 그렇다면 자신을 '성실한'에 대해서 9점으로 평정한 사람이라면 '친절한'에 대해서는 몇 점으로 평정할까? 이에 대해서는 쉽게 예상하기 어렵다. 왜냐하면 '성실한'과 '친절한'은 관련 있는 특성으로 보이지 않기 때문이다. 매우 성실한 특성은 상당히 부지런한 특성 및 무책임하지 않은 특성과 관련이 있는 것과는 달리 매우 친절한 또는 불친절한 특성과의 관련성은 보이지 않기 때문이다. 즉, 두 어휘 집단(성실한, 부지런한, 무책임한 대 친절한, 까칠한)은 서로 다른 요인으로 판단된다.

이러한 판단을 위해서 연구자들은 심리어휘들을 사용하여 그 언어 문화권 사람들의 평정치를 수집하고 통계적 방법으로 요인분석을 실시한다. 요인분석은 응답자들의 응답 패턴을 분석하여 공통된 또는 관련되는 속성으로 지각되는, 즉 통계적으로 상관이 높은 어휘들을 분류해 준다. 보편적 특질을 찾기 위한 접근에서 요인분석 방법은 심리어휘에 드러나는 수많은 성격특질을 통계적인 상관관계를 근거로 핵심이 되는 몇 가지 특질로 축약하는 작업이다.

**커텔**(Cattell)은 심리어휘를 사용한 요인분석 방법을 써서 성격의 중요한 차원들을 발견하려 하였다. 말하자면 특질에 대한 보편적인 법칙을 정립하기 위해 실증적 방법을 사용한 것이다. 커텔은 특질이 표면특질(surface trait)과 근원특질(source trait)로 구분된다고 보았다. 여기서 표면특질은 개인이 외현적으로 드러내는 행동적 반응들로 다른 사람이 관찰할 수 있는 특질들이다. 예컨대, '부지런한' '변덕스러운'과 같은 특질들은 표면특질에 해당하는데, 이들은 겉으로 드러나는 행동들의 공통된 패턴들이다.

이와 달리 근원특질은 표면특질들을 외현적으로 나타나게 하는 개인의 내적 특질들을 말한다. 모든 사람이 갖고 있는 근원특질들은 동일한 요소이며 다만 그 특질들을 갖고 있는 정도에서 개인차가 있다. 커텔은 근원특질이 성격의 핵심이라고 보고, 연구를 통해 16개의 근원특질을 발견하고 이들을 **성격요인**(Personality Factor: PF)이라고 명명하였다. 또한 자신이 발견한 16개의 근원특질들을 측정할 수 있는 성격검사를 제작하였는데, 그것이 자기보고식 검사로 현재까지 사용되고 있는 16PF 다요인인성검사(16 Personality Factor Questionnaire)이다.

또 다른 특질이론가인 **아이젱크**(Eysenck)는 개별사례 접근과 법칙 정립적 접근을 통합하여 성격의 위계성을 가정한 이론을 제시하였다. 개인의 성격은 보편적이면서 구체적으로 설명될 수 있으며, 이러한 설명은 성격이 위계성을 갖는다는 가정에서 가능하다. 예를 들면, 대학생 유경이는 어느 날 학교 가는 길에 앞서가는 친구를 발견하고 뛰어가서 "안녕." 하고 인사를 한다. 그날 강의에서 중간고사를 보지 않겠다는 이야기를 듣고 아주 신이 났다. 도서관으로 가는 길에 학교 밖으로 나가는 친구를 우연히 만나서 함께 밖으로 나섰고, 음주와 가무를 즐겼다. 이날 있었던 개개의 행동들은 유경이의 구체적 반응 수준에 해당한다. 이러한 행동들은 무작위적이거나 비일관될 수도 있다. 그런데 이러한 행동들이 반복적으로 일어난다면 그것은 습관적 반응 수준에 해당한다. 습관적 행동들이 다양한 상황에 걸쳐서 일어난다면, 가령 유경이가 그날 등굣길에서 친구에게 인사한 것뿐만 아니라 다른 날에도 유사하게 인사를 했고, 이러한 행동이 고등학교 때에도 빈번하게 있었으며, 인사뿐만 아니라 다양한 방법으로 다른 사람에게 먼저 다가가는 행동을 보였다면, 이것은 특질 수준에 해당한다. 유경이의 다양한 상황에서의 일관된 습관적 행동들은 사교성이라는 하위특질로 설명될 것이다. 이 외에도 유경이는 유사한 방식으로 충동성, 활동성, 흥분성 등과 같은 하위특질을 갖고 있는 것으로 관찰될 수 있다. 그렇다면 이러한 특질들의 조합인 '외향성'이 유경이의 성격의 위계에서 가장 상위에 있는 성격특질이 될 것이다.

아이젱크는 마찬가지로 요인분석 방법을 통해 성격의 최상위에 자리 잡은 3개의 기본적인 성격특질을 제시하였다. 외향성(Extraversion), 신경증적 경향성(Neuroticism), 정신병적 경향성(Psychoticism)이 그것들인데, 각 특질의

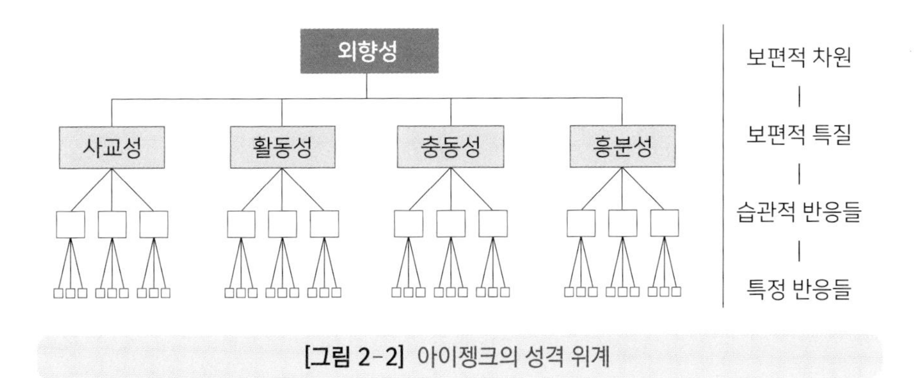


**[그림 2-2]** 아이젱크의 성격 위계

첫 글자를 따서 ENP 모델이라고 부른다. 외향성은 외부 자극에 관심이 많은 특징을 갖는데, 대인관계가 왕성하고 즉흥적이며 낙천적이다. 외향성의 하위특질로는 사교성, 활동성, 충동성, 생동감, 흥분성이 있다. 이 차원의 반대쪽에는 내향성이 자리 잡고 있는데, 내향성이 높은 사람들은 외부 자극보다는 내면세계에 관심이 많다. 신경증적 경향성은 정서적 불안정성을 나타내며 이 특질이 높은 사람은 만성적으로 걱정이 많고 불안하며 우울감을 느낀다. 반대쪽으로 갈수록 차분하고 이완되며 걱정이 없고 정서적인 회복이 빠르다. 정신병적 경향성은 반사회적이며 정신병에 대한 취약성을 나타낸다. 이 특질이 높은 사람은 사회적으로 철수되고 적대적이며 충동적이고 이기적인 특징이 있다. 반대편은 이타적이고 공감적이며 관습적인 특징들로 이루어져 있다.

ENP 모델은 모든 사람에게 적용 가능한 보편적인 특질을 찾기 위한 노력의 일환이었는데, 아이젱크는 ENP 모델이 생물학적인 근거에 의한 이론이라고 제시하였다. 성격의 최상위 특질들이 생물학적인 근거로 나타난다는 것은 아이젱크의 바람대로 ENP 모델이 인류에 보편적으로 적용이 가능하다는 것을 시사한다. 성격의 차이가 생물학적이라는 주장을 하기 위해 아이젱크는 몇 가지 근거를 제시하였다. 우선, 25개국에서 실시한 성격 연구에서 ENP 모델의 세 요인이 동일하게 발견되었는데, ENP 모델의 세 요인이 사회와 문화의 영향을 받는다면 이처럼 다양한 문화권에서 동일하게 나타나기 어렵다는 것이다. 또한 세 요인은 시간과 환경의 변화 속에서도 일관되게 나타났고, 유전을 통해 다음 세대로 이어지는 특징을 보였다.

### 3) 성격의 5요인

이 외에도 인간의 성격을 묘사하는 심리어휘들의 공통성을 발견하고자 하는 지속적인 노력이 있었다. 그리고 마침내 찾아낸 기본적인 다섯 가지 성격 요인은 **신경성**(Neuroticism), **외향성**(Extraversion), **경험에 대한 개방성**(Openness to experience), **우호성**(Agreeableness), **성실성**(Conscientiousness)이다. 다양한 문화권에서 사용되는 어휘들을 근거로 요인분석을 시도한 연구자들 중 많은 이가 반복적으로 5개의 요인을 제시하였는데, 사실상 연구자들이 발견한 각 요인들에 붙여진 이름은 일관되지는 않았다. 점차 다섯 요인은 빅 5(Big 5)라는 이름으로 불리기 시작했는데, 그럼으로써 숫자가 주는 중성적인 이미지로 정착이 되었다. 성격심리학을 공부하는 입장에서는 각 요인의 첫 글자를 딴 OCEAN이라는 이름으로 더 잘 기억될 수 있을 것이다. 연구들이 제안한 5개의 요인을 신경성(또는 정서적 안정성), 외향성, 개방성(또는 경험에 대한 개방성), 우호성, 성실성으로 명명하는 것에 대해서는 대체로 합의가 이루어졌다.

신경성(정서적 안정성) 차원은 생활에서 경험하는 고통에 얼마나 잘 적응하는지를 나타낸다. 신경성과 정서적 안정성이라는 용어는 요인을 찾은 연구자들에 따라 상이하게 사용되지만, 이 두 요인을 구성하는 용어들에는 크게 차이가 나타나지 않는다. 다만 두 용어는 방향성에서 차이가 있어서, 신경성이 높은 사람은 정서적 안정성이 낮은 사람으로 이해하면 될 것이다. 이 요인은 불안, 적대감, 우울, 자의식, 충동성, 스트레스에 대한 취약성과 같은 하위요인들로 구성되어 있다. 신경성 차원의 한쪽에는 '평온한' '안정된'과 같은 어휘들이 포함되어 있고 그 반대쪽에는 '염려하는' '불안정한'과 같은 어휘들이 포함되어 있다. 신경성이 높은 사람(즉, 정서적 안정성이 낮은 사람)은 다른 사람의 반응에 예민하고 감정조절이 어렵다. 이들은 스트레스에 대처하는 기술이 빈약하고 슬픔, 분노 등의 부정적 정서를 많이 경험하며 지쳐 있기 쉽다.

외향성은 열정적이고 다른 사람과 상호작용하는 것을 추구하는 경향성이다. 따뜻함, 사교성, 자기주장성, 활동성, 흥분 추구, 긍정적 정서로 구성되어 있다. 외향성 차원의 한쪽은 '조용한' '억제된'을 포함한 어휘들로 이루어져 있으며, 다른 한쪽에는 '말이 많은' '자발적인'과 같은 어휘들이 모여 있다. 외향성이 높은 사람은 친구가 많고 집단에서 리더가 되는 경향이 크며, 일반적으로 내향성이 높은 사람은 대인관계가 빈약한 것으로 보고된다.

경험에 대한 개방성 차원은 공상, 심미성, 감성, 행위(모험), 아이디어, 가치로 구성되어 있다. 한쪽은 '인습적인' '동조적인'과 같은 어휘들로 구성되어 있으며, 다른 한쪽은 '독창적인' '독립적인'과 같은 어휘들로 구성되어 있다. 경험에 대한 개방성이 높은 사람은 상상력이 풍부하고, 자신이 하고 있는 활동에 몰입할 수 있으며, 현실에 대항하기 쉽다. 이들은 다양성을 추구하고, 심리적인 경험을 할 때 감동받을 줄 안다. 개방성이 높은 사람이 추구하는 다양성은 반드시 높은 자극을 찾는 것은 아니라는 점에서 외향성과 구분된다.

우호성은 다른 사람들과 얼마나 잘 어울리며 지내는지를 보여 주며, 신뢰, 강직함, 이타성, 순종, 겸손, 온화함 등을 포함한다. 우호성 차원의 한쪽에는 '성마른' '비협동적인'과 같은 어휘들이 포함되어 있고, 다른 한쪽에는 '협동적인' '온후한'과 같은 어휘들이 포함되어 있다. 우호성이 높은 사람은 친사회적이고 기본적으로 사람들을 신뢰하며 다른 사람에게 공감하고, 저항적이거나 경쟁하지 않는다.

마지막 성실성 요인은 그 사람이 얼마나 조직화되어 있는지를 보여 주는데, 이 조직화는 주변의 물리적 환경에 대한 조직화뿐만 아니라 정신적인 조직화도 포함한다. 성실성의 구성요인에는 자기효능감, 질서, 의무 준수, 성취 노력, 자기훈련, 조심성과 같은 특질들이 있다. 성실성 차원의 한쪽은 '부주의한' '느슨한'과 같은 어휘들로 구성되어 있으며, 반대쪽은 '주의 깊은' '빈틈없는'과 같은 어휘들로 구성되어 있다. 성실성이 높은 사람은 일반적으로 물건을 사용한 후 정리를 잘 하고 수업에서 노트 정리를 잘 하며 자신이 하는 일의 결과를 생각해 보고 일을 한다.

〈표 2-1〉 빅 5

| 요인 | 형용사 항목 |
|---|---|
| Neuroticism(신경성) | 평온한-염려하는/안정된-불안정한 |
| Extraversion(외향성) | 조용한-말이 많은/억제된-자발적인 |
| Openness to experience(개방성) | 인습적인-독창적인/동조적인-독립적인 |
| Agreeableness(우호성) | 성마른-온후한/비협동적인-협동적인 |
| Conscientiousness(성실성) | 부주의한-주의 깊은/느슨한-빈틈없는 |

개인이 성격 5요인을 얼마나 갖고 있는지는 NEO-PI(NEO-Personality Inventory)라는 성격검사 도구로 측정할 수 있다. 연구자들은 이 도구를 이용하여 연구를 실시하였고, 개인의 성격에서 5요인이 시간적 흐름에 따라 크게 변화하지 않는 특질임을 보고하였다. 즉, 성인기의 개인은 다섯 가지 차원에 있어서 양적인 변화가 크게 일어나지 않았는데, 이는 성격 5요인이 시간적으로 안정적임을 시사한다. 우리는 흔히 '사람 성격은 쉽게 변하지 않는다'고 말하는데, 성격 5요인의 관점에서 본다면 틀린 말은 아닌 것 같다.

성격의 5요인 이론의 또 다른 특징은 그것이 범문화적이라는 점이다. 성격에 대한 특질 관점에서 성격의 5요인을 중요시하는 이유는 우선 5요인에 대한 연구가 다양한 문화권에서 반복적으로 이루어졌고 그 결과 다섯 가지 차원이 여러 문화권에서 동일하게 나타난다고 보고되었기 때문이다. 이는 인류가 보편적으로 개인의 성격을 인식할 때 이 다섯 가지 차원을 중요하게 고려하고 있음을 의미한다. 사실 우리는 누군가를 만나면 그 사람의 정서가 얼마나 안정적인지(까칠하고 불안정한 사람이면 피해야 하니까), 그 사람이

나에게 관심을 두는지 그리고 나에게 우호적인지(그래야 갈등 없이 함께 지내기에 좋으니까), 신뢰할 만한 사람인지(그래야 예측 가능하고 나와 인류에 도움이 되니까) 그리고 새로운 것에 관심을 두는지(그래야 인류의 발전에 도움이 되니까)에 주목하는 경향이 있다. 이러한 점에서 인류의 심리어휘 속에 이러한 특질들을 표현하는 어휘들이 다양하게 포함되어 있는 것은 자연스러운 현상일 것이다.

범문화적이고 안정적이라는 점에서 성격의 5요인을 인간 특질의 근원적인 차원을 반영하는 요인으로 보아도 될 것 같다. 그럼에도 불구하고 성격의 5요인 이론의 한계점 역시 존재한다. 그것은 여타의 특질이론과 마찬가지로 다섯 가지 요인이 개인의 성격 과정에 대한 이해를 돕지는 못한다는 점이다. 예컨대, 어떤 사람의 경험에 대한 개방성이 높다는 것은 현 상태에서의 경향성을 함축적으로 묘사하는 것일 뿐이다. 즉, 그 사람이 많은 상황에서 독창적이고 독립적인 행동을 하는 경향성이 높은 특징을 갖고 있음을 알려 줄 뿐이며, 그가 어떠한 심리내적 메커니즘을 통해 그 특징을 보이고 있는지에 대해서는 설명을 하지 못한다. 간략하게는 어떤 상황에서 경험에 대한 개방성이 높은 특징을 보이고 다른 상황에서는 그렇지 않은지에 대해서는 설명하지 않으며, 복잡하게는 어떤 환경에서 어떤 동기나 정서, 인지가 어떤 방향으로 작동하여 경험에 대한 개방성이 높은 행동으로 나타나는지를 설명하지 못한다. 이러한 한계점을 보완하기 위해서는 특질 관점에서 추가적인 요소를 고려하거나 (이 책의 다른 부분에서 제시할) 성격에 대한 또 다른 관점을 빌려오는 것이 필요하겠다.

빅 5는 인간의 성격을 보편화할 수 있는 법칙을 찾고자 하는 노력에서 탄생했다. 앞서 '많은 연구자'가 인간의 행동을 설명하는 데 유용한 보편적인 특질들로 5개 요인을 제시하였다고 설명했다. 그렇다면 또 다른 연구자들은 5개가 아닌 다른 개수의 보편적 특질을 제시하고 있을 것인데, 그중 5요인과 가까운 6요인을 살펴보자.

**6요인 모델**(HEXACO; Lee & Ashton, 2004)은 빅 5에 한 요인을 더한 모델이

다. 빅 5에서 제안하는 5요인은 6요인 모델에서도 거의 유사하게 나타났으며, 추가된 하나의 요인은 정직-겸손 요인이다. 이 요인은 공정한, 욕심 부리지 않는, 겸손한, 진정한과 같은 특질들을 포함하며 반대편에는 이기적인, 고집불통인과 같은 특질들이 있다. 우호성이 자신의 손해를 감수하고라도 남을 도우려는 이타주의를 포함한다면, 정직-겸손은 자신에게 손해가 생기더라도 남을 이용하지 않으려는 경향성이다. 6요인 모델에 대해 비판하는 연구(McCrae & Costa, 2008)에서는 정직-겸손 요인은 우호성의 내향적인 측면을 나타내는 것일 뿐이며 따라서 6요인 모델은 5요인 모델과 중복된다고 주장한다. 그럼에도 불구하고 6요인 모델은 착취적이고 비윤리적/반사회적인 대인관계양식과 관련된 성격특질들을 평가할 수 있다는 장점이 있다. 교활하고 자신의 성공을 위해 타인을 착취하는 이러한 특질들은 6요인 모델에서 정직-겸손 요인이 낮은 것으로 평가할 수 있는데, 이러한 평가는 5요인 모델에서는 가능하지 않다.

그렇다면 인간의 성격은 5요인이 맞는 것일까, 6요인이 맞는 것일까? 복잡하고 다양한 무수한 인간의 성격을 몇 가지의 특질로 정리하려는 시도는 인간 행동을 이해하려는 노력의 일환이다. 보편적으로 적용 가능한 요인의 수와 그 특징을 파악하려는 시도들은 현재로서는 5요인을 지지하는 증거들을 더 많이 제공하고 있다. 그렇다고 해서 6요인 또는 5요인에 '긍정적 가치'와 '부정적 가치'의 두 요인을 추가한 7요인 모델(Benet-Martínez & Waller, 2002)이 틀렸다고 판단할 수는 없다. 요인의 수가 더 많을수록 포함할 수 있는 하위특질들 또는 개개의 행동들이 더 많아질 것이기 때문이다. 머리카락을 한 가닥으로 묶을 때보다 두 가닥 또는 세 가닥으로 묶을 때 흘러내리는 머리카락 수가 더 적은 것과 같이 말이다. 내 방 안에 있는 물건들을 분류하는 기준은 다양할 수 있고, 어떤 분류가 내 생활방식에 유용한지는 각자가 판단할 일이다. 성격요인에 있어서는 보편적 법칙을 찾으려는 연구자들의 노력과 함께 우리는 관심을 둔 행동을 설명하는 데 더 유용한 분류를 선택하여 사용할 수 있을 것이다.

## 활동 ② 특질 용어로 성격 표현하기

1. 다음은 33세 남성 성호 씨의 몇 가지 행동을 나열한 것입니다. 이러한 행동들에서 발견되는 성호 씨의 성격특질은 무엇일지 생각해 보고, 모든 행동을 포함할 수 있는 특질을 가능한 한 적은 개수로 찾아봅시다.

✓ 대학교를 다닐 때 수업시간에 빠지는 일이 잦았다. 그중 많은 경우는 중고등학교 때의 친구가 성호 씨의 학교에 찾아와서 성호 씨를 불러내는 경우였고 성호 씨는 그들과 어울려 노느라 수업에 빠졌다.

✓ 연애를 할 때 성호 씨의 여자 친구들은 공통적으로 성호 씨의 친구들이 둘의 데이트에 불쑥 나타나는 것에 대해 불편함을 토로하였다. 그때마다 성호 씨는 미안해했다.

✓ 대학교 고학년이 되면서 학점 관리에 매우 열중했다. 그동안 소홀했던 학과 공부를 하고 취직 준비를 하면서 성호 씨는 다소의 스트레스를 경험했지만 크게 힘들어하지 않으며 과정을 마쳤다.

✓ 졸업 후 개인사업을 하는 것이 꿈이었다. 사업의 내용은 구체적으로 떠오르지 않았다. 사업을 하기 위해 성호 씨는 우선 전공과 관련된 대기업에 취직을 하였고 그곳에서 일하는 법을 배우고 있다.

✓ 직장에서 회의시간에 적극적으로 자신의 의견을 말한다.

✓ 대화를 할 때 여러 주제에 대해 짧게 이야기하는 편이며 한 주제를 길게 이야기하는 것을 지루해한다.

✓ 직장 내에서 여러 무리 사이의 갈등이 있지만 성호 씨는 어느 무리에도 속하지 않고 모두와 웃으며 지낸다.

✓ 성호 씨는 한 사람과 8년간 연애를 한 후 결혼하였다.

✓ 결혼 후 성호 씨의 친구들은 예정에 없이 성호 씨의 신혼집 근처에 와서 성호 씨를 불러냈고, 성호 씨는 아내에게 미안해하며 외출을 했다.

✓ 아내와의 대화를 통해 친구들이 갑작스럽게 부를 때 그에 응하여 나가는 횟수를 1/2로 줄였다.
✓ 한 가지 취미를 오래 가져 본 적이 없다.
✓ 혼자 있을 때에는 식사를 하지 않는다.
✓ 운동은 축구, 탁구, 테니스를 좋아하고 마라톤을 좋아하지 않는다.
✓ 여행을 갈 때 먼저 출발한 후 세부 목적지를 정한다.
✓ 영화는 액션 위주의 상업영화를 즐겨 본다.
✓ 영화를 예매하기보다 비는 시간에 맞는 영화가 있으면 보는 편이다. 온라인으로 영화를 예매할 때 생각한 날짜와 다른 날짜로 예매를 해서 낭패를 본 적이 종종 있다.
✓ 친구가 큰 병에 걸렸다는 소식을 들었을 때 우울해했다. 그렇지만 수술 결과가 나올 때까지 마음 아플 필요가 없다고 생각하며 감정을 추스렸다.

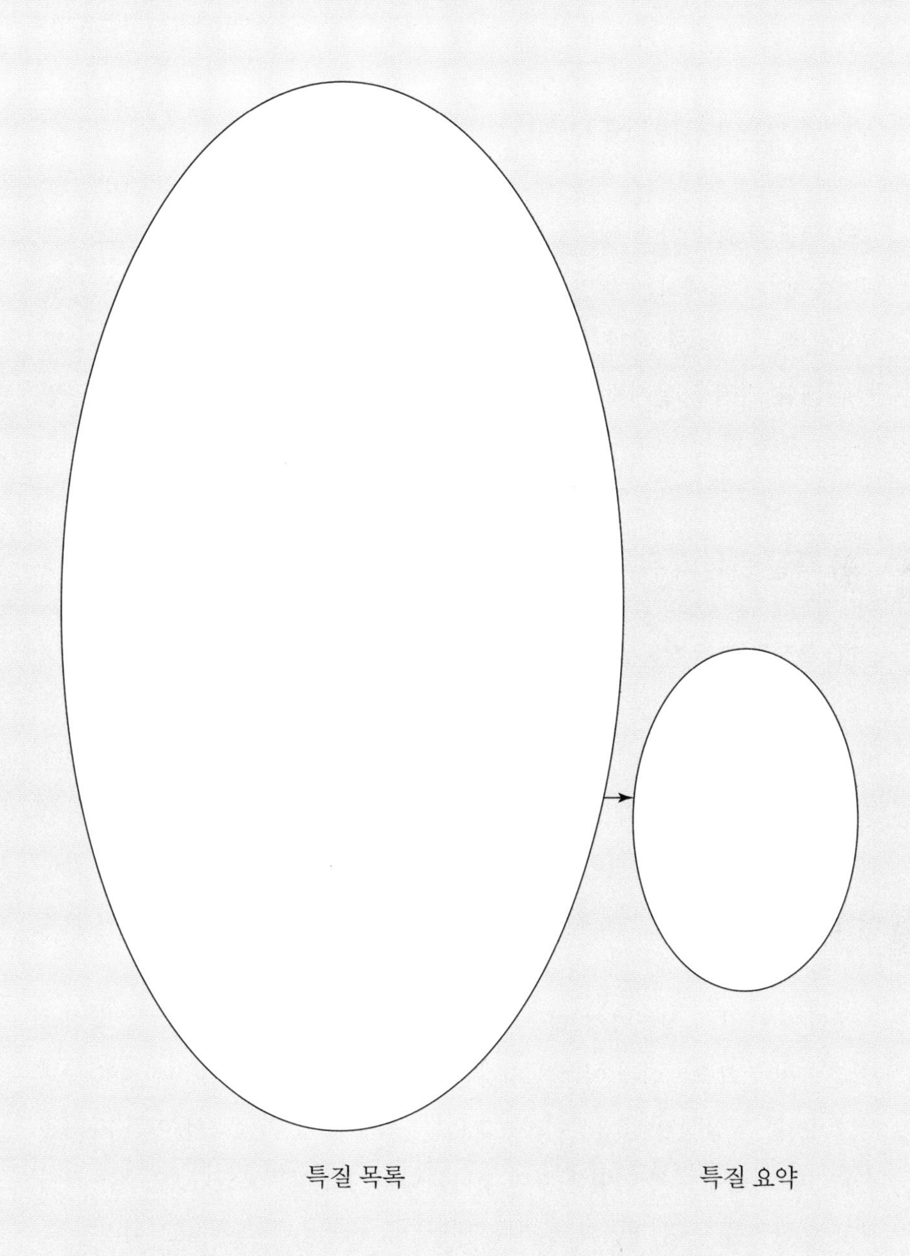


2. 다음에 답해 봅시다. 요약된 특질들이 관찰된 모든 행동을 설명할 수 있나요? 특질의 수를 더 이상 적은 수로 줄일 수는 없나요?

.............................................................................................................

.............................................................................................................

# 2. 특질에 더하여

앞 절을 통해 인간의 성격을 특질로 이해하는 관점이 어떠한 것인지 알게 되었다면, 이 절에서는 특질 관점에 대해 조금 더 살펴보자. 구체적으로 특질 관점에서 고려할 점과 특질과 일상적으로 혼용되지만 구분될 필요가 있는 상태와 기질을 살펴보고, 특질이 얼마나 안정적이고 일관되는지를 고민해 보기로 한다.

## 1) 특질 관점의 유용성과 주의점

### (1) 특질로 인간 행동을 설명하는 것의 유용성

어떤 사람의 성격을 특질로 설명한다면 사람들 사이의 성격을 양적으로 비교할 수 있게 된다. 예컨대, 어떤 사람들이 외향성이 높다거나 외향형이라고 유형화되었다 하더라도, 그 사람들 중에는 외향적인 특질이 높은 사람이 있는가 하면 외향적인 편이기는 하지만 그 특질이 높지는 않은 사람도 있을 것이다. 따라서 성격에 대해 양적 비교가 가능하다는 것이 특질 관점의 유용성이라 하겠다.

개인의 특질은 심리학적 연구에서 연구변인으로 자주 사용된다. 성실성과 완벽성이 학습관여에 어떠한 영향을 미치는지를 살펴본 연구(이지연, 장형심, 2013)는 성실성과 완벽성이라는 개인의 특질이 높고 낮음에 따라 자기조절동기와 학습관여에 어떠한 차이가 나타나는지를 살펴보았다. 연구는 자기보고식 설문을 통해 개인의 성격특질(성실성, 완벽성)을 측정하고 이러한 특질의 많고 적음에 따라 개인의 자기조절동기 및 학습관여가 많아지거나 적어지는지를 통계적으로 비교하는 절차로 이루어진다. 이러한 연구는 성격을 특질로 보았고, 그래서 양적으로 비교할 수 있었기에 가능하다.

또한 특질로 개인의 성격을 보는 관점은 그 사람에 대한 정보를 이해하기 쉽게 제공한다. 우리는 '외향성이 높은 사람' '조금 친절한 사람' 또는 '아주 많이 성실한 사람'이라는 설명을 일상적으로 사용하고 있고, 이러한 설명을 그리 어렵지 않게 이해하고 있다. 성격을 유형화하는 것에 비하면 복잡하기는 하지만, 특질로 성격을 설명하는 방법은 여전히 쉽게 느껴진다.

### (2) 특질로 인간 행동을 설명할 때 주의할 점

이해하고 소통하기 쉽고 유형론보다 많은 정보를 제공하지만, 특질로 성격을 설명하는 것의 맹점 역시 존재한다. 우선 인간의 행동을 특질로 설명하는 것은 순환적일 수 있어서 결국은 아무것도 설명할 수 없게 될 우려가 있다. 예를 들어 보자. A라는 사람을 관찰했을 때 그가 잠을 많이 자고, 해야 할 과제를 잘 하지 않으며, 움직임이 느리고, 자기관리가 잘 안 된다고 상상해 보자. 아마도 그 사람의 성격은 '많이 게으르다'로 설명할 수 있을 것이다. 그런데 그가 '게으르다'는 특질로 설명되는 이유는 그의 행동이 '게으른' 행동이기 때문이다. 이때 '게으른'은 단지 그 사람의 행동을 묘사(또는 명명)한 것일 뿐이며, 그 행동에 대한 이해가 담겨 있지 않다. 그래서 그 사람이 게으른 행동을 많이 했기 때문에 '게으른' 성격으로 설명되는 것은 그를 이해하는 데 아무런 도움이 되지 못한다.

어떤 사람이 일련의 '자기주장이 강한' 행동을 하면 '자기주장이 강한' 성격으로 설명되고, '책임감이 있는' 행동을 하면 '책임감이 있는' 성격으로 설명될 수 있다. 그렇지만 이는 인간 행동에 대한 법칙을 연구하는 성격심리학적 관점이라기보다 성격 묘사라고 보는 것이 옳을 것이다. 우리는 어떤 사람에 대해 '인내심 없는' 성격, '충동적인' 성격, '짜증을 잘 내는' 성격과 같이 단순한 표면적 특성의 묘사가 아닌 그 이면의 또는 더 근원적인 특성, 예를 들면 '각성된'과 같은 기본적인 특성을 파악할 필요가 있다. 특질로 성격을 설명하는 관점이 유용하기 위해서는 그 특질이 그 사람의 개개의 행동을 단순히 묘사 또는 명명하는 차원을 넘어서 다양한 행동을 포괄적으로 설명할 수 있어야 할 것이며, 그렇게 될 때 특질로 그 사람의 행동을 이해할 수 있게 될 것이다. 이러한 맹점을 극복하기 위한 노력에서 보편적으로 사용이 가능하며 인간의 다양한 행동을 설명할 수 있는 특질을 찾고자 하는 연구들이 이루어지고 있다.

특질 관점에서 성격을 설명할 때 또 한 가지 주의할 점은 특질은 경향성이며 따라서 그러한 특질이 많다고 해서 그 사람이 항상 같은 방향으로 행동하는 것은 아니라는 점이다. 말하자면 어떤 사람이 '친절한' 성격이라고 해서 그 사람이 항상 친절한 행동만을 하지는 않는다. 친절한 특질이 많은 사람이라는 것은 그 사람이 살면서 하는 수많은 행동 중 친절한 행동을 하는 경향성이 높다는 것을 뜻한다. 친절한 특질이 많은 사람이라 하더라도 어떤 경우에는 친절하지 않은 행동을 할 수도 있는데, 이러한 '어떤 경우'라는 것은 상황 특수성을 의미한다. 즉, 친절성이 높은 사람은 많은 경우에는 친절한 행동을 하지만 특수한 상황에서는 친절하지 않은 행동을 하기도 한다. 성격심리학이 개인의 일관되고 지속적인 행동 패턴에 대한 법칙을 연구하는 학문이라면, 그 사람이 '어떤 경우'에 다른 행동을 하는지를 고려하지 않은 채 전체적인 특질의 많고 적음만으로 성격을 이해하는 것은 그리 유용하지 않다.

## 2) 상태, 기질, 특질

### (1) 상태와 특질

지영이는 항상 사람을 만나는 일에 소극적이고, 다른 사람을 만나서 나누는 것은 주로 불확실한 미래에 대한 고민들이다. 즐겨 보는 영화는 염세적이거나 또는 조용하고 잔잔한 감동을 주는 것이고, 과제를 맡으면 해내는 것이 언제나 버겁게 느껴진다. 한편, 선미는 오늘 아침에 유난히 사람을 만나는 일이 재미없게 느껴졌다. 오늘따라 조용하고 침울한 영화를 보고 싶어졌고, 내일까지 해야 할 과제가 버겁게 느껴졌다. 두 사람은 현재 대인관계, 선호하는 영화, 과제에 대한 태도가 유사하지만, 이러한 특징이 지영이의 경우 '항상' '언제나' 일관되게 나타나는 반면, 선미의 경우는 '오늘 아침에' '오늘따라' 나타난다. 따라서 지영이는 우울한 성격을 갖고 있고 선미는 우울한 상태인 것으로 판단할 수 있다.

지영이의 경우처럼 오랜 시간 지속적으로 일관된 반응 경향성을 보인다면 우리는 그것을 그 사람의 성격(이 장에서 설명하는 특질)이라고 본다. 올포트는 특질은 다양한 자극에 일관되게 반응하는 경향성이라고 하였다. 지영이는 대인관계, 선호하는 영화, 과제에 대한 태도라는 다양한 자극에 대해 소극적이고 고민스럽고 염세적이고 버겁다는 일관된 반응을 보인다. 이에 더하여 이러한 반응 경향성이 어느 한 시점에 나타났다가 사라지는 것이 아니라 '항상'으로 설명될 정도로 지속된다면 그 특징을 그 사람의 성격으로 이해할 수 있다.

이와 달리 선미는 평소와 달리 제한된 시간 동안 이러한 특징을 보인다. 선미의 경우는 대인관계, 선호하는 영화, 과제에 대한 태도라는 다양한 자극에 대해 재미없고, 침울하고, 버겁다는 일관된 반응 경향성을 일정 시간 동안 보인다. 이 경우 우리는 선미의 성격에 대해 이야기하지 않고 상태에 대해 이야기할 것이다. "선미 오늘 상태 안 좋아."와 같이 말이다. 이처럼 단기간 다양한 자극에 대해 일정한 패턴으로 반응을 한다면 상태로 이해할 수 있다. 상태는 몇 분, 몇 시간에서 몇 주 동안 지속될 수 있다.

상태와 특질은 구분될 필요가 있다. 대중 앞에서 발표를 해야 하는 상황이라면 많은 경우 발표불안을 경험할 수 있는데, 이때 경험하는 불안을 상태불안이라 한다. 이는 특정한 자극에 대해 불안을 경험하는 것인데, 자극에 대해 일시적으로 불안을 경험할 뿐 그것이 장시간 지속되지 않는다. 또는 근래에 놀랄 만한 사건을 경험함으로써 작은 일에도 깜짝깜짝 놀라고 근심이 많아졌을 수 있다. 이 경우 역시 일시적으로 불안한 상태로 이해할 수 있다. 이처럼 주로 외부적인 원인에 의해 단시간에 나타나는 특징을 상태로 본다. 이에 반해 일생이 늘 불안한 사람도 있다. 항상 걱정이 많고 각성되어 있는 사람이라면 불안한 성격으로 이해할 수 있다. 말하자면 지속적이고 안정적이며 주로 내적인 원인에 의해 나타나는 특징은 특질로 볼 수 있다. 그렇다면 우리가 어떤 사람의 성격을 이해하고자 할 때 한 가지 염두에 둘 것은 그 사람의 현 상태만을 가지고는 판단하기 어렵다는 점이다. 그러니까 소개팅에서 만난 사람은 세 번은 만나 봐야 한다는 것은 어떤 사람에게서 관찰된 특징이 그 사람의 성격인지 또는 상태인지를 알기 위해서는 시간을 두고 몇 번을 더 관찰해야 한다는 의미일 것이다. 짧은 기간 동안 관찰한 어떤 사람의 특징을 그 사람의 성격특질로 판단하기 위해서는 그 특징이 일시적인 상태를 반영한 것이 아니라는 확인이 있어야 한다.

### (2) 기질과 특질

성격특질과 일상적으로 혼용되기 쉽지만 구분될 필요가 있는 또 하나의 용어는 기질이다. 다양한 자극에 대해 일관되게 반응하도록 하는 경향성이라는 점에서 성격특질과 기질은 동일하다. 그러나 기질이 그 사람의 유전적 토대, 즉 타고난 특성인 것과 달리 성격특질은 유전적 특성과 그 사람이 살아온 환경이 상호작용하여 그 사람의 특징으로 드러난 것이라는 점에서 두 용어에는 차이가 있다. 연구들은 다양한 특질 중 기질에 해당하는 특질을 발견하려 하고 있으며, 몇 가지 합의된 기질들이 존재한다. 이는 제7장에서 더 상세히 살펴본다.

예를 들어 보자. 종윤이는 초등학교에 입학했을 때 40분 동안 자기 자리에 앉아 있는 것이 너무나 힘들었다. 학교에서는 체육시간이 유일한 낙이었고 태권도장에 가면 신이 났다. 수업시간에 꼼지락거리다가 야단맞기 일쑤였다. 부모님은 종윤이가 아버지와 성격이 똑같다며, 조금은 얌전한 성격으로 바뀌었으면 하고 바랐다. 종윤이는 활발한 특징을 가진 것은 틀림이 없어 보인다. 종윤이의 활동성은 기질일까, 성격특질일까? 일단 종윤이는 높은 활동성이라는 기질을 타고난 것으로 이해할 수 있다. 다른 몇 가지 기질과 함께 활동성은 많은 부분 유전에 의해 타고나는 특성으로 알려져 있으며, 게다가 종윤이의 아버지도 높은 활동성을 보인다는 점에서 그렇다. 종윤이는 아마도 초등학교 입학 전 유치원에서도 활동성으로 인해 유사한 특징들을 보였을 것이고, 추측컨대 태내에서도 태동이 활발했을 것이며, 큰 사건이 없다면 이후 인생에서도 높은 활동성을 보일 것이다. 다시 말하자면, 기질적으로 높은 활동성을 타고난 종윤이는 앞으로도 계속 활동적일 것이다.

어린 시절에 정적이고 조용하던 태윤이가 성인이 되어서 (지속적이고 일관되게) 활발하게 행동하게 되었다면 이 아이는 활동성이 높은 기질이라기보다 후천적으로 활동성이 발달한 것으로 이해할 수 있다. 또는 높은 활동성을 기질로 타고난 태윤이가 어린 시절 그러한 활동성이 전혀 드러날 수 없는 환경에서 성장하다가 성인이 되어서 기질대로 살 수 있게 되었다는 드라마틱한 이야기로도 설명이 가능하다. 그런데 이처럼 기질과 다른 행동을 하거나 기질을 거스르는 큰 변화가 일어나는 경우는 현실에서 그리 많지 않다. 따라서 우리는 기본적으로 기질을 토대로 성격특질이 형성된다고 볼 수 있다. 종윤이와 달리 태윤이의 성인기 활동성은 후천적으로 형성된 성격특질인지 또는 타고난 기질이 뒤늦게 발현된 것인지 명확하지 않다.

그렇다면 종윤이의 부모님 또는 선생님이 기대해야 할 것은 무엇일까? 현실에서 기질과 특질을 구분할 필요가 있는 경우는 어떤 사람의 특징을 어떻게, 얼마나 변화시킬 수 있을지에 대한 의문을 제기할 경우이다. 성격장애에 대해 기질과 성격특성이 어떤 영향을 미치는지를 살펴본 연구(황순택, 조혜선, 박미정, 이주영, 2015)에서는 사회적 민감성이 낮은 기질이 A군 성격장애(대인관계가 빈곤하다는 특징을 보이는 성격장애군)와 관련되고, 자극 추구가 높은 기질은 B군 성격장애(불안정하고 충동적인 정서 및 행동 특징을 보이는 성격장애군)와 관련되며, 위험 회피가 높은 기질은 C군 성격장애(긴장되고 불안한 특징을 보이는 성격장애군)와 관련된다고 보고하였다. 그렇다면 특정한 기질을 타고난 사람들은 예정된 삶을 살 수밖에 없는 것일까? 그러니까 종윤이의 높은 활동성이 기질 때문이라면 우리는 종윤이가 학교에서 이렇게 힘들어하는 모습을 보고만 있어야 하는 것일까?

어떠한 성격이든 어떠한 기질이든 모든 상황에 보편적으로 적절한 특징은 없다. 높은 활동성이 수업시간에는 부적절할 수 있지만 태권도장에서는 적절한 것과 같다. 성격 변화가 쉽지는 않지만 가능한 것이라면, 기질은 변화가 불가능하지만 그 표현에는 변화가 있을 수 있다. 사회적 민감성이 낮거나 자극 추구성 또는 위험 회피성이 높은 사람들이 모두 성격장애를 갖지는 않는다. 성격심리학을 공부한 조력자(양육자, 교육자 등)라면 종윤이의 특징을 기질로 이해하고 이 아이가 활동성을 적절한 곳에서 적절하게 표현할 수 있도록 자기조절 능력을 키워 주어야 할 것이다. 자기조절 능력에 대해서는 제8장에서 이야기하도록 하자.

## 3) 특질은 안정적일까

### (1) 특질의 안정성

성격특질은 기본적으로 안정적이다. 안정적이라는 말은 앞서 상태와 특질을 구분하면서 사용한 바 있는데, 이때 성격특질의 안정성은 비교적 오랜 시간 동안 다양한 자극에 대해 일관되게 반응하도록 하는 경향성이라고 설명되었다. 그렇다면 '비교적 오랜 시간'이 지나고 나면 성격특질은 변화할까? 성격 5요인에 대한 연구들은 다섯 가지 요인이 개인의 삶에서 크게 변화하지 않는다고 보고하였다. 아동기에 측정한 5요인은 성인기가 되었을 때에도 유사한 정도로 측정된다는 보고가 다양한 문화권에서 나타났다. 이는 성격특질의 안정성은 상당히 오랜 시간 유지되며, 많은 경우 일생 동안 큰 변화가 없음을 의미한다.

그런데 우리는 종종 "걔 성격 변했더라."와 같이 성격의 변화에 대해 이야기하기도 한다. 우리가 말하는 '성격이 변했다'는 것은 어떤 경우일까? 오랜만에 만난 초등학교 동창의 모습을 떠올려 보자. 매우 활발해서 교실을 누비고 다니던 친구가 사람들 속에서 조용히 앉아 있을 수 있고, 사교적이어서 여기저기서 말을 걸던 아이가 다른 사람이 먼저 말을 걸기 전에는 대화를 하지 않을 수도 있다. 이때 나타난 성격의 변화는 성격특질의 양이 변했음을 의미한다. 예컨대, 활동성이나 사교성이라는 성격특질을 많이 가지고 있던 사람이 다양한 생활상의 사건들을 겪으면서 그러한 성격특질의 양이 줄어들었을 때 우리는 '성격이 변했다'고 말하기도 한다.

이와 달리 개인의 성격특질은 시간의 흐름에 따라 양은 동일하지만 표현에 있어서 변화가 있을 수 있다. 외향성이 높아 7세에 친구들과 킥보드로 동네를 누비던 아이는 37세에는 동료들과 함께 회사를 운영하고 67세에는 단체 패키지로 세계여행을 다니는 모습으로 외향성이 표현될 수 있다. 5세에 또래 친구들을 때려서 말썽을 부리던 아이가 25세에 더 이상 친구들을 때리지 않는다면, 공격성이 줄었다고 성급하게 결론을 내리기보다 다른 방식으로 공격성이 표현되고 있을 가능성도 염두에 둘 필요가 있다. 외현적으로 드러나는 공격성의 경우 5세에는 신체적 공격성으로 표현되는 것이 빈번하지만 25세경에는 사회적으로 더 용인되는 언어적 공격성의 형태로 표현될 수 있기 때문이다. 이 경우는 개인의 삶에 더 적절한 방식으로 특질의 표현이 변화한 것으로 이해할 수 있다. 만약 어떤 사람이 성격특질의 양에서는 변화가 없지만 표현에 있어서 변화가 있다면, 우리는 그 사람의 성격이 변했다고 할 수 있을까? 이 경우 핵심이 되는 특질의 양으로 성격을 설명한다면 그 사람의 성격이 변하지 않았다고 볼 것이며, 특질의 표현을 성격에 포함시킨다면 성격이 변했다고 할 수 있을 것이다.

개개인의 삶에서 대부분의 경우 특질의 양은 큰 변화 없이 안정적이지만, 어떤 특질들은 삶이 진행됨에 따라 보편적으로 양적인 변화가 나타날 수 있다. 연구(Roberts, Walton, & Viechtbauer, 2006)에 의하면, 빅 5에 해당하는 특질들은 연령대에 따라 변화한다. 경험에 대한 개방성은 유아기와 청소년기까지 증가하고 일정 정도 유지되다가 노년기가 되면서 감소한다. 우호성과 성실성은 연령이 증가할수록 점차적으로 증가하는 특징을 보인다. 외향성을 보여 주는 지표들은 대체로 생애 전반부에 증가하다가 이후 유지되며, 정서적 안정성은 40대까지 증가하다가 이후 유지된다. 삶의 흐름에 따른 빅 5의 양적 변화를 종합하면, 사람들은 나이가 들수록 따뜻하고 성실하고 정서적으로 안정되며 쾌활하고 유연해지는 것으로 보인다.

앞서 성격특질의 안정성을 이야기하면서 빅 5에 해당하는 특질의 양이 시간의 흐름에 따라 크게 변화하지 않는다고 언급했다. 이것과 조금 전 이야기한 연령 변화에 따른 빅 5의 변화를 연결하여 설명해 보자. 특질의 안정성은 젊은 시절 개인의 외향성이 높은 편에 속했다면 나이가 든 후 그 사람의 외향성은 계속해서 높은 편에 속함을 의미한다. 이는 개인이 자신과 동일한 연령대와 비교했을 때 외향성이 높은 편이었다면 시간이 지난 후에도 동일 연령대에서 높은 정도의 외향성을 갖는다는 것으로 이해할 수 있다. 이와 달리 연령 증가에 따라 생애 전반부에 외향성이 증가하다가 유지된다는 것은 그 사람이 속한 동일 연령 집단 전체는 어린 시절보다 시간이 지날수록 더 높은 외향성을 갖게 된다는 것으로 이해할 수 있다. 즉, 성격특질은 기본적으로 안정적이지만 개인차가 있고, 보편적인 나이 듦에 따라 어떤 측면에서는 가변적이다.

### (2) 특질과 상황의 상호작용

특질은 다양한 자극에 대해 일관되게 반응하는 경향성이며 기본적으로 개인의 삶에서 그 양이 크게 변화하지 않는다고 했다. 성격특질은 개인의 나이 듦에 따라 점차적으로 변화가 있기는 하지만 여전히 동일한 시기에는 일관된 반응을 유발한다. 그런데 우리는 한 개인이 상황에 따라 다른 반응 경향성을 갖는 것을 보기도 한다. 말하자면 상황에 따라 특질의 정도가 달라지는 것을 볼 때가 있는데, 이에 대해서 어떻게 이해할 수 있을까?

어떤 사람이 한 상황에서 일정한 행동을 다른 사람들보다 더 많이 한다면 우리는 그가 다른 상황에서도 유사한 행동을 다른 사람들보다 더 많이 할 것이라고 예상할 수 있다. 예컨대, 주연이는 친구들과의 식사 모임에서 다른 사람의 이야기에 따뜻하게 귀를 기울이고 배려한다. 돈이 필요하다는 딱한 사정을 이야기하는 친구에게 선뜻 돈을 빌려 주기도 하고 모임의 식사비를 자신이 내기도 했다. 식사 후 밖으로 나왔을 때 거리에서 자선단체가 불우이웃돕기 모금을 하고 있다면, 주연이는 이때 어떻게 행동을 할까? 동정심과 관대함을 많이 보이는 주연이에 대한 앞의 설명을 통해 우리는 주연이가 모금에 동참할 것으로 예상할 수 있다. 그렇지만 결혼 전에는 너무나 헌신적이던 이성이 결혼 후에는 변했다는 이야기를 들은 적이 있을 것이다. 사교적인 모임에서 대화를 주도하는 사람이 수업시간에 발표를 하는 자리에서는 유난히 목소리가 작아지는 모습도 쉽게 볼 수 있다. 그러니 주연이 역시 우리의 예상과 다르게 행동할 수 있을 것이다.

특질의 관점에서 설명하자면, 상이한 상황에서 측정했을 때 개인의 특질은 낮은 일관성을 보인다. 상황이 달라지면 개인의 행동은 변할 수 있다는 말이다. 주연이가 대부분의 사람에 비해 친구들에게는 더 많이 관대하고 동정심이 많지만 불우이웃돕기에는 선뜻 돈을 내지 않는다면, 다른 상황에서 다른 행동을 보이는 것으로 이해할 수 있다. 즉, 관대함이라는 특질이 상황에 따라 다르게 변화하는 것이다. 이것은 흔히 말하는 가식이나 인상 관리로도 설명할 수 있겠지만, 주연이의 행동이 어떠한 의도를 갖고 이루어진 것이 아닐 때에는 인상 관리만으로 설명할 수는 없을 것이다. 입사 면접에서 적극적인 태도를 보였던 신입사원이 입사 후 업무에서는 소극적인 모습을 보이는 것과 달리, 친구들을 대하는 태도와 불우이웃돕기 모금을 대하는 태도의 차이는 의도적인 행동 변화는 아닐 수 있다.

어떤 사람의 행동이 상황에 따라 변화할 때 우리가 그 사람의 성격을 이해하기 위해서는 그 사람이 어떨 때 다르게 행동하는지를 살펴보면 된다. 그런데 여기서 말하는 '어떨 때'는 '아침에' '오후에'와 같은 시각을 뜻하는 것이 아니며 '배고플 때' '혼자 있을 때'와 같은 정황을 뜻하는 것도 아니다. 행동이 다르게 나타나는 상황을 이해하기 위해서는 그 상황이 그 개인에게 의미하는 바가 무엇인지를 파악해야 한다. 친구들에게 비교적 관대하던 주연이가 불우이웃돕기에 비교적 인색한 것은 불우이웃돕기라는 자극 상황이 주연이에게 의미하는 바가 무엇인지를 파악하면 더 잘 이해할 수 있다. 만일 주연이가 길을 가다 만난 걸인에게는 돈을 준다면, 어쩌면 주연이에게 불우이웃을 돕는 상황은 '도움의 대상이 확인되지 않는 상황'이라는 의미가 있을지도 모른다. 결혼 후 행동이 변화하는 사람에게 결혼 후는 결혼 전과는 다른 의미를 주는 상황일 수 있다. 또한 사적 모임과 발표 상황에서 태도가 변하는 사람에게 두 상황은 서로 다른 의미를 가질 것인데, 가령 그 사람에게 발표 상황은 '평가받는 상황'이라는 의미가 될 수 있을 것이다. 그 상황이 그 사람에게 어떤 의미를 주는지를 파악할 수 있으면 그 사람의 행동을 더 잘 이해할 수 있다.

결국 특질과 상황은 상호작용하여 인간의 행동에 영향을 미친다. 특질은 그 자체로 특정한 반응을 유발하기도 하지만, 그러한 특질을 가진 사람이 특정한 의미를 갖는 상황에 처하면 이전과 다른 반응을 하게 되기도 한다. 한 연구(김성찬, 임성문, 2015)에서는 사람들이 동일한 사건에 대해 가해자의 잘못이 작다고 지각할수록 정서적으로 더 많이 용서한다는 결과를 보고하였다. 자신이 처한 상황이 '상대가 크게 잘못하지 않은 상황'이라는 의미를 갖는다면 용서하기가 더 쉬운 것이다. 그런데 특히 자존감이 높고 가해자의 잘못이 작다고 지각하는 사람들은 자존감이 낮거나 자존감이 높더라도 가해자의 잘못이 크다고 지각하는 사람들보다 용서를 더 잘 하는 것으로 나타났다. 자존감이 높은 사람들은 자신이 처한 상황이 '상대가 가벼운 실수를 했을 뿐인 상황'이라는 의미를 갖는다면 관대해질 수 있다. 또한 자존감과 상황이 공격성과 어떻게 관련되는지를 살펴본 연구(김민정, 이기학, 2014)에서 외현적/암묵적 자존감이 모두 높은 사람들은 작은 분노를 유발하는 상황에서는 공격성이 낮았지만 큰 분노를 유발하는 상황에서는 공격성이 높게 나타났다. 이들에게 큰 분노 상황은 '자기에게 위협이 되어 맹렬히 대처해야 하는 상황'의 의미를 가졌을 것이다.

특질과 상황이 상호작용한다는 관점은 어떤 사람들의 어떤 행동들은 특정한 상황에서 드러남을 의미한다. 이처럼 특정한 유형의 사람들이 특정한 상황과 상호작용하여 특정한 행동을 한다는 설명을 **3중 유형론**이라 한다. 3중 유형론에서는 개인의 유형과 상황 유형 그리고 행동 유형을 모두 고려하여, 어떠한 유형의 개인은 어떠한 유형의 상황에서 어떠한 유형의 행동을 할 것이라고 설명한다. 3중 유형론은 개인과 상황이 상호작용하는 양상을 의미 있는 범주로 더욱 구체화한 시도이다. 한 예로 자기애적인 사람들의 행동양식을 들어 보자. 부정적 자기상을 갖고 있지만 이를 의식하기보다 보상심리로 거대한 자아상을 만들어 놓는 사람들을 자기애적인 사람이라고 한다. 이들은 자기가 매우 가치 있는 사람이며 사랑받아 마땅하다는 것을 증명하는 데 혈안이 되어 있다. 이들은 자신의 긍정적인 면을 부각시킬 수 있다고 지각되는 상황에서는 자신의 가치를 높이는 행동에 열중한다. 예컨대, 자기애적인 사람들은 다른 사람들이 자신의 이야기를 듣고 있는 상황이라면 자기에 대한 은근한 칭송과 인상 관리에 대부분의 사람보다 더 집중할 것이다. 또 다른 예로 거절민감성이 높은 사람들의 행동 패턴을 살펴보자. 다른 사람들이 거부할 것이라고 예상하면서 조그만 단서에도 거절을 확신하는 사람들을 거절민감성이 높다고 설명한다. 이들은 다른 사람이 자신을 멀리한다고 지각되는 사소한 상황에도 거절당한 것이 틀림없다는 판단을 한다. 예컨대, 거절민감성이 높은 사람들은 애인이 휴대폰 메시지에 1분 이내로 답을 하지 않으면 이별을 준비한다.

특질과 상황이 상호작용하여 행동을 유발한다는 관점을 이해한다면, 어떤 사람의 행동이 다양한 상황에서 일견 일관성이 없게 나타나는 것으로 보이더라도 이러한 비일관성은 무선적인 변화가 아님을 알 수 있다. 그 상황이 개인에게 의미하는 바가 무엇인지를 파악한다면 동일한 의미를 갖는 상황에서 나타나는 일관성을 발견할 수 있을 것이다. 그리고 상황들 사이의 유사성이 낮다면 그러한 상황들에서 드러나는 개인 행동들의 일관성도 감소할 것이다. 우리가 어떤 사람에게 동일한 의미를 갖는 상황들에서 행동의 일관성을 발견한다면 우리는 그 사람을 보다 정확하게 이해하게 되며, 더 나아가서는 그 사람의 행동을 예측할 수 있게 된다.

## 4) 평가와 적용

### (1) 특질 평가의 기본 원리

성격을 특질 관점에서 설명할 때에는 목표가 되는 특질의 양을 측정하는 것이 주목적이 된다. 말하자면, 어떤 사람의 빅 5를 평가하고자 한다면 빅 5에 해당하는 특질을 그 사람이 얼마나 가지고 있는지를 알고자 하는 것이다.

특질을 평가하기 위해서는 개인의 행동에서 발견할 수 있는 다양한 신호를 근거로 특질을 추론한다. 엄밀히 말하자면, 성격특질이란 우리가 존재할 것이라고 가정하는 가상의 개념이다. 누군가의 외향성 또는 우호성을 눈으로 본 적이 있는가? 성격특질이란 키, 팔 길이, 허리둘레처럼 현실에서 오감으로 확인할 수 있는 것이 아니다. 그러니까 우리가 '외향성' '우호성' 또는 '충동성' 등으로 명명하는 성격특질들은 사실 사람들이 하는 일련의 행동을 통해 그러한 특질들이 존재할 것이라고 가정한 개념이라는 뜻이다.

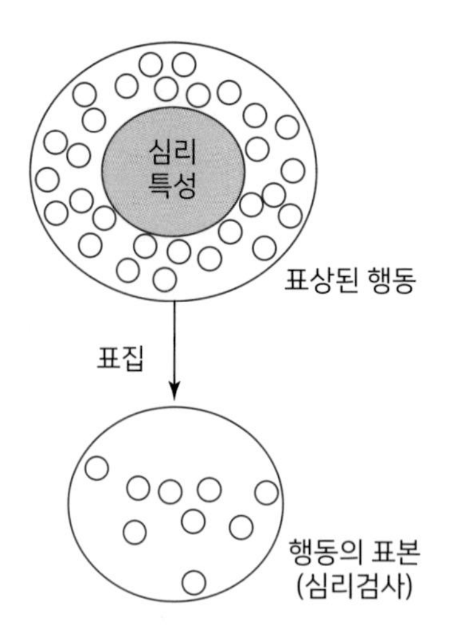


[그림 2-3] 표상된 행동 신호를 표집한 심리검사

게임 속 캐릭터처럼 우리 옆에 '외향성 지수 70' '우호성 지수 50'과 같은 파워 게이지가 떠 있는 것도 아니다. 우리가 외향성이나 우호성, 충동성이 존재한다고 생각하는 이유는 그러한 특질이 이 세상에 존재함을 증명하는 다양한 행동을 볼 수 있기 때문이다. 즉, 우리는 외향성 자체를 볼 수는 없지만 외향성의 표현은 보거나 경험할 수 있다. 그러니 누군가의 특질의 양을 평가하는 것은 그 사람이 하는 행동 신호를 통해 특질을 추론하는 방법으로 가능하다. 예컨대, 어떤 사람이 중학교 때 가출을 7회 했고, 폭력 사건으로 신고된 횟수가 10여 회이며, 쇼핑으로 많은 돈을 쓰고, 자주 욱한다는 주변 사람들의 보고가 있으며, 관련 특질을 측정하는 자기보고식 검사에서 높은 점수를 받았다면, 이러한 행동 신호들을 통해 그 사람이 높은 충동성을 갖고 있다고 추론할 수 있는 것이다.

특질을 평가하기 위해서 주로 사용되는 평가 도구는 자기보고식 성격검사이다. 자기보고식 성격검사는 평가하고자 하는 특질을 반영하는 다양한 행동 신호에 자신이 얼마나 해당하는지 그 사람에게 직접 응답하도록 하여 측정하는 도구이다. 예를 들면, "나는 생각이 나는 것은 바로 실행에 옮겨야 한다."와 같은 문항이 어느 정도로 자신에게 해당되는지를 응답하게 되어 있는 평가 도구를 생각해 보자. 이 도구는 이 문항과 같이 충동성이라는 가상 개념의 표상된 행동 신호들을 제시하고, 이러한 신호들을 그 사람이 얼마나 많이 보이는지에 대한 자료를 수집함으로써 충동성이라는 성격특질을 평가한다. 수집하는 특질의 특성이나 평가 대상자의 특징 등에 따라 자기보고가 아닌 타인보고 등의 방법을 사용할 수 있지만, 사용의 용이성 때문에 현재 사용되는 다수의 특질검사는 자기보고식 검사에 해당된다.

어떤 특질을 얼마나 갖고 있는지를 평가하기 위한 도구는 가능한 한 다양한 상황에 걸쳐 행동 신호를 수집하는 것이 유용하다. 특질을 얼마나 갖고 있는지를 평가한다는 것은 그 사람이 살면서 하는 많은 행동 중 그 특질의 표현에 해당하는 행동을 얼마나 하는지를 뜻한다. 말하자면, 충동성이 얼마나 높은지를 평가하기 위해서는 충동성의 표현에 해당하는 행동들, 예컨대 다른 사람에게 욱하는 행동, 가출, 우발적 폭력, 무계획적인 쇼핑과 같은 행동들을 얼마나 많이 하는지를 평가하면 된다. 그런데 충동성이 높은 사람이라 하더라도 그 사람의 일거수일투족이 모두 충동성을 드러내는 행동이지는 않을 것이며, 단지 충동성이 높다는 것은 그 사람의 무수한 행동들에서 충동성의 표현에 해당하는 행동의 평균적인 빈도가 높다는 것을 의미한다.

그런데 앞에서 사람들의 행동은 상황에 따라 다르게 나타날 수 있다고 했다. 충동성이 높은 사람이라 하더라도 이성 앞에서는 충동성이 낮게 나타날 수 있고, 우호성이 높은 사람이라 하더라도 자신보다 약한 사람 앞에서는 우호성이 낮게 나타날 수 있다. 따라서 어떤 특질을 얼마나 갖고 있는지를 평가하기 위해서는 여러 상황에 걸쳐 행동 신호를 집계하는 것이 더 신뢰할 수 있는 결과를 얻을 수 있다. 이것을 **중다행위준거**라 한다. 특질은 다양한 자극에 대해 일관된 반응을 하도록 하는 경향성이며, 따라서 특질은 기본적으로 그 사람이 여러 상황에서 유사하게 반응하도록 한다. 그렇지만 특질은 상황과 상호작용하여 행동으로 나타나기도 하는데, 특질을 평가하는 도구들은 행동을 표집하여 특질을 추론하게 된다. 따라서 개인의 특질을 평가하기 위해서는 다양한 상황에서의 행동들을 표집하는 것이 그 사람의 특질의 정확한 양을 추론하는 데 유용할 것이다.

### (2) 자기보고식 성격검사

다음 제시한 도구들은 다양한 성격특질을 평가하기 위해 개발되고 현재 널리 사용되고 있는 자기보고식 성격 측정 도구들이다. 각 도구는 사용되는 빈도와 유용성의 측면에서 선별되었다.

성격특질을 평가하는데 가장 널리 쓰이는 검사는 MMPI(Minnesota Multiphasic Personality Inventory)이다. 처음 MMPI를 개발할 때에는 이 도구를 이용해서 정신장애를 진단하는 것이 목적이었다. MMPI의 평정 척도들에서 높은 점수를 받으면 어떠어떠한 정신장애를 가진 것으로 판별할 수 있는 도구를 만들고자 했던 것이다. 그러한 이유로 MMPI에서 주요하게 사용되는 임상척도의 이름들은 정신장애 명칭에서 따온 것들이다.

그런데 생각해 보면 정신장애라는 것은 어떤 심리적 특징이 다른 사람들에 비해 비정상적으로 아주 많이 또는 아주 적게 있을 때 진단되는 경우가 많다. 예컨대, 다른 사람의 의도를 의심하는 특질이 많은 사람이 있고 적은 사람이 있는데, 이러한 특질이 비정상적으로 아주 많을 때 우리는 편집증이라고 본다. 물론 장애 진단을 위해서는 더 엄격한 기준들이 필요하지만, 만일 이상심리학을 공부한 적이 있다면 많은 정신장애를 공부하면서 이 장애들을 한 번쯤 앓아 본 것도 같은 기분이 든 적이 있을 것이다. 어떤 특질을 적당히 갖고 있으면 그것은 그 사람의 성격특질이 되고, 비정상적으로 많거나 적게 갖고 있으면 정신장애로 볼 수 있는 것이다. 이러한 관점에서 현재 MMPI는 여러 정신장애명으로 이름이 붙여진 척도들에서 정신장애 환자군에 비하여 그 이하의 적당한 정도의 점수를 받으면 해당 특질이 높거나 낮은 성격으로 평가하도록 사용된다.

자신을 포함한 누군가의 성격특질의 다양한 측면에 대한 평가를 원한다면 MMPI를 사용해 보는 것이 유용할 것이다. 또한 MMPI 본연의 목적이 정신장애를 탐지하는 것이었으므로, 현재 스트레스 상태이거나 심리적인 어려움을 겪고 있다면 이 역시 MMPI를 사용하는 것이 유용할 것이다.

MMPI가 널리 사용되는 특질검사이기는 하지만 일반인에게 널리 알려진 검사는 앞서 연구한 MBTI일 것이다. MBTI는 융의 성격유형론을 근거로 한 검사로, 인간의 행동은 정신능력을 어떤 방식으로 사용하는 것을 선호하는지에 따라 다르게 나타난다고 본다. 그것은 여러 차원에 걸쳐서 서로 반대되는 양식들의 쌍으로 이루어져 있다. 구체적으로 MBTI에서는 인간의 정신은 외향형과 내향형, 감각형과 직관형, 사고형과 감정형, 판단형과 인식형이라는 네 차원에서 서로 반대가 되는 양식들이 쌍을 이루고 있으며, 개인은 이러한 쌍들 중 자신에게 편안하고 익숙한 양식을 갖고 있다고 가정한다.

MBTI에서는 성격을 유형화하여 설명한다. 이 도구를 사용하여 성격을 평가하면 각 네 가지 차원에서 그 사람에게 해당하는 유형이 하나씩 도출되어 최종적으로 열여섯 가지 성격유형 중 하나에 해당되는 결과가 나타난다. 이러한 유형화는 MBTI를 사용하는 사람들 사이에서의 의사소통을 원활하게 하고 이 세상의 다양한 사람을 보다 손쉽게 이해하는 데 유용하다. 따라서 MBTI를 활용하면 개인의 성격에 대한 이해를 도울 수 있고 또한 서로 같거나 다른 유형의 사람들 사이에서 일어나는 상호작용을 이해하는 데 도움이 된다. 무엇보다도 MBTI에서는 열여섯 가지 유형 중 보다 좋거나 나쁜 유형은 존재하지 않는다고 가정한다. 모든 유형이 서로 유사하거나 다를 뿐이며, 각 유형들이 모두 긍정적인 면이 있으면서 동시에 동일한 특징이 부정적인 면으로 작용하기도 한다. 다만 개인이 속한 환경에서 해당 특징이 유용하거나 유용하지 않을 수 있다. 따라서 MBTI는 성격의 긍정성을 발견하는 데 유용하게 사용되며, 또한 그 개인에게 적절한 환경을 탐색하는 데에도 도움이 된다.

마지막으로 TCI(Temperament and Character Inventory)를 소개한다. TCI의 가장 큰 장점은 이 도구로 성격뿐만 아니라 기질도 측정할 수 있다는 점일 것이다. TCI에서는 성격을 측정하는 3개의 척도와 기질을 측정하는 4개의 척도, 총 7개의 척도를 사용한다. 각각의 척도들은 서로 독립적이며, 이 7개 척도의 점수를 종합하여 개인의 특징을 평가할 수 있다. 후천적으로 형성된 성격과 함께 선천적이고 유전적인 기질을 함께 평가할 수 있으므로, 이 도구는 개인이 어떤 소인을 타고났으며 현재 그것이 어떻게 발현되고 있는지를 이해하는 데 유용하다. 그리고 향후 변화를 위한 개입 계획에서 어떤 점을 목표로 하는 것이 적절한지에 대한 정보를 제공한다.

### (3) 적용

특질의 관점에서 성격을 이해하는 것은 선발 상황에서 유용하다. 회사에서 신입사원을 뽑거나 대학에서 신입생을 선발할 때 성격을 반영하여 선발하고자 한다면 특질 관점을 갖고 성격을 파악할 것이다. 동료들과의 조화나 고객에 호감을 주는 응대가 중요시되는 회사라면 신입사원의 우호성이나 사교성 특질을 평가할 것이고, 성실하고 정돈된 생활태도가 요구되는 회사라면 성실성 특질을 중요하게 평가할 것이다. 이러한 이유에서 많은 최초 선발 장면에서 MMPI 등의 성격검사를 사용하고 있고, 검사를 통해 관심 있는 특질의 정도를 평가하고자 한다. 또는 선발 장면에서 개인이 다양한 상황에서 어떻게 행동하는지를 살피기도 하는데, 이 경우는 개인의 특질이 상황과 상호작용하여 행동으로 나타난다는 관점을 사용한 것이다.

특질 관점은 일상생활에서 가까운 지인의 성격을 파악할 때 흔히 사용되는데, 이 경우는 주로 상황과 특질이 상호작용한다는 관점에서 사용된다. 얼굴과 이름은 알지만 접촉이 별로 없는 사람, 예컨대 수업시간에 한두 번 멀리서 본 사람을 떠올려 보자. 우리는 이 사람에 대해서는 전반적인 사교성 정도나 활동성 정도를 파악할 뿐이다. 그런데 몇 년 동안 함께 지낸 친구의 경우라면 평소에는 상대에게 관심이 없지만 이성 앞에서는 사교적으로 행동한다거나, 혼자 있을 때는 움직이는 것을 싫어하지만 여럿이 함께 있을 때는 활동적으로 변한다는 것을 알게 된다. 즉, 가까운 지인이라면 그 사람이 갖고 있는 특질의 평균적인 정도뿐만 아니라 상황에 따른 변화까지 이해하게 된다.

## 활동 ❸ 상황과 특질의 상호작용

다시 33세 남성 성호 씨의 행동을 들여다봅시다. 이번에는 각 행동들을 상황별로 구분하여 기술해 봅시다. 그리고 상황에 따라 어떻게 특질이 동일하게 혹은 상이하게 나타나는지 정리해 봅시다.

✓ 대학교를 다닐 때 수업시간에 빠지는 일이 잦았다. 그중 많은 경우는 중고등학교 때의 친구가 성호 씨의 학교에 찾아와서 성호 씨를 불러내는 경우였고 성호 씨는 그들과 어울려 노느라 수업에 빠졌다.

✓ 연애를 할 때 성호 씨의 여자 친구들은 공통적으로 성호 씨의 친구들이 둘의 데이트에 불쑥 나타나는 것에 대해 불편함을 토로하였다. 그때마다 성호 씨는 미안해했다.

✓ 대학교 고학년이 되면서 학점 관리에 매우 열중했다. 그동안 소홀했던 학과 공부를 하고 취직 준비를 하면서 성호 씨는 다소의 스트레스를 경험했지만 크게 힘들어하지 않으며 과정을 마쳤다.

✓ 졸업 후 개인사업을 하는 것이 꿈이었다. 사업의 내용은 구체적으로 떠오르지 않았다. 사업을 하기 위해 성호 씨는 우선 전공과 관련된 대기업에 취직을 하였고 그곳에서 일하는 법을 배우고 있다.

✓ 직장에서 회의시간에 적극적으로 자신의 의견을 말한다.

✓ 대화를 할 때 여러 주제에 대해 짧게 이야기하는 편이며 한 주제를 길게 이야기하는 것을 지루해한다.

✓ 직장 내에서 여러 무리 사이의 갈등이 있지만 성호 씨는 어느 무리에도 속하지 않고 모두와 웃으며 지낸다.

✓ 성호 씨는 한 사람과 8년간 연애를 한 후 결혼하였다.

✓ 결혼 후 성호 씨의 친구들은 예정에 없이 성호 씨의 신혼집 근처에 와서 성호 씨를 불러냈고, 성호 씨는 아내에게 미안해하며 외출을 했다.

✓ 아내와의 대화를 통해 친구들이 갑작스럽게 부를 때 그에 응하여 나가는 횟수를 1/2로 줄였다.
✓ 한 가지 취미를 오래 가져 본 적이 없다.
✓ 혼자 있을 때에는 식사를 하지 않는다.
✓ 운동은 축구, 탁구, 테니스를 좋아하고 마라톤을 좋아하지 않는다.
✓ 여행을 갈 때 먼저 출발한 후 세부 목적지를 정한다.
✓ 영화는 액션 위주의 상업영화를 즐겨 본다.
✓ 영화를 예매하기보다 비는 시간에 맞는 영화가 있으면 보는 편이다. 온라인으로 영화를 예매할 때 생각한 날짜와 다른 날짜로 예매를 해서 낭패를 본 적이 종종 있다.
✓ 친구가 큰 병에 걸렸다는 소식을 들었을 때 우울해했다. 그렇지만 수술 결과가 나올 때까지 마음 아플 필요가 없다고 생각하며 감정을 추스렸다.

1. 행동 목록을 보고 성호 씨의 성격을 묘사하는 데 사용 가능한 특질 목록을 나열하세요.

..............................

..............................

..............................

2. 일관되지 않거나 상반된 것으로 보이는 특질들이 있다면 각각 어떤 상황에서 그것이 나타나는지 분류하세요.

| 구분 | 상황 1: .............................. 때 | 상황 2: .............................. 때 |
|---|---|---|
| 특질 | | |

3. 성호 씨의 성격을 특질 용어를 사용하여 다음과 같은 형식으로 기술해 보세요.

성호 씨는 전반적으로 ................................................ 한 성격이다.
................................................ 할 때는 ................................................ 하지만,
................................................ 할 때는 ................................................ 하다.

제3장

# 정신역동적으로 성격 보기

## 1. 무의식의 힘

### 1) 정신역동적으로 성격을 이해한다는 것

우철 씨는 남들이 부러워할 만한 회사에서 뛰어난 업무 능력으로 인정을 받는다. 우철 씨를 믿고 따르는 동료들과 후배들도 많아 늘 주변에 사람들이 많다. 그런데 우철 씨는 윗사람, 특히 남자 직장상사들과는 친밀한 관계를 맺기가 어렵다. 특별한 이유 없이 그들 앞에서는 긴장이 되고, 그들이 잘 알지도 못하면서 가르치려 든다는 생각에 화가 나는 경우도 자주 있다. 사람들은 우철 씨가 유독 윗사람들에게 까칠하게 군다는 것을 알지만 그것을 출세하려고 윗사람에게 아부하지 않는 쿨한 성격으로 여긴다.

인영 씨는 왜 그런지 모르지만 결혼할 사람을 선택하는 것이 너무 어렵다. 그녀의 주위에 남자들이 없는 것도 아니고 남들만큼의 연애 경험도 있지만 한 사람을 선택해서 결혼을 한다는 것이 쉽지가 않다. 성격이 잘 맞는다 싶으면 외모가 자신의 스타일이 아니고, 외모가 마음에 들더라도 경제적으로 흡족하지 않다. 또 경제적인 면이 충족된다 싶으면 성격이 딱 맞지 않는다. 사람들은 인영 씨에게 눈이 높다고 하지만, 인영 씨는 부모님께 결혼할 사람을 소개하는 상황을 생각하면 기준이 엄격해진다.

우철 씨나 인영 씨의 경우 모두 자신들이 왜 그렇게 행동하는지 알지 못한다. 우리는 자신이 하는 대부분의 행동에 대해 설명할 수 있지만(또는 설명할 수 있다고 생각하지만), 스스로 설명하기 어려운 행동들도 있다. 정신역동적으로 인간의 행동을 보는 방법은 이렇게 '나도 모르게' 나오는 설명할 수 없는 행동들을 설명할 수 있게 해 준다.

### (1) 무의식이란 무엇인가

'나도 모르게'라는 말과 거의 동의어로 사용되는 말이 '무의식적으로'이다. **무의식**은 말 그대로 의식하지 않은 상태를 말하니 자신도 모르게, 즉 자신이 의식하지 못하게 일어나는 행동에 대한 표현으로 '나도 모르게'와 '무의식적으로'를 혼용하는 것은 적절한 것으로 보인다. 그런데 이 장의 내용을 들어

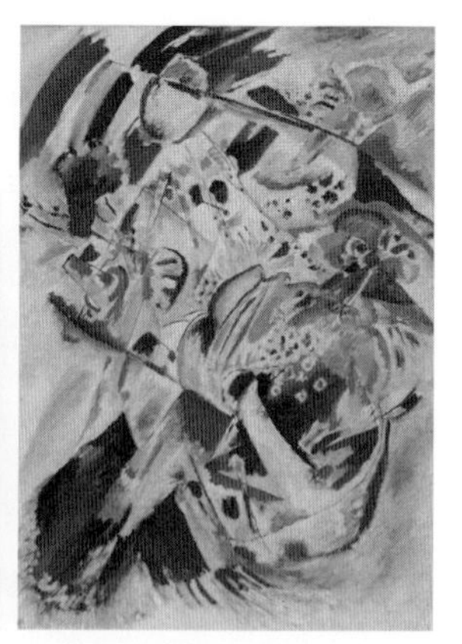

**[그림 3-1]** 에드바르 뭉크(Edvard Munch)의 〈절규〉(1893)와 〈흡혈귀〉(1894)
바실리 칸딘스키(Vassily Kandinsky)의 〈에드윈 캠벨을 위한 패널 No. 4〉(1914)

우리의 정신 영역 중 우리가 모르는 영역이 있다는 사실은 혼란스럽고 두려운 느낌을 주기도 한다.

가기에 앞서 먼저 짚어 볼 것은, 당신은 무의식의 존재를 믿는가 그리고 무의식이 인간의 성격에 미치는 영향을 얼마나 인정하는가 하는 것이다.

무의식은 프로이트(Sigmund Freud)가 처음 제안했을 때에도 받아들이기 힘든 개념이었다. 내가 의식하지 못하는 나의 정신 영역이 존재한다는 것은 마치 '내 안에 또 다른 내가 있었다'는, 주인공이 다중인격임이 밝혀지는 반전 영화의 엔딩만큼 충격적이었을 것이다. 게다가 내가 의식조차 하지 못하는 정신 영역이 내 행동에 지대한 영향을 미친다는 것은 인간의 존엄성에 위협을 가하기에 충분한 것이었다. 무의식이라는 개념이 초래한 충격과 그에 맞먹는 무의식 개념에 대한 반감 속에서 프로이트를 시작으로 한 정신분석가들은 다양한 임상 사례를 예로 들면서 무의식의 존재와 그것의 영향력을 증명해 왔다. 그리고 그러한 학자들 또는 임상가들의 노력 덕분에 '무의식적으로'가 '나도 모르게'만큼이나 일상적인 용어로 사용되고 있다.

일반인들이 무의식을 일상적인 용어로 사용하는 것과 별개로, 현대 심리과학에서는 최근까지 무의식의 존재가 증명되지 않았다는 입장이었다. 임상 경험을 통해 보고되는 사례들은 그것을 보고하는 임상가의 주관성이나 사례의 독특성 때문에 보편화된 법칙으로 적용시키기에는 무리가 있었던 것이다. 그런데 20세기 후반에 들어서면서 인지심리학자들이 암묵적(implicit) 기억에 대한 관심을 갖게 되었고, 의식할 수 없지만 암묵적으로 저장된 기억들이 행동에 영향을 미침을 보여 주는 실험 결과들을 보고하였다(Greenwald & Banaji, 1995; Hetts & Pelham, 2001). 또한 연구들은 무의식적 과정이 의식적 과정과는 별개의 독립적인 작용을 한다고 보고하였다(Wilson, Lindsey, & Schooler, 2000). 말하자면 사람은 동일한 대상에 대해 의식적인 태도와 암묵적(또는 무의식적) 태도라는 두 가지 독립적인 태도를 가질 수 있다는 것이다. 다음 이야기를 읽어 보자.

화창한 여름날, 아버지와 아들이 낚시를 갔다. 계곡에서 낚시를 즐기던 중 아들이 발을 헛디뎌 다리를 다쳤고, 아버지는 급히 아들을 데리고 병원에 갔다. 아버지는 황급히 응급실로 아들을 데리고 들어갔고, 그때 병원에 있던 의사가 깜짝 놀라며 아이를 보고 외쳤다. "오오, 내 아들!"

혹시 이 이야기에서 이상한 점을 발견했는가? 이 이야기를 읽고 잠시라도 무엇인가 잘못 되었다고 느꼈다면 혹은 아직까지 이 이야기를 읽고 '왜 아버지가 둘이지?'라는 의문을 품고 있다면 당신은 성 고정적인 직업관을 갖고 있을 가능성이 높다. 당신의 무의식적 정보처리 과정에서는 의사라는 직업군에 아이의 어머니가 속할 수 있을 가능성은 잘 떠오르지 않았던 것이 아닐까? 문제는 당신이 평소에 "사람의 성별과 직업은 아무 상관이 없어."라고 말을 해 왔더라도 이 이야기를 읽고 멈칫할 수 있다는 것이다. 이야기를 읽어 내려가면서 당신의 무의식 속에서 일어난 정보처리 과정은 당신의 의식과 다를 수 있으니 말이다.

이러한 무의식적 태도는 인간의 행동에 영향을 미친다. 앞의 예에서 우철 씨가 윗사람 앞에서 긴장하고 스스로도 이해할 수 없는 화를 느끼는 것, 인영 씨가 이해할 수 없지만 완벽한 배우자를 선택해야 한다고 믿는 것과 같은 행동들은 그들 스스로가 의식적으로 선택하지 않았지만 그들 내부에서 결정된 행동인 것이다. 요약하면, 성격을 정신역동적으로 본다는 것은 한 사람의 무의식에 의해 그 사람의 행동들이 일관된 패턴으로 이루어지는 것을 그 사람의 성격이라고 보는 관점이다. 이 관점에서는 그 사람의 무의식의 내용과 패턴을 이해하는 것이 그 사람의 성격을 이해하는 길이라고 본다.

당신은 무의식의 존재를 믿지 않거나 무의식이 당신의 행동에 미치는 영향을 인정하지 않더라도 당신 자신도 모르게 행동이 이루어지는 경우를 경험했을 것이다. 그리고 현대 과학에서는 이를 '자동적 정보처리'라고 부른다. 물론 자동적 정보처리와 무의식을 엄밀한 의미에서 동일한 개념으로 볼 수는 없지만, 어떤 사람이 의식적으로 정보처리를 하지 않았으나 하게 된 어떤 행동에 대해 일컫는 말이라는 점에서는 동일하다. 그러니 만일 당신이 무의식이라는 것이 정말 있을까 혹은 설령 있다고 하더라도 그게 그렇게까지 강력할까 하는 의구심이 든다면, 이후 이 장에서 '무의식'이라고 쓴 부분을 '자동적 정보처리'라고 읽는 것이 이 관점에 대한 마음을 여는 데 도움이 될 수 있겠다.

#### (2) 인간 행동에서 무의식의 역할

자동적 정보처리는 의식적으로 정보를 처리하기에 가용한 자원이 없을 때 나타난다. 드라마 속에서 헤어져야 하는 사이임을 알게 된 남자 주인공이 여자 주인공에게 (의식적으로) 이별을 통보하지만, 여자 주인공이 위험에 처했다는 소식을 듣자마자 (무의식적으로) 그녀를 향해 달려간다. 이는 이것저것 따질 만한 정신(즉, 가용한 자원)이 없기에 나타나는 무의식적 반응이다. 말하자면 무의식은 의식이 작용하지 않을 때 작용하는 것으로 볼 수 있다. 우리는 피곤할 때 말실수를 많이 하며, 급할 때 신중하지 못하고 평소에 몸에 익은 대로 행동한다. 겨우 그 정도, 즉 의식이 작용하지 않을 때만 나타나는 것이 무의식에 의한 행동이라면 무의식의 힘이 그다지 중요하지 않게 여겨질 수도 있을 것이다. 그렇다면 잠시 지금 자신이 앉아 있는(또는 누워 있거나 서 있는) 자세를 가만히 살펴보자. 목의 각도, 팔의 자세, 손가락의 모양, 허리의 각도, 다리의 위치, 발가락에 힘을 준 정도 등. 그중에서 당신이 의식적으로 선택한 것은 얼마나 되며 의식하지 않고 이루어진 것은 얼마나 되나? 아마 대부분의 경우 '자신도 모르게' 취하고 있는 자세가 더 많을 것으로 예상된다(치질이나 요통 등의 이유로 신중히 선택한 자세를 취하고 있지 않다면 말이다). 그러니 무의식에 의해 나타나는 인간의 인지, 정서, 행동은 우리가 의식하고 있는 것보다 훨씬 많을 것이다.

### 2) 프로이트에서 시작하기

#### (1) 기본 가정: 무의식의 결정론

한 사람의 일관된 행동들, 즉 성격을 정신역동적인 관점에서 이해하려 할 때 우리는 그 사람의 무의식에 주목한다고 하였다. 그 사람의 무의식이 현재의 행동들을 설명할 수 있다고 보기 때문이다. 이러한 관점을 **무의식의 결정론**이라 한다.

결정론이란 이 세상의 일들은 그에 앞서 원인이 되는 다른 일이 있기 때문에 발생한다는 것이다. 정신역동적 관점에서 결정론이란 인간의 행동에는 내적인 원인이 있다는 것이다. 다시 말해, 어떤 사람이 특정한 정서, 인지, 행동을 보인다면 그러한 것이 현재 나타나는 것은 그 사람의 내면에 원인이 있어서라는 것이다.

만일 당신이 전공으로 심리학을 선택했다면 그 행동에는 내적인 이유가 있을 것이다. 심리학이라는 학문에 매력을 느꼈기 때문일 수 있는데, 그렇게 심리학에 매력을 느낀 것은 인간의 마음이 궁금해서였을 수 있다. 인간의 마음이 궁금한 이유는 어쩌면 당신 자신의 마음이 궁금해서였을지도 모른다. 당신 자신의 마음이 궁금한 이유는 당신이 남들보다 더 강하게 또는 자주 느끼는 감정(분노, 슬픔, 외로움 등)의 정체를 알고 싶어서였을지도 모른다. 그리고 당신이 그러한 감정을 강하게 또는 자주 느끼는 것은 당신이 어린 시절에 반복해서 겪었던 정서적인 경험이 당신에게 그러한 감정을 익숙한 것으로 만들었기 때문일 수 있다. 그러니 당신이 심리학을 전공으로 선택한 것은 '그냥'이 아니라 이전의 일련의 원인, 특히 내면의 원인에 따라 결정된 것이다.

그렇다면 무의식의 결정론이란 이러한 인간 행동의 원인은 그 사람의 무의식이라는 뜻이다. 앞서 우철 씨와 인영 씨의 이야기로 가 보자. 우철 씨가 윗사람 앞에서 긴장되고 화가 나는 행동을 보이는 데는 역시 무의식적인 원인이 있다. 우철 씨는 어린 시절 강압적인 아버지 밑에서 자랐는데, 아버지는 우철 씨가 실수를 하거나 자신의 마음에 들지 않을 때면 소리를 지르고 폭력을 휘둘렀다. 그러한 어린 시절을 보내면서 우철 씨의 무의식에는 성인 남성에 대한 두려움과 분노가 자리 잡았고, 자신이 성인이 된 지금도 그 무의식은 우철 씨의 대인관계 행동에 영향을 미친다. 인영 씨의 일생은 언니와의 경쟁으로 가득 찼다. 인영 씨는 학업, 친구관계, 외모 등 모든 면에서 언니를 이겨서 부모님의 인정을 받는 것을 목표로 살아왔다. 그러던 중 몇 해 전 언니는 소위 말하는 스펙이 훌륭한 남자를 만나서 결혼을 했고, 이후 인영 씨는 마음이 조급해졌다. 최소한 언니의 배우자보다 좋은 조건을 가진 남자를 만나야 한다고 생각하지만 현실에서 그런 사람을 찾기는 어렵다. 언니를 이겨 부모님의 인정을 받으려는 무의식적 욕구는 인영 씨의 현재 행동에 지대한 영향을 미친다.

이처럼 우리의 무의식은 우리의 많은 행동을 결정한다. 프로이트의 설명에 따르면 우리의 행동 중에는 의식이 결정하는 것보다 무의식이 결정하는 것이 더 많다. 정신역동적 관점에서는 인간의 정신 영역을 빙산에 비유할 때 의식 영역이 수면 위에 드러난 빙산에 불과하다면 무의식은 수면 아래에 잠긴 훨씬 넓은 빙산 덩어리라고 설명한다.

무의식에 포함되는 내용에 대해서는 다양한 의견이 있다. 프로이트는 무의식이란 의식하기에는 너무나 위협적인 갈등들의 저장고라고 하였다. 의식을 하는 것보다 의식을 하지 않는 편이 그 사람이 살아가는 데 더 유용하기

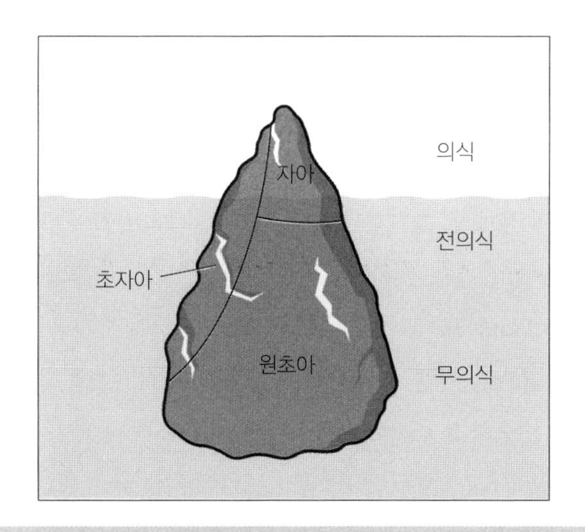


**[그림 3-2] 무의식과 자아**

우리의 정신은 의식과 무의식으로 나뉘고, 원초아, 자아, 초자아라는 세 요소로 움직인다.

때문에 무의식 속에 묻어 버린다는 것이다. 이와 달리 융은 의식하기에는 너무나 괴롭고 힘든 것들만이 무의식에 포함된 것이 아니라 한 인간이 살면서 겪은 일들 중 그다지 중요하지 않은 것들 역시 무의식에 포함된다고 보았다. 충격적이고 괴로워서가 아니라 너무나도 일상적이고 반복적이어서 특별히 의식하지 않아도 되는 내용들이 무의식의 영역에 남게 된다는 것이다. (이후 설명하겠지만, 융은 한 개인이 살면서 겪은 것뿐만 아니라 인류가 과거로부터 겪어 온 것들 역시 무의식에 포함된다고 하면서 무의식에 포함되는 내용을 확장하였다.)

사실 현대 심리과학에서 인간의 기억은 감각기억, 단기기억, 장기기억으로 구분되는데, 우리가 말하는 의식적 기억이란 장기기억 저장소에 저장된 기억을 인출해 내는 것을 말한다. 말하자면 정신 영역 중 의식 영역은 장기기억 및 이를 인출하는 단기기억에 해당한다. 이때 감각기억 속의 기억들은 지금 이 순간 내가 경험하는(의식하지 않지만 내 감각기관을 자극하는) 모든 감각이며, 주의를 기울이지 않으면 우리가 인출하지 못하는 기억들이다. 이는 특별히 의식하지 않아서 무의식에 남게 된 기억이라는 점에서 융의 무의식의 개념과 유사하다. 윌 스미스(Will Smith) 주연의 2015년 개봉영화 〈포커스〉에서는 사기를 칠 목표물의 감각기억을 자극하여 범행을 성공시키는 장면들이 연출된다. 사기의 목표가 된 사람에게 동일한 숫자를 반복해서 제시함으로써(물론 목표물이 의식하지 못하는 정도로 미묘하게) 이후 게임에서 해당 숫자를 선택하도록 하는 장면은 감각기억을 조작하여 행동을 결정짓는 원리이다.

의식하지 못한 정보가 정말로 행동을 결정할까? 1957년 어느 영화관에서 영화가 상영되는 동안 5초 간격으로 "팝콘을 먹어라. 코카콜라를 마셔라."라는 문구가 반복적으로 제시되었다. 이때 문구를 노출시킨 시간은 1/3,000초로, 사람이 자신이 무언가를 보았다는 것을 의식하지 못할 정도로 짧은 시간이다. 그럼에도 불구하고 이 문구에 노출된 사람들이 영화가 끝난 후 팝콘을 먹고 코카콜라를 마시는 행동이 현저히 증가했음을 보고했다. 훗날 이 실험은 조작된 것으로 밝혀졌지만, 여전히 무의식적인 정보처리가 행동에 영향을 미친다는 증거로 인용되고 있다. 무의식에 무엇이 포함되어 있는지에 대

[그림 3-3] 무의식이 행동을 결정한다

한 논의는 차치하더라도 인간이 의식하지 않은 정신 영역, 즉 무의식이 인간의 (많은) 행동을 결정하는 것은 사실인 듯하다.

### (2) 성격 구조: 원초아, 자아, 초자아

프로이트는 인간의 성격을 세 요소로 나누어 설명하였다. 성격을 구성하는 세 요소는 원초아(id), 자아(ego), 초자아(superego)이다. 이 세 요소는 인간의 행동에 작용하는 세 가지 내적 힘으로 이해할 수 있을 것이다. 인간의 행동은 이 세 녀석이 때로는 사이좋게 때로는 힘을 겨루며 어떻게 지내고 있는지로 설명할 수 있다.

먼저, **원초아**는 유아가 태어날 때 가장 먼저 가지고 태어나는 것으로, 성격 중에서 인간이라는 생물로서 유전된 본능적인 힘에 해당한다. 원초아는 간혹 본능이나 추동이라는 말로 대체되기도 하는데, 본능이나 추동처럼 즉각적으로 충족되기를 원하는 욕구들이 원초아에 포함된다. 말하자면 우리가 갖는 배고픔과 같은 강렬한 욕구는 원초아에 따른 것이다. 본능이나 추동이라는 점에서 원초아는 인간의 행동을 유발하는 에너지원이 되기도 한다. 욕구가 발생하면 그 자체로 개체는 긴장을 경험하고, 긴장의 해소를 위해 행동을 하게 된다. 즉, 원초아의 추동과 욕구로 개체는 동기가 유발되기 때문에 원초아는 행동의 에너지원 또는 엔진으로 비유되기도 한다.

그런데 원초아는 인간의 성격 요소 중 쾌락 원리를 따르려는 힘에 해당한다. 원초아가 관심을 두는 것은 욕구를 즉각적으로 해소하는 것이다. 원초아가 배고픔을 경험하면 배고픔은 해소되어야 하고, 성적 욕구를 느낀다면 이 역시 당장 해소되어야 한다. 문제는 원초아는 쾌락 원리, 즉 욕구의 해소에만 관심이 있어 현실적인 문제 해결에는 도움이 되지 못한다는 것이다. 원초아가 욕구 해소를 위해 사용하는 방법은 심상을 떠올리는 것이다. 예컨대, 배고픈 사람은 음식을 떠올릴 수 있는데, 음식을 떠올리고 그 심상에 몰두하는 동안 잠시나마 욕구를 잊을 수 있다.

그렇지만 안타깝게도 이처럼 심상을 떠올리는 것만으로는 욕구의 해소가 이루어지지 않고, 심상에 대한 몰두가 심해질수록 개체는 환상의 세계에 머무르게 된다. 따라서 원초아의 추동은 현실적으로 해결이 되어야 한다. 원초아의 욕구를 현실 원리에 따라 해결하는 것이 자아의 역할이다. **자아**는 원초아로부터 분화되어 발달하는데, 원초아의 욕구를 충족시킬 수 있는 현실적으로 적절한 방법을 찾는다. 비유하자면 배고픔을 느끼며 음식을 떠올리고 있는 원초아를 토닥이며 점심시간이 될 때까지 기다리도록 한다.

자아가 현실 원리를 따른다는 것은 행동이 합리성을 갖도록 한다는 것이다. 자아는 원초아의 추동을 좌절시키지 않지만 현실적으로 적절한 형태로 변형 또는 지연시킨다. 위험한 형태의 욕구를 안전한 형태로 변형시키기도 하고 위험한 대상을 향한 욕구는 안전한 대상으로 방향을 바꾸어 주기도 한다. 따라서 자아는 현실적으로 문제가 발생하지 않는 선에서 원초아의 욕구가 충족될 수 있는 방법을 찾아 준다. 현실적으로 문제가 발생하지 않는 방식으로 바꾸어 주는 것이 문제가 되지 않는다면 자아는 어떠한 형태로든 욕구를 해소해 줄 여지가 있다는 것을 뜻한다.

그러나 인간의 성격 요소들에는 도덕 원리를 따르고자 하는 힘이 있는데, 성격 요소 중 가장 마지막에 발달하는 초자아가 그것이다. **초자아**는 유아가 성장하면서 사회적 가치를 접하면서 형성되고, 대부분의 경우 유아가 접하는 사회적 가치 가운데 부모의 가치가 초자아의 가장 큰 비중을 차지한다. 결국 유아는 부모가 자녀에게 전하는 가치를 받아들여 자신의 가치로 통합시키는 내재화(introjection) 과정을 거치면서 초자아를 발달시킨다.

초자아는 사회적인 규칙이나 도덕, 양심이 자리 잡은 영역이다. 초자아는 원초아의 충동을 금지시키려 한다는 점에서 자아와 다른 길을 간다. 자아가 원초아의 욕구를 적절한 상황이 올 때까지 지연시키려 하는 것과 달리 초자아는 욕구 자체를 있어서는 안 되는 것으로 치부한다. 또한 초자아는 자아를 현실적인 방식이 아닌 도덕적 방식으로 움직이도록 한다. 현실을 고려하여 합리적으로 행동하려는 자아를 보다 엄격한 기준으로 행동하게 한다. 초자아의 명령을 어길 때 우리는 죄책감을 느끼게 되는데, 이런 측면에서 초자아가 매우 강한 사람이라면 자아가 매우 힘이 들 것이다. 원초아의 배고픔을 해소하기 위해 음식을 만들 준비를 하는 자아에게 강력한 초자아가 '먹을 것이 없어 힘들어하는 이웃을 떠올리라'며 혼자 배불리 먹는 것에 대한 죄책감을 일으킬 것이기 때문이다.

인간은 기본적으로 원초아와 자아, 초자아라는 각기 개성적인 내적 힘들이 서로 균형을 맞추며 살아가는 존재이다. 원초아만이 발달한 인간이라면 본능과 충동만이 가득해서 일생 동안 문제를 일으키는 삶을 살게 될 것이다. 초자아가 지나치게 강력한 사람은 엄격한 도덕적 기준으로 자신을 옥죌 것이다. 그렇다고 자아만이 발달한 사람이 건강한 사람도 아니다. 그런 사람들은 지나치게 현실적이고 합리적이어서 차갑고 냉담한 특징을 보인다. 당연한 이야기이지만, 건강한 성격이란 세 요소가 서로 균형을 이루는 성격이다.

### (3) 불안

건강한 성격이 원초아, 자아, 초자아의 세 요소가 균형을 이루는 성격이라면, 세 요소가 균형을 이루지 못하면 어떻게 될까? 예컨대, 원초아의 힘이 너무 강해 자아가 적절하게 만족을 지연시키지 못하고 원초아의 충동이 터져 나오려 한다면? 또는 초자아가 너무 강해서 지켜야 할 도덕률이 너무 많고 기준이 엄격한데 자아가 이 모든 도덕률을 충족시키지 못한다면? 프로이트는 이럴 때 인간이 불안을 경험한다고 보았다. 불안은 개인으로 하여금 적절한 대처를 하도록 동기화시키는 긴장 상태를 말한다. 우리는 불안할 때 그 불안한 요소를 해결하거나 애써 잊으려 하는 등의 대처를 한다. 결국 불안은 그 자체로 긴장이며 따라서 어떠한 형태로든 인간을 움직이게 한다.

우리에게 익숙한 불안은 **객관적 불안**(objective anxiety)인데, 이는 현실적으로 근거가 있는 불안을 말한다. 예컨대, 비가 오는 캄캄한 밤에 혼자 운전을 하고 있는데 커다란 트럭이 '빠앙!' 소리를 내며 거의 부딪히듯 자기 차 옆을 지나간다면, 우리는 대부분 불안을 경험할 것이다. 이때의 불안은 인간이 자기보호를 위해 생득적으로 갖는 불안이다. 이와 달리 원초아의 힘이 자아의 힘으로 통제되지 않아 사회적으로 용납될 수 없는 행동을 하지 않을까 하는 두려움을 갖기도 하는데, 이를 **신경증적 불안**(neurotic anxiety)이라 한다. 엄밀히 말하자면, 신경증적 불안은 원초아의 충동이 행동으로 드러나는 것 자체가 아니라 드러났을 때 사회적으로 처벌을 받을 것에 대한 불안에 해당한다. 앞의 예에서 아버지에 대한 분노감을 갖고 있는 우철 씨가 만일 아버지에게 폭력을 휘두르고 싶은 무의식적 욕구를 갖는다면, 자아가 이러한 욕구를 누르는 힘이 약해질 때 신경증적 불안을 경험할 수 있다. 즉, 그에게는 자신이 아버지를 공격하면 어떡하나 하는 신경증적 불안이 있을 수 있다. 한편, 자아가 자신이 가진 초자아의 도덕적 기준에 어긋나는 행동을 하게 될 때도 불안을 경험하게 된다. 이는 **도덕적 불안**(moral anxiety)이라 하며 일반적으로 양심의 두려움이라고도 한다. 초자아가 강한 사람은 자신이 가지고 있는 도덕적 기준에 어긋나는 일을 하거나 어긋나는 생각만 하더라도 죄의식을 갖기도 한다.

불안은 그것을 느낄 때 우리가 적절하게 대처하게 하는 경고 신호의 역할을 한다. 특히 객관적 불안은 개체를 보호하고 유지하기 위해 필요하다. 그런데 신경증적 불안이나 도덕적 불안은 현실과 크게 관련 없이 한 개인의 내면의 요소들 사이에서 발생하는 긴장으로 볼 수 있다. 따라서 건강한 성격을 형성하고 유지하기 위해서는 신경증적 불안이나 도덕적 불안을 잘 살펴보고 다룰 필요가 있다.

### (4) 방어기제

원초아와 자아, 초자아가 사이좋게 균형을 이루며 사는 것이 심리적으로 건강한 성격이라고 했지만, 이러한 균형을 관장하는 것은 자아의 역할이다. 자아는 원초아의 추동을 적절한 시기에 적절한 형태로 충족시켜 주고, 초자아가 원하는 조건에 부합하도록 행동한다. 그런 의미에서 자아는 원초아와 초자아라는 말 두 마리가 이끄는 마차 위의 마부로 묘사되기도 한다. 그런데 자아가 모든 상황에서 적절하게 행동하는 것은 거의 불가능하며 때로 이러한 균형이 깨어질 위기가 발생하기도 한다. 이처럼 성격 요소들의 균형이 깨어질 것 같을 때 인간은 불안을 느낀다. 그리고 그 불안으로부터 자신을 보호하기 위해 자아는 다양한 전략을 사용하는데, 프로이트는 이를 방어기제라는 이름으로 소개하였다. 그러니까 **방어기제**는 불안에서 우리를 보호하기 위해 자아가 사용하는 여러 방법이다. 대표적인 예들은 다음과 같다.

**억압**(repression)은 프로이트가 제안한 대표적인 방어기제이다. 억압은 우리가 의식하기에는 너무 힘든 기억들을 의식 아래 영역, 즉 무의식의 영역으로 눌러 두는 것을 말한다. 임상 장면에서 어린 시절의 다양한 기억 중 특히 괴로운 기억은 잘 떠올리지 못하는 경우가 발견되는데, 이는 억압의 예가 된다. 또는 정서적으로 힘이 들 법도 한 상황에서 전혀 힘듦을 느끼지 못하는 경우도 억압을 통해 자신을 보호하려는 자아의 노력으로 보인다. 오랫동안 사귀던 애인과 이별을 한 후에 "전혀 슬프지 않네요."라고 말하며 스스로도 슬픔을 느끼지 못한다면 억압을 했을 가능성이 있다(물론 둘의 관계가 어땠는지에 따라 정말 슬프지 않을 수도 있다).

**부인**(denial)은 억압과 함께 프로이트가 방어기제를 제안한 초기에 등장한 개념이다. 억압이 현실이 괴로워서 무의식 속에 묻어 두는 방법이라면, 부인은 현실을 왜곡하는 방법이다. 현실 왜곡이라는 방법은 현실적인 측면에서 가장 부적응적인 방법일 수 있고, 어떤 측면에서는 원시적인 방법이다. 예를 들어, 걸음마에 익숙하지 않은 한 아이가 욕실에 맨발로 들어간다. 욕실은 미끄러워서 아이에게 금지된 곳이지만 아이는 궁금함에 엄마 몰래 살금살금 들어간다. 낌새를 알아챈 엄마가 후다닥 달려가 "요녀석!" 하자 아이는 다급하게 "아니야!" 하고 외친다. 유아의 이 정도의 현실 왜곡, 즉 부인은 귀엽게 넘어가 줄 수 있다. 그런데 성인의 경우를 보자. 오랫동안 사귀던 애인에게 이별 통보를 받은 후 "헤어지자고 하네요. 그런데 사실 저희 헤어진 게 아니에요. 걔는 화가 나면 헤어지자고 하죠. 그런데 전화해 보니 이상하게 없는 번호라고 나오네요."라고 한다면 현실이 괴로워 부인이라는 방어기제를 사용한 것으로 보인다. 그리고 이들 예에서 알 수 있듯이 부인은 당장의 불안은 잠재울 수 있지만 성숙한 방어기제로 볼 수는 없는 유아적이고 원시적인 방어기제이다.

**투사**(projection)는 자신에게 있는 특성을 다른 사람에게 있는 것으로 인식하는 방어기제이다. 자신의 것이라고 인식하기에는 너무 위협적이어서 그 특성이 다른 사람의 것인 것처럼 여기는 방법으로, 말하자면 욕구나 충동의 주체를 바꾸는 것이다. 일례로, 절친한 친구의 여자 친구에게 첫눈에 반한 한 남성은 자신이 그 여성에게 반했다는 것을 인식하지 못하고 그녀가 자신에게 추파를 던진다고 인식한다. 그렇게 여기는 것이 자신이 친한 친구의 여자 친구를 탐한다는 인식보다 안전하여 자신을 보호할 수 있기 때문이다.

**퇴행**(regression)은 현실이 자신에게 너무 힘이 들어서 과거의 좋았던 어느 시점으로 돌아가려는 방어기제이다. 흔한 예는 배변훈련을 마친 아동이 동생이 태어나면서 다시 대소변을 가리지 못하게 되는 것이다. 아동에게 있어서 엄마의 관심이 줄어들고 엄마로부터 자신보다 더 많은 관심을 받는 누군가가 나타난다는 것은 생존을 위협받는다고 느낄 정도로 불안한 상황이다. 자아는 이러한 불안을 다루기 위하여 과거의 편안했던 시점으로 돌아가는 방법을 사용한다.

**합리화**(rationalization)는 괴로운 현실에 대해 자기를 보호하기 위해 그럴듯

한 이유를 대는 방법이다. 합리화 기제는 다른 말로 신포도 기제라고도 하는데, 이는 이솝우화 속 여우의 이야기에서 빌린 용어이다. 길을 가던 여우가 주렁주렁 매달려 있는 포도를 보고 침을 꼴깍 삼킨다. 포도나무 아래에서 포도를 따먹으려고 한참을 버둥거리고 폴짝거리던 여우는 마음을 접고 돌아서며 "저 포도는 신 포도인 것이 분명해."라고 말한다. 말하자면 "내가 못 먹는 것이 아니라 안 먹는 거야."라는 태도로 자기 자존심을 보호한 것이다. 원하던 회사의 입사 시험에 떨어진 후 '어차피 저 회사는 내 적성에 안 맞았어'라고 생각한다면 합리화를 사용한 것으로 볼 수 있을 것이다.

**승화**(sublimation)는 사회적으로 용납되지 않는 욕구를 용납되는 형태로 변형시켜 충족시키는 방법이다. 어떤 사람이 내재된 폭력성을 사회적으로 용납되는 형태로 바꾸어 권투선수가 되었다면 이 사람의 자아는 승화라는 방법을 사용하여 불안을 다룬 것이다. 즉, 자신의 폭력성이 분출될 것에 대한 불안을 경험할 때 권투라는 사회적으로 용인되는 활동을 함으로써 불안을 처리한 것으로 볼 수 있다. 불안을 처리하면서도 현실적으로도 문제가 되지 않는다는 점에서 승화는 성숙한 방어기제에 해당한다.

**치환**(displacement)은 그대로 표현되어서는 안 되는 욕구를 대상을 바꾸어 표현하는 방법이다. 있는 그대로 드러낼 때 위협이 될 수 있으니 그 욕구를 보다 안전한 대상에게 드러내는 방법인데, 우리 속담에 '종로에서 뺨 맞고 한강에서 분풀이'하는 것으로 묘사된다. 종로에서 뺨을 때린 사람에게 그대로 분풀이를 하기에는 아마도 종로의 그 사람은 뭔가 위협적이거나 그럴 수 없는 사람인 것 같다. 그러니 보다 안전한 대상인 한강의 어떤 사람 또는 한강에게 분풀이를 하는 것일 텐데, 그렇게 하는 편이 어떻게든 욕구를 해소한다는 점에서는 방어기제가 될 수 있다. 그리고 안전한 대상을 통해 추동을 만족시키는 것이 위협적인 대상에게 그대로 덤비는 것보다 현실적으로 적절한 것일 수 있다.

**반동형성**(reaction formation)의 예도 우리 속담에서 발견되는데, '미운 놈 떡 하나 더 주기'가 그것이다. 속담에서 알 수 있듯이 반동형성은 욕구를 그것과 반대되는 형태로 표현하는 것이다. 자아의 입장에서는 용납될 수 없는 욕구를 충족시켜 줄 수도 없고, 그렇다고 그대로 두자니 그 욕구가 불쑥불쑥 터져나와 현실 적응에 위협을 초래할까 봐 불안하다. 그러니 욕구와 반대되는 행동을 하여 욕구가 표현될 가능성을 덮어 버리는 것이 해결방법이 될 수 있다. 혹시 당신이 마음에 들지 않는 어떤 사람에게 유독 호들갑을 떨며 친한 척한 경험이 있다면 당신의 자아가 반동형성을 사용한 것일지도 모른다.

**[그림 3-4] 방어기제(합리화, 부인)의 예**

이상에서 살펴본 방어기제들 이 외에도 학자들은 다양한 방어기제를 제안해 왔다. 그런데 방어기제에 대해서 기억해야 할 점은 방어기제는 우리가 현실을 살아가는 데 필요한 대처양식이라는 점이다. 오랜 연인과 헤어져서 가슴 찢어지는 슬픔을 고스란히 느끼는 것보다 슬픈 정서를 억압하는 편이 나을 수 있고, 헤어졌다는 현실을 직시하는 것보다 부인하는 것이 당장 살 방법일 수 있다. 그 회사에 들어가지 못할 정도로 자신이 못났다고 의식하는 것보다 그 회사가 나의 적성에 맞지 않는다고 합리화하는 편이 자기보호에 유리하고, 길에서 주먹을 휘두르는 것보다 링 위에서 권투를 하는 것으로 승화하는 편이 훨씬 건강하다. 자아가 원초아와 초자아를 잘 다루지 못해서 느끼는 불안으로부터 우리를 보호하기 위해 방어기제를 사용한다는 것은 이러한 방어기제를 잘 사용하는 것이 불안을 다루며 건강하게 살아가는 방법임을 의미한다.

### (5) 심리성적 발달단계

프로이트는 인간의 성격이 생애 초기에 일정한 단계로 발달한다고 보면서 자신이 발견한 성격의 발달단계를 **심리성적 발달단계**라 칭했다. 프로이트가 제안하는 성은 인간의 본능적인 에너지와 동일한 의미로 해석할 수 있다. 프로이트는 한 사람이 태어나서 성장하는 과정에서 성적인 만족감을 충족시켜주는 신체의 영역이 달라지는데, 이처럼 쾌락을 제공하는 곳이 신체의 어느 부위에 집중되는지에 따라 성격 발달단계가 달라진다고 보았다.

첫 단계는 **구강기**에 해당하며 생후 1.5세, 즉 약 18개월까지이다. 구강기라는 이름에서 알 수 있듯이 이 시기의 영아는 신체 중 구강 부위를 통한 활동으로 쾌감을 경험하게 된다. 만약 영아들을 자세히 본 적이 있다면 구강기의 의미를 명확하게 알 수 있을 것이다. 이들은 입 주변에 무엇인가가 닿게 되면 그쪽으로 고개를 돌리며 입을 내밀고, 손에 쥐어지는 어떤 것이든 입에 넣어 빨아 보려 한다. 배고픔을 채우려는 목적이 아니더라도 손가락이든 공갈젖꼭지든 입에 넣고 빠는 활동은 이들에게는 매우 중요한 활동이 된다. 구강기의 영아에게 입으로 빠는 행동은 다른 것으로 대체할 수 없는 그 자체로서의 쾌감이 있는 것이다.

각 발달단계를 어떻게 보냈는지는 한 사람의 성격 형성에 영향을 준다. 개인이 성장하면서 성적 쾌락을 제공하는 신체 부위가 변화하는데, 발달이 다음 단계로 넘어가지 못하고 이전 단계에 머물러 있는 상태를 **고착**(fixation)이라 한다. 그 단계에서 욕구 충족이 지나치게 결핍되었거나 과잉 충족된 경우에 고착이 일어난다. 예컨대, 생물학적 연령상으로는 구강기를 지나 다음 단계로 넘어가야 하지만 심리적으로 구강기에 머물러 있다면 구강고착이라 할 수 있으며, 이로 인해 구강기의 특징을 보이는 성격을 갖게 된다. 구강고착적 성격의 특징으로는 일반적으로 '의존성'을 꼽는데, 성인이 되어서도 타인에게 의존하려는 경향이 높을 때 구강고착적 성격으로 볼 수 있다. 구강고착적 성격에는 두 가지 유형이 있다. 구강수동적 성격의 경우는 다른 사람에게 좋은 평가를 받으려는 욕구가 크고 순진하고 수동적이다. 반면, 구강공격적 성격은 타인과 논쟁하기를 좋아하고 비판이나 비난을 즐긴다. 두 유형 모두 자신의 만족감을 위해 다른 사람을 필요로 한다는 점에서 의존적이라고 할 수 있다.

구강기를 지나면 다음 단계는 **항문기**에 해당한다. 만 1.5세에서 3세까지에 해당하는 이 시기는 항문 부위의 활동을 통해 성적 쾌감을 느끼는 시기이다. 항문 활동을 통한 쾌감이라는 것은 쉽게 말해 대변을 보유하고 배출하는 활동에서 쾌감을 느끼는 것이다. 우리 나이로 3~4세에 해당하는 유아를 자세히 살펴보면 이 시기의 유아가 항문 부위의 활동을 즐긴다는 것은 발견하기에 어렵지 않다. 아이들은 유독 항문(똥꼬)과 그 배설물(똥)에 집착한다. 주위에 이 정도 연령의 유아가 있다면 다짜고짜 다가가서 "똥!"이라고 외쳐 보라. 아마도 재밌어 죽겠다며 깔깔거릴 것이다.

[그림 3-5] 유아가 공갈젖꼭지와 똥에 열광하는 것은 이유가 있다

항문기는 유아의 인생에서 삶에 대한 새로운 기준을 얻게 되는 시기이다. 일반적으로 항문기의 유아는 배변훈련이라는 일생일대의 과제를 부여받는다. 잠시 유아의 입장에서 배변훈련을 바라보도록 하자. 처음 세상에 태어난 아기가 하는 일은 먹고 싸고 먹고 싸는 일이다. 그만큼 대소변이 나올 때 싸는 일은 아기가 살아온 인생에서 지극히 자연스러운 일이었다. 그러던 어느 날 양육자가 "이제부터는 아무 데서나 싸지 말고 정해진 곳에서 정해진 방법으로 싸려무나."라고 지시하고, 다양한 방법으로 훈련을 시작한다. 이것은 유아에게 청천벽력 같은 지령이다. 세상에는 편하고 좋은 것뿐만이 아니라 옳고 그른 것이 있다는 것을 처음 배우게 되는 시점이다.

따라서 항문기에 배변훈련을 어떻게 받았는지는 성인기의 성격을 형성하는 데 영향을 준다. 배변훈련을 지나치게 엄격하게 받은 경우, 즉 배변을 하는 과정에서 실패가 허용되지 않은 경우라면 강박적 성격이 될 수 있다. 강박적 성격은 옳고 그른 것에 대한 과도한 집착 행동으로 나타난다. 그들은 시간 관리나 돈 관리 등에서 매우 엄격하고 도덕적 가치 기준을 엄격하게 지키려 하며 차가운 인상을 준다. 지나치게 엄격한 배변훈련은 유아가 배출하는 행동을 하기를 주저하고 보유하는 것에 집중하도록 한다. 반면, 배변훈련 과정에서 아동이 배설하는 것에 대해 부모가 열렬히 칭찬하고 지지한다면 아동은 배출에 집착하게 된다. 이는 성인기에 난폭하고 공격적인 성격으로 나타나기도 한다.

항문기를 지나 만 3세에서 5세까지의 유아는 **남근기**에 해당한다. 남근기라는 명칭은 심리성적 발달에 대한 연구가 남아를 중심으로 이루어진 탓이지만, 남아와 여아 모두 이 시기에는 자신의 성기에 관심을 갖는 특징을 보인다. 또한 남자로서 또는 여자로서의 자신의 몸에 대한 관심이 커지며 자위행위가 나타난다. 말하자면 남근기는 성적 쾌락을 충족시키는 신체 부위가 성기에 해당하는 시기이다. 이 시기의 아동이 자신의 성기를 만지며 즐거워하거나 병원 놀이를 하며 몸을 살피는 행동을 하는 것은 흔한 일이다. 따라서 이러한 욕구 충족에 대해 수치심을 주기보다는 사회적으로 바람직한 형태로 욕구를 충족시킬 수 있도록 알려 주는 것이 필요할 것이다.

남근기를 설명하는 주요한 용어로 오이디푸스 콤플렉스가 사용되는데, 많이 알려진 것처럼 자신의 아버지를 죽이고 어머니와 결혼을 했다는 신화 속 오이디푸스 왕에서 따온 용어이다. 프로이트는 오이디푸스 콤플렉스라는 용어로 남아가 어머니를 차지하려 하고 아버지를 적대시하는 태도를 설명했다. (후에 여아의 태도에 대해서는 엘렉트라 콤플렉스라는 용어로 설명하였으나, 이 용어는 오이디푸스 콤플렉스에 비해 관심과 지지를 덜 받는다.) 오이디푸스 콤플렉스 개념에 따르면 남근기에 해당하는 아동은 어머니를 차지하고자 하지만 어머니 옆에는 아버지라는 강력한 경쟁자가 있다. 아동은 아버지를 적대시하지만 아버지를 이길 수는 없고, 오히려 아버지가 자신의 욕구를 알고 자신을 거세할까 봐 불안해한다. 고민 끝에 아동은 아버지를 닮아서 자기를 지키기로 하는데, 이것이 동성 부모에 대한 동일시 현상이다.

프로이트의 다른 개념들처럼 오이디푸스 콤플렉스에 대한 가설은 프로이트의 이론을 추종하는 학자들 또는 임상가들의 임상적 사례 보고를 통해서만 검증될 뿐, 보편적으로 인정되는 방법으로 검증되지는 못한다는 한계가 있다. 오이디푸스 콤플렉스가 검증이 어려운 것과 달리, 남근기의 아동이 동성 부모를 동일시하는 현상은 이 시기의 아동을 자세히 관찰하면 쉽게 확인할 수 있다. 이 시기의 여자아이들은 어머니의 립스틱을 꺼내서 발라 보고 어머니가 하는 일을 해 보려고 안달이다. 남자아이들은 아버지의 구두에 발을 넣어 보고 아버지처럼 행동해 본다. 그 기저의 원인이 오이디푸스 콤플렉스인지에 대한 논의는 차치하더라도 동성 부모에 대한 동일시는 이 시기의 중요한 현상이다. 이로써 남아는 남자의 특성을 갖고 여아는 여자의 특성을 갖는 사회화가 시작된다. 따라서 남근기 고착적 성격은 성역할에 대한 지나친 집착으로 나타난다. 남근기에 고착된 남성은 '나는 남자다'라는 의식이 강하고 자신의 남성성을 강조하는 데 열중한다. 반면, 남근기에 고착된 여성은 '나는 여자다'라는 생각을 강하게 갖고 여성성을 강조하는 데 에너지를 쏟는다.

**[그림 3-6]** 남근기의 아이들은 동성 부모를 닮고 싶어 한다

**잠복기**인 만 5세에서 11세 사이의 기간은 아동이 성적인 충동이 잠잠해지고 문화적 · 사회적 지식과 가치를 교육받는 시기이다. 일반적으로 이 시기의 아동은 유치원 또는 초등학교에 입학하여 사회적으로 필요한 기본적 기술들을 익히게 된다. 주로 동성 또래들과 어울리며 친밀감을 형성하는 것에 몰입하고 적절한 사회적 역할을 배운다.

만 11세 이후의 생애는 **성기기** 또는 생식기라고 명명되는데, 이성과 친밀감과 사랑을 발달시키는 단계이다. 이 시기의 인간은 일과 사랑이라는 과제에서 성공을 이루고 부모로부터 독립을 하는 것이 주요 과제이며, 이성에 대한 관심과 교제를 통해 성적 욕구를 충족시킨다.

## 활동 4 단어연상검사

모두가 피검자의 역할을 해 볼 수 있도록 검사자, 피검자, 기록자의 역할을 바꾸어 총 3회 실시하세요. 단어는 다음 페이지에 각각 11개씩 제시됩니다. 피검자 역할을 하는 사람은 제시될 단어를 미리 보지 않도록 주의하세요.

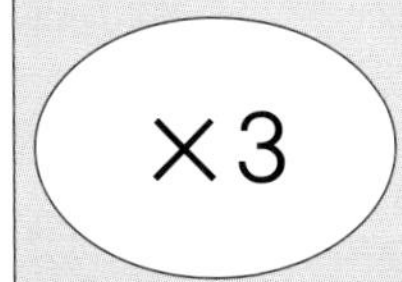


1. 3명이 한 팀을 이루어 각각 검사자, 피검자, 기록자의 역할을 맡으세요.

2. 검사자는 다음 페이지의 11개 단어를 하나씩 소리 내어 불러 주고, 피검자는 단어를 듣고 떠오르는 단어나 구, 절, 문장을 가능한 한 빠르게 답하세요. 기록자는 초시계로 피검자의 반응시간을 측정하고 응답 내용을 기록하세요.

3. 검사에 임하면서 느낀 점이나 깨달은 점에 대해 이야기 나눠 보세요. 또 이를 통해 투사검사를 사용할 때 주의할 점을 논의해 보세요.

   **〈예시〉**
   - 답을 방해하는 생각이나 느낌이 있었나요?
   - 답을 하면서 망설이지는 않았나요? 그랬다면 그 이유는 무엇인가요?
   - 내 답에 영향을 준 것들은 무엇인가요?

**1회**

실시자:

피검자:

기록자:

| 단어 | 응답 내용 | 반응시간 |
|---|---|---|
| 강아지 | | |
| 필통 | | |
| 슬픔 | | |
| 녹색 | | |
| 엄마 | | |
| 바나나 | | |
| 뒤처지다 | | |
| 손씻기 | | |
| 친구 | | |
| 사탕 | | |
| 발바닥 | | |

## 2회

실시자:

피검자:

기록자:

| 단어 | 응답 내용 | 반응시간 |
|---|---|---|
| 고양이 | | |
| 컵 | | |
| 고통 | | |
| 파란색 | | |
| 엄마 | | |
| 사과 | | |
| 뒤처지다 | | |
| 세수 | | |
| 친구 | | |
| 초콜릿 | | |
| 손바닥 | | |

**3회**

실시자:

피검자:

기록자:

| 단어 | 응답 내용 | 반응시간 |
|---|---|---|
| 병아리 | | |
| 책상 | | |
| 슬픔 | | |
| 분홍색 | | |
| 엄마 | | |
| 자두 | | |
| 뒤처지다 | | |
| 양치질 | | |
| 친구 | | |
| 사탕 | | |
| 손바닥 | | |

## 2. 프로이트를 넘어서

정신역동적 관점에서 인간의 성격을 살펴보는 것은 인간이 왜 자기도 모르게 그렇게 행동하는지에 대해 이해할 수 있는 개념 틀을 제공한다는 점에서 매우 유용하다. 인간은 무의식의 영향으로 다양한 행동을 하며 무의식을 이해하면 그 사람의 성격을 알 수 있다는 이 유용한 관점을 가장 먼저 제공한 사람은 프로이트이다. 그리고 이후의 많은 학자가 프로이트의 관점을 수정 · 보완한 이론들을 제시하였는데 이들을 신프로이트 학파라 부른다. 혹자들은 신프로이트 학파를 프로이트라는 거인의 어깨 위에 올라선 난쟁이들로 비유하기도 한다. 거인보다 더 높은 곳에서 더 먼 곳을 보고 있지만 그 거인이 없었다면 그 먼 곳을 볼 수 없었을 것이라는 뜻에서이다.

따라서 프로이트를 출발점으로 하는 신프로이트 학파는 기본적으로 프로이트와 유사한 관점을 갖지만 몇 가지 차이점을 가지고 있다. 이 절에서는 프로이트를 넘어서는 관점들을 크게 두 가지로 보고, 변화된 관점들을 중심으로 신프로이트 학파의 이론들을 소개한다. 그 두 가지는 ① 인간은 관계적인 특성을 갖는다는 관점과 ② 성격 발달은 전생애적이라는 관점이다.

### 1) 관계적 인간

프로이트가 사람들이 왜 특정한 행동을 하는지를 이해하기 위해 개인의 내면에 있는 요소들(원초아, 자아, 초자아)에 주목했다면, 신프로이트 학파의 학자들은 개인이 사회적 관계 속에서 자기와 타인을 어떻게 지각하는지에 관심을 두었다. 이는 프로이트가 개인의 성격 발달에 있어서 타인의 존재를 간과했다거나 신프로이트 학파에서 개인 내적 요소들을 인정하지 않았다는 의미가 아니다. 앞서 살펴본 것처럼 프로이트 역시 성격 발달 과정에서 부모의 양육 방식 등의 영향을 언급했고 앞으로 살펴볼 신프로이트 학파에서도 개인의 원초아, 자아, 초자아의 역할을 언급했다. 다만 신프로이트 학파에서는 프로이트가 그랬던 것에 비해 개인을 자기와 타인의 관계 맥락 속에서 이해하는 것이 중요하다고 보았다. 이러한 관점을 강조하는 대표적인 이론으로 개인심리학과 애착이론을 살펴보자.

### (1) 개인심리학

**개인심리학**(individual psychology)은 **아들러**(Alfred Adler)에 의해 제안된 이론이다. 아들러는 한 인간의 건강한 삶을 위해서 필요한 요소들이 무엇인지를 안녕의 바퀴라는 형태로 제시하였는데, 그 요소들로는 영성, 자기지향, 사랑, 우정, 일과 여가생활 등이 있다. 이러한 요소들이 골고루 충분히 충족되는 것이 잘 사는(즉, 안녕하는) 삶인데, 세부적으로는 삶에 대해 통제감을 갖고, 정서적 자각과 대처 능력을 갖고, 스트레스를 관리하는 것이 필요하다. 또한 적절한 운동과 영양 상태를 유지하고 유머감을 갖는 것이 필요하

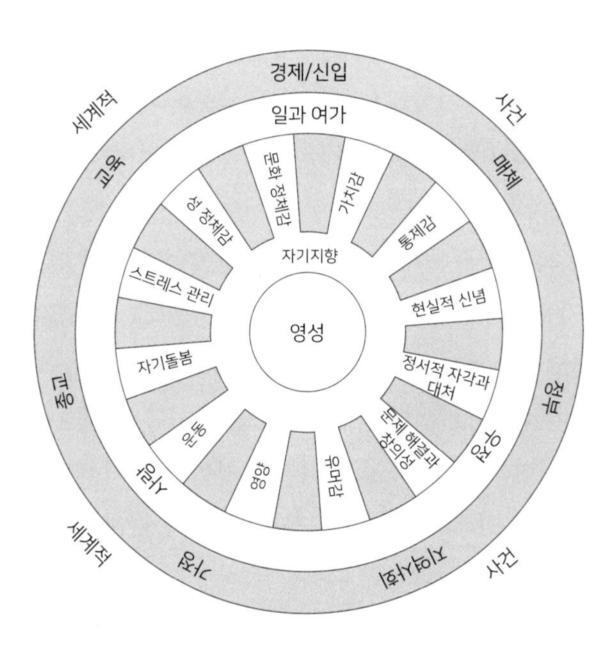


**[그림 3-7] 안녕의 바퀴**

다. 개인의 안녕한 삶에는 사회적인 요소들도 한몫을 하는데, 가정, 종교, 지역사회, 정부 등의 요소가 개인의 안녕에 영향을 미치며 세계적 사건들 역시 직간접적으로 한 사람의 안녕에 영향을 미친다고 보았다.

혹시 지금 개인의 안녕을 위한 것으로 아들러가 제시한 요소를 보면서 '너무 당연한 얘기 아닌가?'라는 생각이 든다면, 아들러의 관점을 정확히 이해한 것이다. 혹자들은 개인심리학의 이야기들이 너무나 상식적인 이야기라며 시큰둥하지만 아들러는 자신의 이론이 상식적이고 당연한 이야기라는 비판에 감사했다고 한다. 상식적이고 당연한 이야기로 인간의 행동을 설명하고 싶었으며, 그러니 개인심리학의 주된 특징들 중 하나가 '상식적'이라는 것이다.

개인심리학의 또 다른 특징은 그것이 '사회적'이라는 점이다. 개인의 안녕에 필요한 요소들에 개인의 내적인 요소뿐 아니라 가정을 비롯한 정부와 세계적 사건까지 포함시켰다는 점은 개인심리학이 얼마나 인간을 사회적인 존재로 간주하는지를 엿볼 수 있게 한다. 그러니 인간을 관계적 존재로 본 신프로이트 학파의 특징을 개인심리학에서 고스란히 발견할 수 있을 것이다.

같은 맥락에서 개인심리학에서는 인간은 자신이 속한 사회의 일부분이 되어 인류의 이익에 기여할 경향성을 갖는다고 보고 이를 **사회적 관심**이라 했다. 말하자면 사회적 관심이란 개인이 자신이 사회, 즉 타인과 동떨어진 존재가 아닌 사회의 한 구성원으로서 타인과 함께 어우러져 살아가는 존재라고 인식하는 것을 말한다. 자신과 타인을 서로 분리된 개별적 존재가 아닌 하나의 유기체로 인식한다면 불필요한 경쟁이 없을 것이다. 따라서 사회적 관심이 높은 사람은 건강한 개인으로서 자신의 활동의 결과물을 타인과 공유하고, 창조적이며, 활동 자체를 즐기는 특징이 있다. 이와 달리 사회적 관심이 낮은 사람은 자신의 활동의 결과를 성공 또는 실패를 기준으로 평가한다. 이때 자신의 활동이 성공적일 때에는 권력과 지위를 갖고 소유물을 얻게 되며, 실패했을 때에는 불평이나 비난을 하고 두려움을 갖게 된다.

개인심리학에서는 개개인이 사회적 관심이 높다면 개인의 삶이 건강하고 윤택해지지만 사회 전체에 있어서도 그것이 이익이라고 보았다. 예컨대, 높은 사회적 관심으로 자신의 활동을 즐기고 그 결과물을 타인과 공유한다면 내가 아닌 누군가가 성과를 낸 것에 함께 기뻐하고 자신은 그 결과물을 기쁘게 누릴 것이다. 그리고 그 결과물에 자신의 창조성을 더해 인류에게 도움이 되는 더 좋은 결과물을 만들어 낼 것이고, 이 역시 공유하면서 인류는 발전할 것이다. 이와 달리 사회적 관심이 낮은 개개인들이 모인 사회는 타인의 성과는 자신의 실패를 의미하며, 따라서 개인적으로는 속이 상하고 사회적으로는 서로의 성공을 달가워하지 않게 되어 인류의 건강한 발전이 지연될 수 있다. 따라서 개인심리학에서 사회적 관심은 개인의 행복을 가져올 뿐만 아니라 인류의 안녕에도 기여하는 중요한 인간의 특성이다.

사회적 관심을 가지는 경향성도 있지만, 인간은 생득적으로 열등감을 갖는 존재이다. 아들러는 기관 열등감(organ inferiority)이라는 용어로 **열등감**을 소개했는데, 여기에는 신체적으로 왜소하고 열등했던 자신의 어린 시절 경험이 반영된 것 같다. 현재는 기관에 대한 열등감에 국한되지 않은 열등감이라는 용어로 인간의 행동을 설명하고 있다. 즉, 인간은 태어나면서부터 열등감을 가질 수밖에 없는 존재인데, 이러한 열등감을 극복하고 우월감을 갖고자 하는 보상동기를 갖는다. 사실상 이 세상은 우리가 열등감을 느낄 만한 것들 투성이이다. 기는 아기는 걷는 아기를 보면서 열등감을 느끼고, 걷는 아기는 뛰는 아기를 보면서 열등감을 느낀다. “으음마.”라고 겨우 말하는 아기는 유창하게 엄마와 대화하는 손위 형제를 보며 열등감을 느낀다. 긍정적인 것은 이러한 열등감을 극복하고자 하는 보상동기 덕분에 개인이 발전하고 덕분에 사회도 발전한다는 것이다. 주의할 것은 열등감을 극복하고 우월감을 갖는 과정에서 우리가 추구할 우월감은 내가 남보다 더 우월한 존재가 된 것에서 오는 우월감이 아닌 자신이 목표로 한 과제를 숙달한 것, 즉 어제보다 더 나은 오늘의 내가 된 것에서 오는 우월감이어야 한다는 것이다. 다시 말해, 사회적 관심과 보상동기가 함께 있을 때 건강한 개인이 된다는 것이다.

태어나서 지금까지 당신의 삶에서 당신의 열등감이나 우월감을 가장 오래 그리고 가장 집요하게 자극한 사람이 있다면, 그 사람은 아마 당신의 형제일 것이다. 개인심리학에서는 가족 내 형제간의 경쟁(sibling rivalry)이 개인의 성격 발달에 중요하다고 보았다. 다른 형제의 존재와 다른 형제의 성별, 출생 서열 등을 포함한 특성들은 한 사람이 태어나서 경험하는 최초의 작은 사회를 이룬다. 이러한 관점에서 개인심리학에서는 형제간 서열에 따라 개인의 성격이 형성된다고 보고, **출생순위**에 따른 성격특성을 제안했다. 흔히 첫째 아이는 책임감이 강하고 권위에 순응적인 특성이 있고, 중간 아이는 경쟁적이면서 사교적이며, 막내 아이는 비교적 자유롭고 의존적인 경향이 있는 것으로 묘사된다. 외동은 첫째 아이와 유사한 특성을 많이 갖는다고 알려져 있다. 그런데 출생순위에 따른 정형화된 성격 묘사에 대해 타당한 근거가 없다는 주장들이 있다. 아들러 역시 실제 출생순위보다 개인이 가족 내에서 주관적으로 경험한 것들이 그 사람의 성격을 형성한다고 설명하면서 심리적 출생순위를 살펴볼 필요가 있다고 제안하였다. 말하자면 실제 출생순위는 중간 아이이지만 손위 형제가 여러 가지 이유(심각한 장애가 있다거나, 안타깝지만 우리 문화에서는 중간 아이에 비해 학업 성취가 좋지 못하다거나 하는 경우)로 첫째 아이의 역할을 하지 못한다면, 부모의 관심과 기대가 중간 아이에게 옮겨지면서 중간 아이가 심리적으로는 첫째 아이의 특성을 가질 수 있는 것이다. 따라서 개인심리학적 관점에서 성격을 파악할 때 형제관계의 영향을 고려하는 것이 필요한데, 이때 실제 출생순위뿐만 아니라 심리적 출생순위에 대한 정보가 중요하다.

형제관계를 중심으로 한 생애 초기 경험은 **생활양식**(life style)에 영향을 준다. 생활양식은 한 사람이 살면서 겪은 인생 초기의 경험들로 인해 발달하는 확신을 말한다. 지금까지 우리가 살면서 겪은 다양한 경험은 나와 타인과 인생에 대해 어떤 확신을 갖게 했을 것이다. 그리고 그 확신을 근거로 삶에 대한 태도를 만들었을 것이다. 따라서 생활양식은 내가 살아 보니 '나는 이러이러한 사람이고 다른 사람들은 저러저러한데 인생은 그러그러하니 나는 어떠어떠하게 살겠다'는 형식으로 나타난다. 예컨대, '나는 무능력한 사람이고 다른 사람은 나를 도와줄 수 있는 사람들인데 인생은 성공하지 않으면 살기가 아주 힘들어지니 나는 다른 사람들에게 열심히 빌붙어 살겠다'와 같은 생활양식이 가능하다. 또는 '나는 아주 똑똑한 사람이고 다른 사람들은 똑똑한 사람들을 멀리하는 경향이 있는데 인생은 다른 사람들과 잘 어울려 살아야 하는 것이니 나는 최대한 겸손하고 낮은 자세로 살겠다'는 양식도 있을 것이다. 혹시 주위에 정말 이해할 수 없는 행동을 하는 사람이 있더라도 그 사람의 생활양식을 파악해 본다면 결국 이해를 하게 될 것이다. 그 사람이 어떤 행동을 보이는 것은 그 사람의 생활양식 안에서는 당연한 선택이기 때문이다.

결국 개인심리학은 생애 초기 경험이 성격 발달에 중요하다는 관점에서는 프로이트의 이론과 맥을 같이한다. 그러나 개인이 얼마나 사회적인 존재인지를 상식적인 용어로 설명한다는 점에서 차이가 있다. 개인이 행복하기 위해서는 사회에 관심을 갖는 태도가 필요하고 사회는 개인의 행복에 직간접적으로 영향을 미친다. 상식적이지만 실천하기 쉽지 않은 것이다.

### (2) 볼비의 애착이론

프로이트 이후 정신역동적 관점의 학자들은 인간의 성격이 사람과 사람 사이의 관계에 많은 영향을 받는다고 보았다. 이때 한 사람의 성격에 가장 큰 영향을 미치는 다른 사람은 어머니로 대표되는데, 그 이유는 어머니가 주 양육자로서의 역할을 담당해 왔기 때문이다. 물론 현대에도 대부분의 경우 유아의 주 양육자는 어머니이지만, 다양한 이유로 어머니가 주 양육자가 아닌 경우도 있다. 따라서 정확한 설명을 위해 이 책에서는 어머니 대신 주 양육자라는 표현을 쓰겠다.

**볼비**(John Bowlby)는 **애착이론**을 통해 주 양육자와 유아가 어떻게 상호작용하는지를 이해하는 것이 유아의 성격 이해에 중요하다고 제안하였다. 특히 아동이 주 양육자와의 관계에서 무엇을 경험하는지가 아동의 성격을 이해하는 데 필수적이라고 보았다. 타인과의 상호작용을 통해 유아는 자기와 타인 그리고 경험들에 대한 심리적 표상들을 형성하는데, 이러한 표상들이 **내적작동모델**(internal working model)을 구성한다. 예컨대, 일거수일투족을 주시하고 사사건건 평가를 하는 주 양육자와 4~5년(이 유아에게는 일평생)을 살아온 유아는 다른 사람들은 자신을 평가하는 존재이며 자신은 흠이 많은 사람으로 인식할 가능성이 높다. 이 경우 대인관계에서 경직되고 긴장감을 느끼는 성격이 될 가능성이 높다. 또는 유아가 어떤 행동을 하건 전혀 반응을 보이지 않는 주 양육자와 일평생 상호작용해 온 유아는 자신은 별로 중요하지 않으며 타인은 자기에게 관심이 없는 존재로 인식할 것이다. 그렇다면 대인관계에서 무력감이나 외로움을 느낄 수 있다.

유아와 주 양육자의 상호작용을 살펴보기 위해 **에인스워스**(Mary Ainsworth)는 **낯선 상황 실험**을 실시했다. 이 실험에서는 유아가 주 양육자인 어머니와 함께 연구자가 준비한 놀이방, 즉 낯선 상황에 들어선다. 낯선 놀이방에 들어선 아이들은 다양한 모습을 보이는데, 어머니 옆에서 떨어지지 않으려는 아이가 있는가 하면 잠시 머뭇거리다가 서서히 주위를 탐색하는 아이들도 있다. 연구자의 지시대로 어머니가 낯선 놀이방에 아이를 두고 잠시 밖으로 나가려 할 때, 어떤 아이는 필사적으로 어머니에게 매달리며 어머니를 나가지 못하게 하고, 어떤 아이는 조금 망설이다가 보내 주기도 하며, 또 어떤 아이는 어머니가 가든 말든 관심이 없다. 어머니가 다시 돌아왔을 때의 반응 역시 다양한데, 다시 온 어머니에게 화가 난 듯 달려드는 아이가 있는가 하면, 어머니를 반갑게 맞이하는 아이가 있고, 어머니가 오든 말든 관심이 없는 아이도 있다.

연구들은 아이들의 행동을 종합하여 세 가지 유형의 **애착양식**을 보고하였다. 각각은 불안-회피 애착(insecure-avoidant attachment), 불안-양가 애착(insecure-ambivalent attachment), 안정 애착(securely attachment)으로 분류된다. 불안-회피 애착유형의 아이들은 낯선 곳에 처음 가거나 어머니가 밖으로 나가고 다시 돌아오는 과정에서 내내 어머니를 회피하는 모습을 보였다.

〈표 3-1〉 낯선 상황 실험(SSP) 절차와 내용

| 단계 | 참석자 | 소요시간 | 활동 내용 |
|---|---|---|---|
| 1 | 엄마, 아동, 관찰자 | 30초 | 관찰자가 엄마와 아동을 실험실로 안내한 후 나간다. |
| 2 | 엄마, 아동 | 3분 | 엄마는 아동을 혼자서 놀게 한 후, 아동이 먼저 상호작용을 원할 때만 반응하다가, 2분이 경과한 후 아동에게 장난감을 제시하며 적극적으로 놀아 준다. |
| 3 | 낯선 이, 엄마, 아동 | 3분 | 낯선 이가 들어와서 처음 1분 동안 가만히 앉아 있다가 1분이 지나면 엄마에게 말을 건넨다. 마지막 1분 동안 낯선 이가 아동에게 장난감을 주면서 놀아 준다. 3분이 되면 엄마는 혼자 조용히 밖으로 나간다. |
| 4 | 낯선 이, 아동 | 3분 혹은 그 이하 | 첫 번째 분리 단계<br>낯선 이는 아동에게 먼저 상호작용을 시도하지 않고 원할 때만 응해 준다. |
| 5 | 엄마, 아동 | 3분 혹은 그 이상 | 첫 번째 재결합 단계<br>엄마가 아동의 이름을 부르며 방으로 들어온다. 아동이 접촉을 원하면 편안하게 해 준 뒤 다시 장난감을 가지고 놀게 한다. 3분이 되면 어머니는 아동에게 '안녕'이라고 말한 후 방 밖으로 나간다. |
| 6 | 아동 | 3분 혹은 그 이하 | 두 번째 분리 단계<br>아동 혼자 방에 있게 된다. |
| 7 | 낯선 이, 아동 | 3분 혹은 그 이하 | 두 번째 분리의 계속<br>낯선 이가 들어와서 4단계와 같이 행동한다. |
| 8 | 엄마, 아동 | 3분 | 두 번째 재결합 단계<br>어머니가 아동의 이름을 부르고 들어오고 아동이 원하면 안아 주고 달래 준다. |

이 아이들의 어머니들은 아이가 어머니에게 다가가서 위안을 받고자 할 때는 반응을 보이지 않다가 아이가 독립적인 놀이를 하려고 할 때는 침범해서 통제하려는 경향이 발견되었다. 불안-양가 애착유형의 아이들은 어머니와 가까이 있고 싶은 마음과 어머니에게 화가 나는 마음이 함께 있는 것으로 보이는 행동을 했다. 예컨대, 낯선 곳에 자신을 두고 어머니가 밖으로 나갈 때 자지러지며 매달리다가 어머니가 돌아왔을 때는 분노하는 모습을 보였다. 이들의 어머니들에게서는 아이에게 반응적일 때도 있지만 그렇지 않을 때도 있는 비일관성이 발견되었다. 이들과 달리 일군의 아이는 어머니가 잠시 떠날 때 아쉬워하다가 돌아오면 반갑게 맞이하는 모습을 보였는데, 이들은 안정 애착유형으로 분류되었다. 이들의 어머니들은 아이에게 대체로 일관되게 반응적이었다.

양육에서 반응성은 아이의 욕구와 신호를 민감하게 알아차리고 그것에 적절하게 반응하는 것을 말한다. 예민성이 양육자의 욕구를 중심으로 아이를 대하는 것이라면 반응성은 아이가 어떤 상태이며 무엇을 원하는지를 아이의 입장에서 이해하고 그에 알맞게 공감, 훈육 등의 양육을 제공하는 것이다. 이를 통해 아이는 세상을 믿을 만하고 안전한 곳으로 지각하게 된다. 결국 애착이론은 유아가 주 양육자에게서 안전함(일관되고 반응적임)을 경험하면 그 든든함을 토대로 이후 삶도 건강하게 살아갈 수 있다고 말한다.

어떤 사람이 어떤 애착양식을 갖고 있는지는 그 사람의 다양한 다른 행동을 이해하는 데 큰 도움이 된다. 안정 애착유형에 해당하는 유아는 세상을 안전하게 보고 더욱 적극적으로 세상에 나아가며, 마찬가지로 성인이 안정 애착에 해당한다면 사회적 관계를 건강하게 맺는다. 그렇지만 애착에 대한 종합적인 연구(Lewis, 1999, p. 341)는 유아기 애착이 성인기 애착으로 그대로 이어지는 것은 아니라고 보고한다. 말하자면 유아기에 형성된 애착양식이 성인기의 애착양식과 반드시 일치하지는 않는다는 것이다. 그렇다면 애착은 인간 성격에 중요한 요소이기는 하지만 생애 초기에 형성된 대로 고정 불변하는 것은 아니라 사람이 살아가면서 계속해서 만나고 상호작용하는 관계를 통해 변화하는 것으로 볼 수 있다. 따라서 애착이론을 통해 인간이 관계적인 존재이면서 동시에 전생애에 걸쳐 변화하는 존재라는 관점을 엿볼 수 있다.

## 2) 전생애적 발달

프로이트가 인간의 성격 형성에 생애 초기의 경험이 결정적인 원인이 된다고 본 것과 달리 신프로이트 학파는 한 사람의 성격은 평생 발달한다고 보았다. 태어나서 몇 년 동안 경험한 것들이 나머지 전체 삶을 결정한다는 관점에서 벗어나 생애 초기의 발달이 중요하기는 하지만 한 인간은 살면서 끊임없이 변화하는 존재라는 관점을 가진 두 학자와 이론들을 살펴보자.

### (1) 심리사회적 발달

프로이트는 생애 초기에 성적인 욕구 충족이 신체의 어느 부위를 통해 이루어지는지를 기준으로 심리성적 발달단계를 제시하였다. 프로이트의 어깨 위에 올라선 한 난쟁이는 프로이트의 제안을 수정·보완하여 **심리사회적 발달단계**를 제시하였다. 그 난쟁이는 **에릭슨**(Erik Erikson)인데, 새로운 이론은 두 가지 측면에서 기존의 프로이트 이론과 차이가 있다. ① 성격 발달은 성적 욕구 충족의 관점에서 볼 것이 아니라 사회적 관계의 측면에서 보는 것이 타당하며, ② 개인의 성격은 평생을 두고 발달한다는 것이다. 에릭슨의 이론이 프로이트의 심리'성적' 발달을 심리'사회적' 발달로 재조명한 것은 에릭슨 역시 앞서 살펴본 신프로이트 학파의 관계적 인간이라는 관점을 갖고 있음을 의미한다. 즉, 에릭슨은 성격 발달이 성적 충동을 만족시키는 신체 부위의 변화를 중심으로 이루어지는 것이 아니라 다른 사람과 어떻게 상호작용하고 관계를 맺는지를 중심으로 이루어진다고 보고 있다. 또한 에릭슨은 성격 발달이 전생애적이라고 본다는 점에서 신프로이트 학파의 대표 주자라 할 수 있다.

심리사회적 발달의 초기 단계 및 나이 구분(초기 5단계)은 프로이트의 심리성적 발달의 것과 동일하다. 차이점은 심리사회적 발달은 총 8단계로 구분되는데, 초기의 5단계 이후는 성인기에 해당하며, 성인기 이후에도 성격 발달이 진행된다고 제시하였다는 점이다. 또한 각 단계에서는 그 시기에 해당하는 사람들이 보편적으로 경험하는 심리사회적 위기가 있다. 심리사회적 위기란 한 사람이 사회와 대인관계 속에서 갖는 긍정적이거나 부정적인 경험들이 그 사람의 성격에 어떤 특성을 형성하는 것을 말한다. 각 단계의 위기를 잘 극복하여 최적의 성과를 얻으면 건강한 성격으로 다음 단계로 넘어갈 수 있다. 비유하자면, 매 스테이지마다 미션이 있으며 미션을 클리어하면 최적의 성과를 획득할 수 있다는 것이다.

〈표 3-2〉 심리사회적 발달단계

| 단계 및 나이 | 심리사회적 위기 | 최적의 성과 |
|---|---|---|
| 1. 구강-감각기(0~1.5세) | 신뢰감 대 불신감 | 기본적인 신뢰와 낙천주의 |
| 2. 근육-항문기(1.5~3세) | 자율성 대 수치심 | 자신과 환경에 대한 통제감 |
| 3. 운동-생식기(3~6세) | 주도성 대 죄의식 | 목표 방향성 및 목적의식 |
| 4. 잠복기(6세~사춘기 이전) | 근면성 대 열등감 | 유능성 |
| 5. 사춘기, 청년기 | 정체감 대 역할혼미 | 현재와 미래의 목표를 과거와 재통합 |
| 6. 초기 성인기 | 친밀감 대 고립감 | 헌신, 공유, 친밀감 및 사랑 |
| 7. 성인기, 중년기 | 생산성 대 자기침체 | 생산 및 세상과 미래 세대에 대한 관심 |
| 8. 노년기 | 통합감 대 절망감 | 조망, 과거 생활에 대한 만족, 지혜 |

각 발달단계의 특징은 다음과 같다. 1단계는 구강-감각기로 생후 만 1.5세까지에 해당한다. 이 어린 아기가 사회 속에서 어떤 경험을 하는지가 이 아기에게 세상이 믿을 만한 곳인지 또는 믿을 수 없는 곳인지를 알게 한다. 배가 고프고 몸이 불편해서 울어댈 때 양육자가 달려와 문제를 해결해 주는 경

험이 축적된 아기는 세상을 믿을 만한 곳으로 여기지만 아무리 울어도 양육자가 반응하지 않으면 세상을 믿을 수 없는 곳이 된다. 따라서 이 시기의 심리사회적 위기는 신뢰감 대 불신감이 되는데, 이 시기에 얻을 수 있는 최적의 성과는 세상에 대한 기본적 신뢰와 낙천주의이다.

2단계는 근육-항문기로 만 1.5세에서 3세까지의 시기이다. 주위에 이 시기의 유아가 있다면 이 꼬마들이 '엄마'나 '맘마'만큼 빨리 배우는 말이 '내가!'인 것을 알 수 있을 것이다. 이 시기의 유아들은 자기가 스스로 무엇인가를 하는 것에 매우 열중하며 자신이 환경에 영향을 미칠 수 있다는 것에 신이 난다. 그래서 마땅한 능력은 없으면서 열의만 높은 이 시기의 유아를 키우는 양육자는 아주 많이 힘이 든다. 동시에 이 시기의 유아들은 심부름을 매우 즐겨 하므로 시키는 재미가 있다. 이 시기의 심리사회적 위기는 자율성 대 수치심이다. 유아는 자신의 힘으로 환경에 영향을 미치는 것이 가능하다는 것을 알게 되면서 자율성을 갖게 된다. 반면에 스스로 하려는 것에 대해 양육자로부터 빈번하게 저지당하고 야단을 맞게 되면 수치심을 갖게 된다. 따라서 이 시기의 최적의 성과는 자신과 환경에 대한 통제감이다.

3단계는 운동-생식기로 만 3세에서 5세에 해당한다. 앞 단계에서 "내가!" 하던 아동은 이제 "내 맘대로 할 거야!"라고 말하기 시작한다. 다시 말해, 자율성을 얻은 유아가 이번에는 주도성 대 죄의식이라는 심리사회적 위기를 마주하게 되는 것이다. 주도성은 행동의 목적이나 방향성을 자신이 선택하려는 태도에 해당한다. 무엇이든 자신이 하려던 유아가 이제 무엇을 할지 말지 또는 어떻게 할지를 선택하려 한다. 예컨대, 이전 단계에서는 양육자가 주는 옷에 이리저리 팔을 넣어 보았지만, 이 단계에서는 그 옷이 아닌 자신의 마음에 드는 다른 옷을 찾는다. 유아의 주도성을 적절히 받아 주면 유아는 행동에 대한 목적의식을 갖는 최적의 성과를 얻게 된다. 이에 반해 스스로 선택하는 것에 대해 무시당하거나 비난받는 경험이 쌓이면 죄의식을 갖게 된다.

4단계는 잠복기로 만 6세에서 11세에 해당한다. 이 시기의 아동은 교육을 통해 사회적으로 바람직한 행동을 습득한다. 이들이 마주하는 심리사회적 위기는 근면성 대 열등감인데, 사회적 가치나 지식을 성실하고 성공적으로 습득하는 경험이 쌓이면 근면성을 획득하게 되고 이러한 경험이 빈약하면 열등감을 갖게 된다. 따라서 최적의 성과는 유능성을 획득하는 것이다.

이후 단계들은 심리성적 발달 관점에서는 세분화되지 않았던 단계로, 이처럼 이후 단계들도 세분화하여 제시했다는 점에서 심리사회적 발달이 전생애적으로 이루어진다는 에릭슨의 관점을 알 수 있다. 5단계는 사춘기 또는 청년기로 구분되며 만 11세경부터 시작된다. 흔히 청년기는 자신에 대해 돌아보고 '나는 누구인가?'에 대한 답을 모색하는 시기로 알려져 있다. 실제로 이 시기는 현재까지 살아오면서 경험한 자기를 돌아보고 통합하여 자신을 이해하고, 이러한 이해를 토대로 미래를 설계하는 시기이다. 따라서 이 시기의 심리사회적 위기는 정체감 대 역할혼미로 명명된다. 자신의 경험들을 통합하여 잘 이해하게 되면 정체감을 갖게 되지만 자신을 돌아보지 못하고 있거나 자신의 경험들을 통합시키지 못하면 역할혼미 상태가 된다. 이때 최적의 성과는 자신의 과거를 현재 및 미래 목표와 통합시키는 것이다.

6단계는 초기 성인기로, 심리사회적 위기는 친밀감 대 고립감이다. 이 시기에는 주위 사람들과 친밀한 관계를 맺고 결혼 등을 통해 가족을 구성하게 된다. 그 과정에서 성공적인 경험들이 쌓이면 친밀감을 갖지만 그렇지 못하면 고립감을 갖게 된다. 최적의 성과는 타인과 사회에 헌신하고 삶을 공유하며 사랑하는 것이다.

7단계는 성인기 또는 중년기라고 하는데, 자신의 영역에서 이미 숙련되어 있으며 노련함을 가지고 미래 세대를 안내하는 시기이다. 직업인으로서의 일뿐만 아니라 가사 측면에서도 중년기는 가장 노련하고 왕성하게 활동할 수 있는 시기이다. 심리사회적 위기는 생산성 대 자기침체인데, 자신의 영역에서 왕성하게 활동하면서 성공적인 경험들이 쌓이면 생산성을 획득하지만 그렇지 못하면 자기침체를 경험하게 된다. 최적의 성과는 생산을 하고 세상과 미래 세대에 대해 관심을 갖는 것이다. 이러한 발달단계상의 특징으로 볼 때, 중년기에 어떠한 이유에서든 그동안 숙련되게 해 오던 일을 놓게 되는 경우에는 심리적으로 위기를 경험하게 될 것이다.

마지막 8단계는 노년기로, 심리사회적 위기는 통합감 대 절망감이다. 노년기는 청년기에 이어서 일생에서 자신을 돌아보는 것이 주요 발달과제인 두 번째 시기이다. 여태까지의 삶을 돌아보고 자신의 경험들을 통합함으로써 과거 생활에 대한 만족감과 지혜를 얻는 것이 노년기의 최적의 성과가 된다. 이와 달리 자신을 돌아보면서 만족감이나 통합감을 얻지 못한다면 노년기에 절망감을 경험하게 될 것이다.

### (2) 분석심리학

융의 **분석심리학**은 인간에게 무의식이 존재하고 그 무의식이 인간의 행동을 결정하는 강력한 힘을 가졌다고 본다는 점에서 프로이트의 관점과 동일하다. 즉, 분석심리학에서도 인간의 정신은 의식적 요소와 무의식적 요소로 구분되며 무의식적 요소는 우리의 행동 곳곳에서 영향을 미친다는 것에 동의한다.

그런데 분석심리학이 설명하는 무의식에서는 프로이트의 무의식과의 차이점이 발견된다. 우선 분석심리학에서는 우리의 무의식적 요소는 개인 무의식과 집단 무의식으로 구분된다고 보았다. **개인 무의식**은 개개인의 과거 경험에서 비롯된다. 즉, 우리 인간 개체들은 태어나서 지금까지 살아오면서 다양한 경험을 하는데 이러한 경험들이 쌓여서 개인 무의식을 형성한다. 이때 정신 속에 쌓이는 경험들은 프로이트의 제안처럼 너무나 충격적이고 불안을 유발하여 무의식 속에 묻어 두어야 하는 것뿐만 아니라 특별히 주의를 기울일 필요가 없을 정도로 일상적이어서 자동적으로 반응하게 되는 것도 포함된다. 사실상 우리를 '나도 모르게' 어떤 방식으로 행동하게 하는 무의식은 특별히 충격적인 경험 때문만이 아니라 너무나 당연하고 일상적이어서 '나도 모르게' 반응하게 하는 것일 경우가 많다.

분석심리학에서는 개인 무의식과 별개로 **집단 무의식**이 존재한다고 보았는데, 개인 무의식이 개개인의 과거 경험이 쌓인 것이라면 집단 무의식은 태초의 인류부터 전해져 온 경험들이 쌓인 것이다. 우리 인간은 분리된 개개인이기 전에 인류라는 하나의 커다란 유기체의 구성요소들이며, 인류라는 유기체의 태초부터의 경험은 개개인에게 유전의 형태로 전해져와 집단 무의식 속에 남아 있다. 이처럼 분석심리학에서는 개인은 각각 떨어져 있지 않고 인류 전체와 정신을 공유한다고 보았다는 점에서 인간이 사회적 존재라는 인식을 가지고 있는 것으로 이해할 수 있다.

분석심리학에 의하면 집단 무의식은 **원형**의 형태로 경험된다. 원형이란 조직화된 원리이며 에너지의 역동적 중심이다. 미리 말하자면, 융의 이론은 신화와 인류학을 인간 행동에 대한 심리학적 이해에 통합시킨 이론이며 융은 매우 직관적인 성격을 가진 것으로 알려져 있다. 따라서 융의 이론은 혹자들에게는 모호하며 뜬구름 잡는 소리로 들릴 수 있는 반면 그 신비로움과 깊이감에 매료되는 사람들도 있다. 당신이 어느 쪽에 속하는지 모르겠지만 혹시라도 전자에 속한다면 분석심리학의 나머지 분량을 읽어 내기 위해서는 모호함을 견디는 노력이 필요할 것이다. 다시 원형에 대해 이야기하자면, 원형이란 에너지의 역동적 중심이다. 즉, 인간이 생각하고 느끼고 움직이는 데 어떤 일관되고 공통적인 패턴들이 발견되는데, 그 패턴들을 원형이라 할 수 있다. 또는 우리 행동이 인간의 전형적인 형태를 보인다면 그 역시 원형으로 이해할 수 있다.

우리는 원형을 이미지의 형태로 경험한다. 영화 〈반지의 제왕〉에 등장하는 간달프를 떠올려 보자. 간달프는 마법사라고 소개되기는 하지만 실제로 간달프가 마법을 부리는 장면은 그다지 등장하지 않는다. 마법보다 더 핵심적인 간달프의 역할은 인간이나 호빗들에게 삶에 대한 지혜로운 이야기를 들려주는 것이다. 말하자면 간달프는 마법사라기보다 현자에 가깝다. 이와 비슷한 캐릭터가 우리 문화에는 산신령 또는 신선의 형태로 남아 있는데, 역시 인간들을 안내하고 지혜로운 이야기를 들려주는 존재들이다. 이들은 모두 나이 든 남성의 모습을 하고 있는 현자(old and wise man)의 원형으로 볼

[그림 3-8] 〈반지의 제왕〉 속 간달프와 산신령은 닮은 곳이 많다

[그림 3-9] 그리스의 데메테르와 수메르의 티아마트는 우리의 마고할미와 그 특성이 닮았다

수 있다. 또 다른 예로, 그리스 신화 속의 데메테르와 수메르 신화 속의 티아마트 그리고 우리 문화의 마고할미가 있다. 세 존재들은 대지모(mother earth)의 원형으로, 각각의 문화 속에서 하늘과 땅을 만들고 곡식을 여물게 하는 어머니의 모습을 하고 있다. 이처럼 인류는 서로 다른 지역과 문화 속에서 살아왔지만 특정한 전형적 역할을 하는 존재들에 대한 기억이 있다. 분석심리학은 이것이 인류가 공유하는 원형이며 원형들이 집단무의식을 구성한다고 본다.

이 외에도 아니마, 아니무스, 그림자 등이 원형의 예로 알려져 있다. 아니마는 남성 안에 있는 여성성을 말하고 아니무스는 여성 안에 있는 남성성을 말한다. 남성이 여성성을 가지고 있고 여성 역시 남성성을 가지고 있다는 개념은 현대로서는 일견 당연한 이야기이겠지만, 곰곰이 생각하면 획기적인 제안이기도 하다. 일반적으로 남성이 전통적으로 남성의 성역할이라고 하는 태도와 행동을 갖고 있다고 가정할 때, 그 사람의 내면에 여성성이 존재한다는 것은 어떻게 이해해야 할까? 결국 인간은 남성이든 여성이든 전통적인 성역할에 부합하는 특성을 갖더라도 반대 성의 특성 역시 내면에 갖고 있다고 볼 수 있다.

그림자는 자기(self)에 대비되는 원형이다. 자기에 해당하지만 의식에서는 절대로 자기가 아니라고 밀어내는 특성이 그 사람의 그림자를 나타낸다. 잘 모르겠다면 이런 상황을 떠올려 보자. 살면서 왠지 모르지만 내 눈에 가시처럼 느껴지는 누군가가 있었다면, 그 사람의 특성은 당신의 그림자를 나타낼 가능성이 크다. 예컨대, 자신에게 손해될 행동은 전혀 하지 않으며 실속만 차리는 어떤 사람이 자꾸만 당신의 신경을 거스른다면, 어쩌면 당신은 지나치게 이타적이며 희생적인 특성을 갖고 있을지도 모른다. 자신의 실속을 차리는 태도는 당신의 신경을 거스르지만, 당신 내면 깊숙한 곳에는 '나도 내 잇속을 챙기고 싶다'는 그림자가 자리 잡고 있을지도 모른다. 당신은 '그건 절대로 내가 아니다'라고 의식하고 있을지라도 말이다.

남성성과 여성성, 자기와 그림자 등을 포함하여 인간의 성격 요소들은 다양한 차원에서 유형화될 수 있다. 그리고 이러한 유형들은 서로 반대되는 특징을 가지면서 하나의 쌍을 이룬다. 말하자면 둘을 합치면 하나의 완벽한 그림이 되는 정반대의 유형들이 존재한다는 것이다. 일례로, 사람의 성격을 묘사할 때 흔히 사용하는 '내향적' 또는 '외향적'이라는 관점 역시 분석심리학의 '내향성'과 '외향성'에서 기원을 찾을 수 있다. 외향적인 사람은 심리적인 에너지가 외부로 향하며, 따라서 주변 환경이나 다른 사람들에게 관심이 많다. 일반적으로 목소리가 크고 사람들과 어울리면서 힘을 얻는다. 반면에 내향적인 사람은 심리적 에너지가 자신에게 향해 자신의 내면을 탐색하고 삶을 돌아보는 것에 관심이 많다. 말이 적고 혼자만의 시간을 보내면서 힘을 얻는다. 일상에서 우리는 "너무 내향적이어서 성격을 고치고 싶어요."라는 말을 하기도 하지만, 내향성과 외향성은 어느 하나가 다른 하나보다 우월한 것이 아니다. 사실 두 유형은 각각의 장단점이 있으며 단지 한 개인은 어느 한쪽에 치우친 성격을 가지고 있을 뿐이다. 이 외에도 인간은 사고형과 감정형으로 구분되기도 한다. 사고형은 판단이나 선택에 있어서 이성적이고 합리적인 근거에 따라 결정을 하고, 따라서 공정한 사람들이다. 반면에 감정형은 사람들 간의 관계를 고려하는 결정을 하여 따뜻한 사람들로 평가된다.

외향성와 내향성, 남성성과 여성성, 사고형과 감정형 등을 포함하여 다양한 성격유형이 존재한다. 그리고 우리는 이러한 성격의 다양한 유형 중 한쪽에 속해서 그 한쪽만을 편하고 익숙하게 나타내고 있다. 그런데 건강한 성격은 이렇게 한쪽에 치우쳐 살아가는 인간이 자신의 유형을 이해하고 반대 유형(원래 자기 내면에 있었으나 사용하지 않았던)을 자신의 성격에 통합시킨 것을 말한다. 말하자면 사고형에 치우친 사람이 자기 속의 감정형을 발견하고 인정하여 자신의 일부로 받아들이는 것이 건강한 성격이라고 볼 수 있다. 이처럼 자신의 유형과 자신의 유형이 아닌 반대 유형을 모두 자기로 통합하는

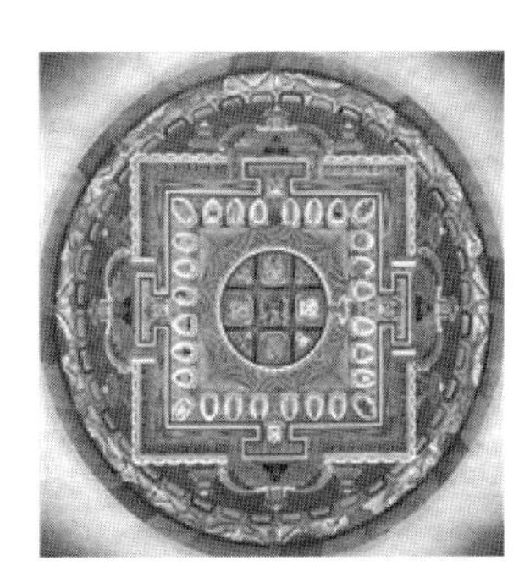

[그림 3-10] 만다라는 전체성의 상징이다

것은 우리 인생 후기의 중요한 과제이다. 따라서 분석심리학에서는 우리의 생의 과제는 인생 후기의 통합이라고 제시하였다. 성격의 여러 측면이 고르게 발달하여 하나의 완전한 개체가 된 상태는 **만다라**라는 원형으로 표현된다. 이것이 전체성의 상징인 만다라가 여러 문화권에서 발견되는 이유이다.

요약하면, 분석심리학은 인간은 생득적으로 또는 개인의 경험에 의해 특정하게 치우친 성격을 갖고 살지만 인생을 살아가고 후기에 다다르면서 그것이 상하좌우 균형 잡힌 만다라와 같은 형태로 통합되어 간다는 관점을 취한다. 그런 점에서 분석심리학 역시 인간의 발달은 전생애에 걸쳐 이루어진다고 보는 것으로 이해할 수 있다.

## 3) 평가와 적용

### (1) 투사검사

① 기본 원리: 투사

앞 장에서 자기보고식 검사에 대해 설명한 바 있다. 그런데 심리평가를 하는 현장에서 실제로 이런 방식의 검사를 하면 뭔가 못마땅하고 시큰둥한 반응을 보이는 사람들이 종종 있다. 이들은 "이건 어차피 제가 답을 한 대로 나온 건데요, 뭐."라고 말하며, 자신이 미처 알지 못하는 자신의 성격을 알고 싶어 한다. 정신역동적 관점에서 성격을 평가할 때 사용하는 방법들은 이런 욕구(내가 미처 알지 못하는 내 모습 발견하기)를 충족시키기에 적절하다. 정신역동적 관점에서는 무의식이 행동을 결정한다고 보고, 따라서 무의식의 내용을 발견하는 것에 중점을 두기 때문이다. 자기보고식 검사처럼 자기에 대한 질문에 생각해서 답을 하는 것은 이미 무의식이 아니다. 그러면 무의식은 어떻게 발견을 할 수 있을까? 어차피 물어도 답이 나오지 않을 테니 간접적으로 측정을 하는 수밖에 없다. 그래서 자기도 모르게 무의식이 드러날 수 있도록 무의식을 자극해서 반응을 얻어 낸 후 그 반응을 근거로 무의식을 추론하는 방법을 사용한다.

무의식적 내용을 끄집어내기 위해 활용할 수 있는 것이 **투사**인데, 투사란 자기 마음속에 있는 것을 다른 대상이 가지고 있는 것으로 지각하는 현상이다. 앞서 방어기제에 대한 설명에서 자신의 것이라고 인정하지 않기 위해 다른 대상이 그 특성을 가지고 있다고 지각하는 것을 투사라고 했다. 자기 마음을 다른 대상에게 던지는 현상은 피검자에게 어떤 자극을 제시하고 그 자극에 대해 어떻게 반응하는지를 관찰하면 간접적으로 알 수 있다. 그 자극에 자신의 마음속 내용을 투사해서, 즉 자기 마음속 내용을 그 자극이 갖고 있는 것으로 인식하고 답을 했을 것이기 때문이다. 이처럼 투사라는 현상을 이용해서 개인의 성격을 파악하는 검사들을 **투사검사**라 한다.

투사검사에서 제공하는 자극은 모호한 자극이라는 특징이 있다. 만일 내가 당신 눈앞에 볼펜을 들이밀면서 "이게 뭐처럼 보이나요?"라고 물으면 당신은 당연히 "볼펜이요."라고 반응을 할 것이다. 일반적인 경우라면 볼펜이라는 구체적인 자극에 대해 볼펜이라 답을 할 것인데, 이 반응은 투사에 의한 것이 아닌 현실에 근거한 것이다. 그런데 하늘에 있는 구름을 보면서 "저 구름이 뭐처럼 보이나요?"라고 물으면 구름의 모양과 가장 유사한 당신 마음속 무언가를 꺼내어 다양한 답을 할 수 있을 것이다. 구름은 모호한 형태를 갖고 있으며 그만큼 당신의 마음속에 있는 내용들이 투사될 여지가 있다. 정

[그림 3-11] 이 구름이 무엇처럼 보이나?

리하면, 투사검사에서는 투사가 일어나기 쉽도록 모호한 자극들을 제시하고 피검자가 어떻게 반응하는지를 살피게 된다. 몇 가지 투사검사들을 간략하게 살펴보자.

② 투사검사

모호한 자극을 제시하고 무엇처럼 보이는지 물어봄으로써 성격을 평가하는 근거로 사용하는 대표적인 검사로 **로샤검사**(Rorschach Test)가 있다. 이 검사는 종이 위에 잉크를 떨어뜨리고 종이를 접었다가 펴서 나타난 잉크반점들을 보여 주면서 무엇처럼 보이는지를 묻는다. 이렇게 하면 앞서 설명한 것처럼 형태가 분명하지 않은 모호한 자극에 대해 피검자가 반응을 하게 된다. 이때의 반응은 엄밀히 말하면 검사 자극으로 인해 유발된 시감각과 개인의 기억 흔적이 통합되어 나타나는 반응이다. 다시 말하면, 무턱대고 피검자의 마음속 내용이 투사되는 것이 아니라 그 그림이 가지고 있는 특징에 따른 피검자의 무의식이 드러나게 된다. 예컨대, 둥글고 몽실몽실한 구름떼를 보면 일반적으로 작고 부드러운 어떤 것과 관련된 기억이 떠오르게 되어 이와 관련된 무의식이 드러날 것이다. 따라서 로샤검사에 사용되는 그림들은 각각이 갖는 특징들이 있고, 피검자가 일련의 카드에 대해 반응을 하는 과정에서 성격에 대한 다차원적인 정보가 수집된다.

이 검사 외에도 **주제통각검사**(Thematic Apperception Test: TAT)가 있다. 이 역시 모호한 자극에 대해 반응하도록 하는 투사검사인데, TAT에서 사용하는 모호한 자극은 여러 사람이 등장하는 그림들이다. 등장인물의 나이, 성별, 관계 등은 명확하지 않으며 피검자는 제시되는 그림들을 보고 하나의 이야기를 만든다. 그리고 이야기 속에 드러나는 개인의 내적 욕구를 분석하여 개인의 성격을 평가하는 근거 자료로 사용한다.

또 다른 투사검사로 **집-나무-사람 검사**(House-Tree-Person: HTP)가 있다. 빈 종이를 제공하고 피검자에게 집, 나무, 사람을 그리게 하여 성격을 평가하는 검사이다. 이 검사는 심리학을 공부하지 않은 일반인들에게도 널리 알려져 있는데, 그런 만큼 잘못 사용되는 경우도 종종 발견된다. 주의할 점은 이 검사는 검사의 결과물, 즉 피검자가 그려 낸 그림 자체만으로 해석할 수 있는 내용은 매우 제한적이라는 점이다. 검사를 수행하는 과정상의 행동, 검사와 관련된 후속 면담 내용, 더 넓게는 개인의 발달사 및 현재 적응 상태 등을 종합하여 해석이 이루어질 때 정확한 성격평가가 가능하다.

#### (2) 심층 면담

어떤 사람의 무의식을 이해하기 위해서는 투사검사를 사용하는 방법 이외에도 숙련된 상담자나 임상가가 면담을 실시하는 방법이 있다. 숙련된 전문가의 적극적 경청과 공감, 적절한 질문 등을 통해 한 사람의 무의식을 이해하는 데 유용한 정보를 탐색할 수 있다. 특히 정신역동적 관점에서 무의식을 탐색하기 위해 전문가들은 꿈 분석, 자유연상 등의 기법들도 유용하게 사용하고 있다. 일반적으로 꿈은 '무의식으로 가는 왕도'라고 불리는데, 이는 우리가 잠을 자는 동안에는 의식이 활동하지 않고 따라서 꿈속의 내용은 무의식이 드러난 것이라고 보기 때문이다. 이와 달리 **자유연상**은 인간이 깨어 있는 상태에서 의식의 활동을 최소화하여, 즉 무의식의 활동으로 이야기를 풀어내는 것이다. 평소에 우리가 말을 할 때에는 의식이 활발하게 활동을 하는데, 의식이 몽롱한 상태, 예컨대 매우 피곤하거나 만취한 상태일 때에는 '자신도 모르게' 말을 하는 것을 발견할 것이다. 흔히 '정신줄을 놓았다'고 표현되는 이 상태는 무의식이 말을 지배하는 상태인데, 자유연상은 온전한 정신상태에서 전문가 앞에서 자유롭게 이야기를 풀어놓도록 하는 방법이다.

#### (3) 적용

성격에 대한 정신역동적 관점은 의식적으로 통제되지 않은 행동을 이해하는 데 적용할 수 있다. 이 관점은 우리의 정신이 의식과 무의식의 차원으로 구분되고, 우리의 행동은 의식의 차원에서도 이루어지지만 많은 부분이 무의식의 차원에서도 이루어진다고 설명한다. 따라서 성격에 대한 정신역동적 관점을 활용한다면 나도 모르게 하는 행동에 대해 이해할 수 있다. 의식적으로는 '그러지 말아야지' 하면서도 자신도 모르게 자동적으로 어떤 행동을 하게 된다면, 이는 그 사람의 무의식이 작용한 것으로 볼 수 있다.

또한 정신역동적 관점은 상담이나 심리치료, 심리평가 등에서 널리 적용된다. 만약 어떤 상담이나 심리치료가 정신역동적 관점에서 이루어진다면, 개인이 생애 초기에 경험한 것으로 인해 형성된 무의식적이고 자동적인 행동에 집중할 것이고, 이러한 행동 패턴을 개인이 자각하도록 함으로써 문제 행동 변화의 출발점을 찾는다. 무의식적 행동 패턴을 자각하는 것은 다른 말로 무의식적 행동을 의식하는 것과 같다. 의식을 함으로써 무의식적인 일관되고 지속적인 행동 패턴을 조절할 수 있고, 바람직한 행동 패턴으로 변화시킬 수 있다.

## 활동 5 투사검사를 응용한 자기이해

1. 다음 그림들을 살펴보고 이어지는 질문에 가능한 한 상세하게 답을 해 봅시다.

[그림 A]

1) 주인공은 누구이며, 어떤 상황인가요?

2) 이 상황이 벌어지기 전에 어떤 일이 있었나요?

3) 이 상황 이후에 어떤 일이 있을 것인가요?

[그림 B]

1) 주인공은 누구이며, 어떤 상황인가요?

2) 이 상황이 벌어지기 전에 어떤 일이 있었나요?

3) 이 상황 이후에 어떤 일이 있을 것인가요?

[그림 C]

1) 주인공은 누구이며, 어떤 상황인가요?

2) 이 상황이 벌어지기 전에 어떤 일이 있었나요?

3) 이 상황 이후에 어떤 일이 있을 것인가요?

[그림 D]

1) 주인공은 누구이며, 어떤 상황인가요?

2) 이 상황이 벌어지기 전에 어떤 일이 있었나요?

3) 이 상황 이후에 어떤 일이 있을 것인가요?

2. 응답 내용을 토대로 다음에 대해 이야기해 봅시다.

1) 그림 A, B, C, D에서 주인공이 갖고 있는 특징은 어떠한가요?

- 주인공은 어떤 욕구를 갖고 있고 어떤 느낌과 생각을 갖고 있나요?
- 주인공이 긍정적으로 지각하는 대상 또는 부정적으로 지각하는 대상은 무엇/누구인가요?
- 주인공이 행동을 표현하는 방식은 어떠한가요? 예컨대, 적극적인가요, 소극적인가요? 공상을 주로 하나요, 행동을 주로 하나요?

2) 그림 A, B, C, D에서 물리적 · 심리적 환경은 어떠한가요?

- 주변 사람들은 주인공에게 도움이 되나요? 예컨대, 적절한가요, 적대적인가요? 만족스러운가요, 무관심한가요?
- 물리적 환경은 주인공에게 도움이 되나요?

3) 결말은 어떠한가요?

- 행복한가요, 불행한가요, 성공적인가요?
- 어떤 것이 이러한 결말을 가져오나요? 누군가의 노력인가요, 우연인가요, 외부의 도움인가요?

# 제4장
# 내적 경험으로 성격 보기

## 1. 개인적 구성개념과 인본주의와 실존주의

한 사람을 이해하기 위해 그 사람의 내면에 대해 그 자신에게 물어보는 것만큼 확실한 방법이 있을까? 인간은 내적으로 다양한 경험을 하는 존재이다. 우리는 살면서 만나는 많은 자극 속에서 즐거움, 환희, 행복뿐만 아니라 슬픔, 분노, 지루함 또는 다행스러움, 억울함, 의아함 등과 같은 내적 경험을 한다. 그 사람이 어떤 생각을 하고 어떤 감정을 느끼는지는 그 자신이 가장 잘 알고 있을 것이며, 그렇다면 그 사람을 이해하기 위해서는 그 사람의 목소리에 귀를 기울이면 될 것이다. 누군가의 이와 같은 경험에 귀를 기울이면 우리는 그 사람의 성격을 이해할 수 있고 행동을 예측할 수 있게 된다. 성격에서 가장 중요한 것은 그 사람이 어떤 내적 경험을 하는지라고 보는 관점이 있다. 이 절에서는 이러한 관점을 가진 몇 가지 이론을 소개하고 이들 이론이 공통적으로 하는 이야기를 짚어 보고자 한다. 그 사람의 내적 경험으로 성격을 이해하는 관점은 **켈리**(George Kelly)의 개인적 구성개념 이론과 **로저**

**스**(Carl Rogers)를 중심으로 한 인본주의 이론 그리고 **프랭클**(Viktor Frankl)을 중심으로 한 실존주의 이론으로 대표된다.

### 1) 개인적 구성개념 이론

30명이 수강하고 있는 성격심리학 강의실을 떠올려 보자. 수업 첫날, 강의 소개를 마치고 질문을 받는데 수강생 중 한 명인 희수가 손을 번쩍 들고는 "교수님, 성적은 잘 주시나요?"라고 묻는다. 다른 학생들은 그 질문에 대한 답이 궁금해서 고개를 번쩍 든다. 다음 주 강의에 희수는 교수님이 오기 전에 교탁 위에 물을 한 잔 가져다 둔다. 수업에 들어온 교수님이 "누군지 모르지만 고마워요."라고 하자 맨 앞자리에 앉아 있던 희수는 큰 소리로 "네." 하고 대답한다. 같은 강의를 수강 중인 당신은 희수에 대해 어떻게 이해할 것인가? 당신은 희수의 행동을 무엇으로 명명하고 어떻게 판단할 것인가?

사람들은 자신과 타인에 대해 각자 나름대로의 추상적인 개념을 만들어 낸다. 켈리는 사람들의 이러한 특징을 **개인적 구성개념 이론**(personal construct theory)으로 설명하였다. 개인적 구성개념은 각자가 자신의 경험을 명명하거나 표현하는 방식에 따른 것이다. 켈리에 의하면 우리는 모두 개인적 구성개념을 갖고 있으며, 자신의 방식으로 자기와 세상을 범주화, 해석, 명명 및 판단한다. 예컨대, 앞의 성격심리학 강의실에서 희수를 바라보는 나머지 수강생 29명 그리고 교수님은 각자의 방식으로 희수를 이해하고 희수의 행동을 명명할 것이다. 어떤 사람에게 희수는 적극적이고 외향적인 사람으로 보일 것이고, 또 다른 사람에게 희수는 성취 지향적이고 약삭빠른 사람으로 보일 것이다. 혹자는 목을 많이 쓰는 교수님을 위해 물을 준비한 희수를 다른 사람을 배려할 줄 아는 사람으로 볼 수도 있다. 아마 누군가는 '그런 일이 있었어?' 하며 기억조차 하지 못할 수도 있다. 우리는 살면서 많은 경험을 하는데 다른 사람에게 자신의 경험을 설명하는 방식은 그 사람이 가지고 있는 개인적 구성개념에 따라 다르다.

개인적 구성개념 이론에서는 모든 사람이 자신만의 성격이론을 갖고 있다고 본다. 우리는 말이나 글로 표현한 적은 없을지 몰라도 각자가 이 세상의 사람들을 이해하는 나름의 방식이 있다. 정확성이나 정교함에서는 차이가 있겠지만, 우리는 모두 나름의 성격이론을 가지고 있는 과학자 또는 심리학자이다. 즉, 개인적 구성개념은 사람들이 자신을 포함한 세상을 자신만의 눈으로 해석하는 것을 의미한다. 바꾸어 말하면, 이것은 어떤 사람을 이해하기 위해서는 그 사람의 성격이론 또는 구성개념들을 이해해야 한다는 것을 시사한다. 어떤 사람이 세상을 어떤 추상적 개념들을 갖고 보고 있는지를 알게 되면 그 사람을 이해할 수 있다. 다르게 설명하면, 앞의 예에서 희수를 이해하기 위해 각자가 사용한 추상적 개념들은 사실 우리 자신을 이해하는 데 유용하다. 어쩌면 희수를 성취 지향적이고 약삭빠른 사람으로 명명한 사람들은 자신과 세상에 대해 계산적이고 성취 지향적인 가치 측면에서 이해하는 데 익숙한 사람들일 것이다. 희수의 행동을 적극적이고 외향적이라고 명명하는 사람들에게는 어쩌면 자신과 타인을 이해하고 판단하는 데 외향성, 적극성이 중요한 측면일 수 있겠다. 말하자면, 우리가 우리의 경험을 표현하는 방식은 우리의 개인적 구성개념을 반영하며, 개인적 구성개념은 그것을 가진 사람을 이해하는 통로가 된다.

개인적 구성개념 이론에서 어떤 사람이 대상이나 사건을 어떻게 보는지를 이해하는 수단으로 **역할 구성개념 목록 검사**(Role Construct Repertory Test)를 사용한다. 이 검사를 통해 개인이 자신의 차원에서 사물이나 사건을 어떻게 배열하고 분류하는지를 알 수 있다. 예컨대, 나비, 꽃, 벌이라는 세 가지 대상에 대해 이들을 각각 유사한 두 가지와 상이한 한 가지로 분류해 보자. 혹자는 나비와 벌을 유사한 것으로 분류하고 꽃은 상이한 것으로 분류한다. 어떤 사람은 나비와 꽃을 유사한 것으로 분류하고 벌은 상이한 것으로 분류한다. 개인적으로 아직까지 꽃과 벌을 하나로 묶고 나비를 다른 것으로 분류하는 경우는 본 적이 없지만 이러한 분류 역시 가능하다. 나비와 벌이 유사하며 꽃이 다르다고 분류한 경우라면, 이들은 서로 어떤 점에서 유사하고 어떤 점에서 상이한가? 많은 경우에 나비와 벌은 동물 또는 곤충이며 꽃은 식물이라고 대답한다. 이들의 주관적 세계에서 생물은 동물(곤충) 대 식물로 구분되는 것으로 잠정적으로 볼 수 있다('잠정적'이라고 한정하는 이유는 이 구분 하나로 그 사람에 대해 단정 짓는 것은 정확한 평가가 될 수 없기 때문이다). 이와 달리 나비와 꽃을 유사한 것으로 분류하고 벌을 상이한 것으로 분류하는 경우, 그 이유를 물어보면 나비와 꽃은 무섭거나 해롭지 않고 벌은 공격적이라고 대답하기도 한다. 이들에게 생물(사물)은 해롭지 않은 것과 공격적인 것으로 구분되는 것으로 이해할 수 있다. 이처럼 개인적 구성개념을 평가하는 것은 사물이 그 사람에게 의미하는 바를 분석함으로써 가능하다.

**[그림 4-1]** 유사한 둘과 다른 하나로 묶어 보자

개인적 구성개념을 파악하는 것은 누군가의 복잡한 행동양식 아래 놓여 있는 개인적인 의미를 이해하려는 시도이다. 어떤 사람이 처한 다양한 상황이 그 사람에게 어떤 의미가 있는지를 그 사람의 관점에서 이해한다면 행동을 이해할 수 있다. 같은 강의실에서 희수의 행동에 유난히 강렬한 감정을 갖는다면, 그것은 그 사람의 개인적 구성개념에서 희수의 행동은 상당히 의미 있는 행동이기 때문이다. 이런 의미에서 개인적 구성개념은 우리가 살면서 접하는 다양한 사물, 사건 중에서 특정한 유형의 특징들에 선택적으로 주목하도록 하는 경향성을 만들기도 한다. 앞서 묘사한 희수의 행동이 실제로 강의실 내에서 발생했을 때, 그런 사실이 있었는지조차 기억하지 못하는 사

람들도 있을 것이다. 이들에게 희수가 보이는 특징들은 의미를 갖지 못하고 주목받지 못하는 특징들인 것이다.

개인적 구성개념은 변화가 가능하다. 우리는 우리가 겪는 사건이나 사물 자체를 변화시킬 수는 없지만 이러한 자극들을 해석하는 방식을 다르게 할 수 있다. 개인적 구성개념이 우리가 다양한 상황에 반응하도록 하는 경향성을 만든다면, 역기능적인 구성개념을 갖고 있는 사람들은 적응을 위해 변화가 필요할 것이다. 구성개념을 변화시킬 수 있다는 관점을 구성개념적 대안주의(constructive alternativism)라 한다. 즉, 개인적 구성개념은 능동적으로 재구성이 가능한데, 이처럼 해석 방식을 다르게 할 수 있다는 사실은 인간의 행동이 고정불변의 것이 아니며 우리에게 선택의 기회가 주어진다는 점에서 반갑다.

## 2) 인본주의

인간은 내적 경험을 하는 존재이다. 우리의 내적 경험은 그 자체로도 의미가 있으며 또한 행동의 근거가 된다는 점에서도 주의 깊게 살펴보아야 한다. **로저스**는 인본주의 상담이론을 통해 개인의 내적 경험을 이해하는 것이 그 사람을 이해하는 것이라고 제시하였다. 인본주의에서는 성격을 어떻게 이해하는지 살펴보도록 하자.

### (1) 성격

인본주의에서는 인간을 설명할 때 **유기체**라는 용어를 사용한다. 그냥 쉽게 인간이라 칭해도 될 것을 유기체라는 용어를 사용한 것에는 이유가 있을 것이다. 유기체란 살아 있는 존재이며, 동물이나 식물과 같이 살아 있는 존재는 끊임없이 변화한다는 특징이 있다. 즉, 유기체인 인간은 매 순간 고정되어 있지 않고 끊임없이 변화한다. 지금 이 글을 읽고 있는 순간에도 당신은 몇 회의 호흡이 있었을 것이고, 그동안 산소가 들어가고 이산화탄소가 나

옴으로써 몸속의 산소와 이산화탄소 비율이 변화했을 것이다. 당신의 세포는 1초 1초 시간이 흐를수록 조금씩 미세하게 늙어 가고 있다. 그리고 앞에서 '늙어 가고 있다' 부분을 읽을 때 당신은 어쩌면 가슴이 철렁하거나 픽 하고 웃음이 나는 내적 경험이 올라왔을 수 있다. 이 짧은 순간에도 당신은 끊임없이 변화하고 있는 것이다.

유기체는 계속해서 변화하는데 여기에는 계속해서 나타나고 사라지는 주관적인 내적 경험도 포함된다. 유기체가 하는 주관적 경험을 **현상적 장**(phenomenal field)이라 한다. 현상적 장은 물리적인 장과는 다르다. 동일한 물리적 환경 속에서 각자가 경험하는 주관적인 장은 다를 수 있다. 성격심리학 강의실이라는 동일한 물리적 환경과 동일한 수업 내용이 제공되더라도 그 속에서 각자가 경험하는 것은 상이하다. 지금-여기가 누군가에게는 흥미진진한 경험을 제공하는가 하면 다른 누군가에게는 긴장되는 경험을, 또 다른 누군가에게는 마지못해 있어야 하는 갑갑한 경험을 제공하기도 할 것이다. 이처럼 유기체는 매 순간 자신만의 주관적인 현상적 장을 형성한다. 그리고 유기체가 할 수 있는 경험은 무궁무진하게 다양하다. 내적 경험은 하늘을 날 것 같은 고양감이나 누군가를 해치고 싶을 정도의 분노감까지도 포함할 수 있을 것이다. 우리의 외적 행동은 문화적 · 사회적 합의에 따라 제한적이지만 유기체의 내적 경험은 어떤 것도 가능하다.

유기체는 살아오면서 다양한 현상적 장을 형성한다. 어떤 장에서는 부모님의 칭찬으로 으쓱하는 경험을 할 것이고, 다른 장에서는 또래 친구들과 어울려 놀면서 즐거움을 경험할 것이다. 또 어떤 장에서는 또래들로부터 배척당해서 외로움도 느낄 것이고, 다른 장에서는 시험에서 좋은 점수를 받아서 들뜨는 경험도 할 것이다. 이러한 다양한 주관적 경험의 장이 축적되면서 우리는 자기에 대한 개념이 조금씩 형성되는데, 이를 **자기**(self) 또는 자기개념이라 한다. 예컨대, '나는 유능한 사람'이라거나 '사람들은 나를 좋아한다'와 같은 자기개념이 형성되는 것이다. 자기개념에는 '나는 유능해야 한다'거나 '나는 사람들에게 인정받아야 한다'와 같은 당위적 자기도 포함된다. 이상을 요약하면, 유기체는 다양한 현상적 장을 가지고 있으며 이 현상적 장에서 자기가 분화된다.

### (2) 심리적 문제

인간은 생득적으로 타인에게 긍정적으로 존중받고자 하는 욕구가 있다. 생각해 보자. 성인이 된 이후에야 다양한 이유로 다른 사람의 긍정적 관심에 무심한(또는 무심한 것처럼 행동하는) 사람이 있을 수 있지만, 영유아기 아이들은 부모를 중심으로 한 타인의 긍정적인 존중을 갈구한다. 부모의 칭찬이 다른 보상을 보장하는 상황이 아니더라도 아이들은 칭찬받는 것을 좋아하는데, 이는 인간이 긍정적으로 존중받고자 하는 욕구를 타고났음을 보여 준다. 그런데 안타깝게도 우리가 사는 현실세계에서는 타인의 긍정적 존중을 받기 위해서는 일정한 조건을 충족시켜야 한다. 가장 가깝고 직접적으로는 부모로 대표되는 주 양육자의 긍정적 존중을 보자. 흔히들 부모의 사랑은 무조건적이라고 하지만, 실제로 이러한 무조건적 사랑을 경험하는 것은 죽음과 같은 극단적인 상황에서 아이를 감싸는 드라마틱한 경우에나 가능하다. 현실에서 우리는 동생과 싸울 때 인상을 쓰고 동생에게 양보하고 배려할 때 방긋 웃어 주는 부모님, 집에서 조용히 책을 읽을 때 따뜻하게 바라보고 놀이터에서 흙을 묻이며 놀 때 한숨 쉬는 부모님, 높은 점수를 받아 오면 아버지께 자랑스레 시험지를 내보이고 낮은 점수를 받아 오면 굳은 표정으로 아무 말 없는 어머니, 씩씩하게 뛰어다니면 흐뭇하게 바라보지만 징징거리고 울면 야단치는 아버지 등을 마주하게 된다. 이처럼 일상에서 우리가 타인의 긍정적 존중을 경험하는 때는 일정한 조건을 충족시킬 때이다. 긍정적 존중을 얻기 위해 충족시켜야 할 조건을 **가치의 조건**(conditions of worth)이라 한다. 예컨대, 우리는 '다른 사람 배려하기' '얌전하기' '공부 잘 하기' '씩씩하기'와 같은 조건들을 부여받는다.

가치의 조건은 유기체의 현상적 장에 영향을 준다. 가치의 조건에 부합하는 경험은 타인의 긍정적 존중을 유발하고 부합하지 않는 경험은 존중받지 않게 되는데, 유기체는 이러한 경험의 축적으로 자기개념을 형성한다. 예컨대, 동생을 배려하면 부모님의 웃는 얼굴을 볼 수 있었던 경험, 힘든 엄마를 배려하지 않고 먹고 싶은 것을 조르면 혼났던 경험, 놀이터에서 친구에게 그네를 양보하면 아빠의 칭찬을 받던 경험 등에서 유기체의 주관적 경험의 장이 펼쳐진다. 그리고 이러한 주관적 경험의 장들이 쌓이면 '나는 배려를 하는 사람이다' '나는 배려를 잘 해야 한다'와 같은 자기개념이 형성될 것이다.

그런데 앞에서 유기체는 무궁무진하게 다양한 경험을 한다고 했는데, 유기체의 경험이 제한 없는 것과 별개로 우리는 유기체의 주관적 경험의 장에서 자기개념에 부합하는 경험만을 인식(의식 또는 자각)한다. '나는 배려를 잘 해야 한다'라는 자기개념을 갖고 있는 사람을 다시 떠올려 보자. 집단 과제를 위해 약속시간을 정하는데 다른 사람들은 아침 10시가 가장 좋다고 하지만 이 사람은 개인적인 일정이 있어서 그 시각에 맞추어 약속 장소에 도착하기에는 상당히 무리가 있다고 하자. 약속시간을 의논하는 자리에서 유기체는 자신에게 불편한 시각이 거론되는 것에 대해 불편감을 느끼고 자기 편의대로 시간을 정하고 싶은 욕구 또는 자신에게 편한 시간을 제안할 욕구가 생길 수 있지만, 우리의 주인공은 자기개념에 부합하지 않는 이러한 감정과 욕구는 의식하지 못할 것이다. 그보다 어떻게 하면 시간에 맞춰 도착할 수 있을지에 대해 골몰할 것이고, 약속시간을 지키지 못해 남들을 불편하게 하는 자신을 자책할 것이며, 이런 일들이 반복되면 왠지 모를 우울감에 시달릴 것이다. 인본주의에서는 이처럼 유기체의 경험과 자기개념이 불일치하는 것이 사람들이 겪는 심리적 문제의 원인이라고 본다.

인본주의에서는 인간은 실현 경향성 또는 자기실현 경향성이 있는 존재라고 본다. 실현 경향성이란 모든 유기체가 갖고 있는 성장 경향성을 말한다. 예컨대, 달걀은 병아리가 되고 닭이 될 경향성이 있으며, 씨앗은 싹을 틔우고 열매를 맺을 경향성이 있다. 사람은 태어나면 일어서고 걷다가 뛸 경향성을 갖고 있다. 실현 경향성은 유기체에게 특정 방향으로 강요하거나 지시하지 않아도 스스로 성장하는 경향성으로, 유기체 내에 생득적으로 프로그래

밍되어 있다. 인간은 이러한 신체적인 경향성 이외에 심리적인 성장 경향성도 갖고 있는데, 이를 자기실현 경향성이라 한다. **자기실현 경향성**이란 인간이 자기 자신으로 살아갈 수 있는 경향성을 말한다. 유기체는 원래 그 자체를 실현(actualize)시키려는 경향성을 갖는다. 인간의, 즉 유기체의 자기실현 경향성은 유기체가 자신에게 가장 좋고 바람직한 것을 스스로 찾아갈 수 있는 능력이 있음을 뜻하기도 한다.

**[그림 4-2]** 해바라기의 실현 경향성

경향성이 있다는 것은 그렇게 될 소인이 있다는 뜻으로, 반드시 그렇게 된다는 것을 뜻하지는 않는다. 경향성은 불을 켤 수 있는 스위치와 같은 것이다. 스위치가 있더라도 그것을 작동시켜야 불이 켜지는 것처럼, 경향성이 있더라도 그 특징이 발현되기 위해서는 조건이 필요하다. 자기실현 경향성 역시 모든 인간이 갖고 있지만 모두가 자기를 실현시키는 것은 아니다. 그리고 자기실현을 방해하는 요인이 바로 가치의 조건화이다.

요약하면, 유기체는 어떠한 내적 경험도 할 수 있고 자신에게 가장 좋은 것을 찾아갈 수 있다. 그렇지만 현실세계의 우리는 타인의 긍정적 존중을 받기 위해 일정한 조건들을 충족시키려 하고, 그 과정에서 일정한 자기개념이 형성된다. 우리의 자기개념은 유기체의 다양한 경험 중 일부만을 자각하도록 하며, 이로 인해 자기와 경험의 불일치가 일어난다. 가치의 조건화에 갇힌 현실의 우리는 유기체의 무궁무진한 경험을 자각하지 못하고 자기실현 능력을 사용하지 못한 채 심리적 문제를 겪게 된다.

### (3) 건강한 성격

앞에서 인본주의 관점에서 인간의 성격에 대한 설명과 심리적 문제의 발생 과정을 살펴보았다. 사람에 따라 경중은 있겠지만 다소의 심리적 문제는 갖고 있을 것으로 예상된다. 인본주의에서는 이러한 문제가 없는 건강한 성격을 **충분히 기능하는 사람**(fully functioning person)으로 표현한다. '충분히 기능하는 사람'이라는 표현에서 우리는 사람의 기능이 무엇일까 궁금해진다. 세탁기의 기능은 빨래를 하는 것이고, 청소기의 기능은 청소를 하는 것이다. 민들레의 기능은 민들레로 살아가는 것이고, 닭의 기능은…… 양념치킨이 되는 것은 인간의 입장에서 본 닭의 기능일 뿐이며 닭의 본연의 기능은 닭답게 사는 것일 것이다. 그렇다면 사람의 기능은 무엇일까? 사람의 기능은 사람으로서 먹고 자고 느끼고 생각하고 행동하며 살아가는 것이 아닐까? 남들이 부러워할 성취를 해내고 후손에게 위대한 업적을 남기는 것 이전에 사람의 기능을 잘 하는 것이 건강한 성격이라고 볼 수 있다. 그래서 충분히 기능하는 사람은 현재 진행되고 있는 자신의 자아를 완전히 자각하는 사람이다. 이들은 자신의 유기체를 신뢰하여 유기체의 다양한 내적 경험에 대해 개방적이다. 즉, 유기체의 내적 경험을 억압이나 부인하지 않고 개방적으로 경험하는 사람들이다. 이들은 가치의 조건으로부터 자유롭고 창조적이며 실존적인 삶을 산다. 앞에서 심리적 문제가 자기와 경험의 불일치에서 온다고 설명한 것에 이어서, 충분히 기능하는 사람은 자기와 경험의 불일치가 없는, 즉 자기와 유기체의 경험이 일치하는 사람이다.

자기와 경험이 일치하는 또는 충분히 기능하는 사람이 되도록 돕기 위해 인본주의 상담에서는 무조건적인 긍정적 존중, 공감적 이해, 진실성이라는 상담자의 태도들을 제시한다. 이러한 태도들은 자각을 도와 유동적인 자기 또는 자기개념을 갖도록 하는 기법이기도 하다. 사실 자기는 어떠어떠한 또는 어떠어떠해야 하는 것이 아니며 어떤 것도 될 수 있다. 건강한 성격의 사람들은 이렇게 말한다. "나는 주로 배려하는 사람이지만 배려하지 않을 때도 있다." "단정하고 조용하게 있고 싶은 욕구도 있지만 무질서하게 뒹굴고 싶은 욕구도 있다." "학업적으로 성취하고 싶은 욕구도 있지만 학업에 집중하지 않을 때도 있으며, 씩씩한 태도를 많이 보이지만 울적하고 칭얼거리고 싶을 때도 있다." 가치의 조건화를 벗어난 자기는 어떠한 것도 가능하다. 경직되지 않은 자기개념을 갖는다면 우리는 유기체의 무궁무진한 경험을 온전히 자각할 수 있게 되고, 충분히 기능하는 사람이 될 것이다. 즉, 성격은 본래 고정불변의 것이 아니며 지금-여기에서 매 순간 자연스럽게 경험되는 것이다. 이것이 자기를 실현한 상태이다.

### 3) 실존주의

실존주의 관점에서 바라본 인간은 목적 없고 유한한 삶을 사는 존재이다. 내 삶의 목적이 무엇인지 생각해 본 적이 있는가? 조국과 민족을 위해? 인류의 발전을 위해? 아니면 우주 정복을 위해? 이 질문에 대해 많은 사람이 '행복하기 위해서'라고 말을 하지만, 삶이라는 것이 시작되지 않았더라면 행복할 필요도 없었던 것이 아닐까? 이왕 삶이라는 것이 시작되었으니 행복하게 살자는 생각을 갖는 것에는 적극적으로 찬성이지만, 행복한 것이 우리 삶의 목적이라고 하기에는 애당초 아귀가 맞지 않는다. 우리의 삶은 우연히 주어진 것이다. 실존주의에서는 이것을 **삶의 무의미성**이라 한다. 또한 우리의 삶은 언제 끝이 날지 모른다. 평균수명이니 기대수명이니 계산을 하기는 하지만 그것은 어디까지나 통계적인 확률상의 이야기이고, 실제 우리 개개인의 삶은 언제 어떻게 마감이 될지 알 수 없는 것이다. 특히 요즘처럼 생명과 관련된 대형 사건사고가 실시간으로 전달되는 때에는 삶이란 얼마나 위태로운 것이며 죽음이란 얼마나 가까운 것인지 실감하게 된다. **죽음**, 즉 삶의 유한성 역시 실존주의에서 인간을 설명하는 중요한 개념이다. **얄롬**(Irvin Yalom)은 삶의 무의미성과 죽음에 더하여 **자유**와 **책임**, **고립**이 인간의 궁극적인 관심사라고 제시하였다. 인간의 삶에서 이 네 가지 주제는 삶의 어느 시점에라도 마주칠 수 있는 빠질 수 없는 것으로 실존적 좌절을 유발한다.

목적 없고 유한한 삶을 사는 인간이라는 인식은 자칫하면 허무주의에 빠지게 할 수 있지만, 실존주의는 인간을 존엄성과 가치를 지닌 존재로 본다는 점에서 허무주의와 다르다. 앞서 언급한 것처럼 우리의 삶에는 정해진 목적이 없다. 우연한 계기로 삶이 주어졌지만, 정해진 목적이 없기 때문에 그 삶을 무엇을 위해 어떻게 살아갈지는 오로지 자신의 선택에 달려 있다. 즉, 우리는 우리의 삶의 목적을 스스로 선택할 자유가 있다. 실존주의자 프랭클은 나치의 강제수용소에서 죽음의 공포를 마주하면서 우리는 비록 우리에게 주어진 상황을 변화시킬 수는 없더라도 우리의 마음은 우리 마음대로 할 수 있다는 것을 발견했다. 어떠한 현실에서도 삶의 의미를 갖는다면 존엄하고 가치 있는 삶을 살 수 있다.

우리의 삶은 유한하기 때문에 우리는 지금-여기의 소중함을 안다. 몇 해 전, 여러 명이 목숨을 잃는 대형사고가 있었고 전 국민이 이 사건에 주목하고 마음 아파했다. 가족을 잃고 오열하는 사람들과 그 사고로 목숨을 잃은 사람들을 떠올리면서 누구도 유한한 삶이라는 주어진 현실에서 벗어날 수 없음을 뼈저리게 느꼈다. 꼭 사고 때문만이 아니라 하더라도 지금 내 옆에 있는 사람들이나 나 자신이 언제 이 세상에서 사라질지 모르는 것이 현실이라면, 이런 현실에서 우리가 할 수 있는 것은 무엇일까? 주어진 현실에서 우리가 할 수 있는 일은 지금 이 순간에 충실한 삶을 사는 것이다. 지금 이 순간만이 나에게 보장된 유일한 시간이며, 그렇기 때문에 현재(present)는 곧 선물이다.

삶의 무의미성과 유한성은 우리가 지금-여기에서 자유로운 선택을 할 수 있는 존재라는 결론을 도출하게 한다. '실존은 본질에 앞선다'는 실존주의의 명제에서 인간의 본질이 무엇인지에 대한 논의는 차치하더라도 실존, 즉 지금-여기에 인간이 존재한다는 것은 명백한 사실이라는 것이다. 그리고 우리가 주목할 것은 지금-여기에 현존하는 인간이다. 그 사람이 지금 바로 이곳에서 어떤 경험을 하고 있는지만이 유일한 실체인 것이다.

실존주의 역시 하나의 심리치료 이론으로서 여러 가지 치료방법을 제안했지만 이에 대한 내용은 상담심리학에서 접할 수 있다. 성격심리학의 측면에서 보자면, 실존주의는 누군가의 행동을 이해하기 위해 그 사람의 지금-여기의 경험에 주목한다. 개인은 매 순간 자신만의 방식으로 주관적 세상을 구축하고, 그 사람이 지금-여기서 하고 있는 내적 경험만이 유일한 실체이다. 그리고 살면서 다양한 실존적 좌절을 경험하지만 인간에게 주어진 현실을 담대하게 마주하고 그 속에서 주체적이고 능동적으로 삶의 의미를 유지하는 것이 건강한 성격이라고 제시한다.

## 2. 내적 경험으로 성격을 이해한다는 것

### 1) 내적 경험에 귀 기울이는 것의 가치

개인적 구성주의 이론과 인본주의 및 실존주의는 누군가의 행동을 이해하기 위해 그 사람의 내적 경험에 귀를 기울인다. 앞서 예시한 성격심리학 강의실의 희수를 보면서 누군가가 희수를 약삭빠르고 성취 지향적인 사람으로 판단하고 불쾌감과 불안 또는 질투를 경험한다면, 이러한 내적 경험은 곧 그 사람의 성격 또는 성격을 이해하는 자료가 된다.

개인의 내적 경험으로 성격을 이해하는 이론들은 공통적으로 지금-여기를 강조한다. 우리는 지금-여기의 유기체의 경험을 자각함으로써 충분히 기능하는 사람이 된다. 또는 지금-여기의 경험에 귀를 기울인다면 그 사람의 자기개념을 이해할 수 있고 유기체의 경험을 발견할 수도 있다. 또한 아까-거기 또는 나중에-저기가 아니라 지금-여기의 삶에 충실함으로써 인간은 실존적 삶을 살게 된다. 지금-여기는 우리가 가진 유일한 자원이며, 지금-여기의 경험은 유일한 실체이다. 개인적 구성개념은 동일한 물리적 환경에서도 자신만의 인간에 대한 이해의 틀로 인해 지금-여기서 상이한 경험을 하게 됨을 나타내 준다. 즉, 지금-여기의 내적 경험을 살펴보는 것은 그 사람을 이해하는 데 유용하다.

내적 경험으로 성격을 이해하는 이론들은 공통적으로 개인의 책임을 강조한다. 다양한 문헌에서 우리 삶에 대한 스스로의 책임을 말하는데, 이 책의 저자로서는 그 문헌들이 말하는 책임이 정확히 어떤 의미인지 다 알지는 못한다. 언젠가 우울과 무력감으로 힘들어하던 한 학생이 자기개발서에서 유사한 내용의 글을 읽고 "제 삶의 책임이 저에게 있대요. 지금 제가 이렇게 힘든 게 다 제 탓이라는 얘기로 들리네요." 하며 슬퍼하던 모습이 떠오른다. 한국어에서 책임은 '의무'나 '임무' 등으로 사용되니 그렇게 이해될 소지가 있을 것이다. 그러나 적어도 개인의 내적 경험을 중시하는 이론들에서 '우리는 우리 삶에 책임이 있다'라고 한다면, 이때의 책임의 의미는 다음과 같이 이해할 수 있다. 우리말의 책임은 영어 responsibility를 번역한 것이다. 영어 단어 responsibility는 '반응'이라는 뜻의 response와 '능력'이라는 뜻의 ability가 합쳐진 것으로, 말 그대로라면 반응하는 능력을 뜻한다. 우리는 살면서 다양한 상황이라는 자극들을 접하는데, 어떤 자극은 편안하고 즐거울 것이고 어떤 자극은 불안하고 불쾌할 수 있다. 자기실현 경향성이 있는 우리 유기체는 다양한 상황에서 우리에게 가장 좋은 선택을 할 수 있는 능력이 있다. 즉, 유기체는 적절하게 반응하는 능력을 갖고 있다. 삶에서 주어진 목적이 없는 인간은 역시 자신만의 삶의 의미를 찾고 선택할 수 있다. 또한 개인은 자신과 세상을 바라보는 자신만의 구성개념을 갖고 스스로 주관적인 세상을 구축하며, 이러한 구성개념을 변화시킬 수 있다. 이상의 이론들은 공통적으로 인간은 처한 상황에 따라 무력하고 수동적으로 반응하는 존재가 아니라 능동적으로 반응을 선택할 수 있는 존재라고 말한다. 따라서 우리는 우리 삶에 대해 책임, 즉 반응하는 능력이 있다.

## 2) 평가와 적용

### (1) 면접

사람들의 내적 경험에 대한 유용한 정보를 얻기 위한 가장 간단하고 확실한 방법은 그들에게 직접 물어보는 것이다. 예컨대, "당신 자신에 대해 이야기해 주세요."라고 물어보면 그 사람은 자신에 대한 이야기를 시작할 것이다. 그런 의미에서 면접은 내적 경험을 평가하는 가장 유용한 방법이다. 그런데 단순히 질문을 던지고 그 대답을 듣는 것이 면접의 전부는 아닐 것이다. 누군가의 내적 경험을 탐색하기 위해 면접을 실시한다면, 이때 이 면접에서 필요한 요소들이 몇 가지 있다.

① 경청

일반적으로 면접은 평가자의 질문이나 주제 제시로 포문을 연다. 그렇지만 면접을 통한 평가에서는 면접자의 오프닝 멘트뿐만 아니라 그에 대한 피면접자의 답변에 귀를 기울이는 것이 중요하다. 따라서 면접을 잘 하기 위해서는 질문을 잘하는 것뿐만 아니라 잘 듣는 것이 필요하다. 잘 듣는 것을 경청이라 하는데, 이는 피면접자가 풀어내는 언어들 속에서 그 사람이 하고자 하는 이야기가 무엇인지 파악하며 듣는 것이다. 예컨대, "당신 자신에 대해 이야기해 주세요."라는 질문을 받은 대성이가 다음과 같이 답하는 것을 가정해 보자.

"어…… 저 자신에 대해서요……? 어떻게 말을 해야 하지? 음…… 저는 보통 사람들이랑 비슷해요. 대학생이고 학교 다니고 알바 가고 가끔 친구 만나서 놀기도 하지요. 또 뭘 더 얘기해야 하죠? 별로 얘기할게 없는데…… 부모님이랑 여동생이랑 같이 살고 있어요. 동생도 대학생인데 걔는 인터뷰하면 할 얘기가 많을 거예요. 학교 다니는 거 말고도 재밌는 알바도 많이 하고 친구도 많거든요. 관심사도 다양하고 또 관심 있는 건 다 잘 하고 다니더라고

요. 걔는 인생을 좀 스펙타클하게 살죠. 부모님은 어릴 때는 장남인 저를 믿어 주시는 것 같더니 요즘은 저보다 걔가 더 믿음직하다시네요. 하긴 제가 봐도 걔는 어디 내놔도 잘 살 애예요. 근데 아무나 그렇게 살 수 있는 게 아니니까…….”

이 이야기에서 대성이에 대해 알 수 있는 것은 그의 가족관계와 그가 대학생이며 학교를 다니고 아르바이트를 하며 친구관계가 있다는 것이다. 그리고 또 무엇을 더 알 수 있을까? 대성이는 자신이 평범하고 별 볼일 없다고 생각하고 그에 반해 여동생은 더 재밌고 스펙타클하며 인정받는 삶을 산다고 생각하는 것 같다. 어쩌면 대성이에게 삶은 재밌고 스펙타클한 것 또는 평범한 것으로 구분될 수 있겠다. 그리고 후자를 더 긍정적인 것으로 지각하는 것 같다. 이와 같이 경청은 피면접자가 풀어놓는 이야기 속에서 그 사람이 하고자 하는 이야기가 무엇인지를 적극적으로 이해하면서 듣는 것이다.

② 공감

공감은 다른 사람의 입장이 되어서 그 사람의 마음을 이해하는 것이다. 공감에서 다른 사람의 입장이 된다는 것은 우리가 흔히 말하는 ‘내가 네 입장이라면’과는 다른 의미이다. 예컨대, 1년 동안 가졌던 연애관계가 깨지고 다시 1년간 계속해서 마음 아파하는 친구에게 자신의 연애 경험을 떠올리며 “내가 네 입장이라면 지금쯤 아픔이 좀 약해졌을 것 같아.”라고 말하는 것은 공감이 아니다. 공감을 하기 위해서는 나의 경험과 가치관, 세계관을 가지고 그 사람의 상황에 들어가는 것이 아니라 그 사람의 경험과 가치관, 세계관을 가지고 그 사람의 상황에 들어가야 한다. 그렇게 할 때 그 사람의 마음을 정확하게 공감할 수 있게 된다.

면접에서 공감은 피면접자에게 안전한 느낌을 제공하고 내적 경험에 대한 탐색을 촉진한다. 누군가가 상대방의 마음을 상대방의 입장에서 이해해 준다면 그 사람은 자신의 내적 경험을 자각하고 표현하는 것에 대해 어려움을 덜 느끼게 될 것이다. 또한 깊이 있는 공감은 피면접자가 자각하지 못하는 내적 경험까지 자각할 수 있도록 하는 촉진제 역할을 한다.

대성이의 이야기를 듣고 그의 마음을 공감해 보자. 자기에 대해 시시하다는 느낌, 어쩌면 동생과 비교되어 실망스러운 느낌(이 부분은 언어적인 표현에서는 명확히 드러나지 않지만 비언어적 행동과 함께 경청한다면 더 명확히 보일 것이다. 언어적 표현에서는 '하긴'과 같은 표현이 실망스럽지만 수긍하는 태도를 보여준다), 동생의 생활에 대한 부러운 느낌 등이 보인다. 만일 면접자가 공감적인 표정과 목소리로 "동생이 사는 모습에 부러운 마음도 좀 있을 것도 같네요."라고 말한다면, 대성이는 자신의 내적 경험을 조금 더 자각하고 표현할 수 있을 것이다.

③ 비언어적 행동

면접 시에는 언어적 메시지에만 집중할 것이 아니라 비언어적 메시지에도 집중해야 더 유용한 정보를 얻을 수 있다. 유창하지 않은 영어 또는 제2외국어로 전화 통화를 해 본 적이 있는가? 표정이나 행동에서 오는 정보가 없이 언어적 메시지만으로 상대방의 마음을 이해하는 것은 상당히 어렵다. 면접을 통해 내적 경험을 탐색하려 한다면 말의 내용뿐만 아니라 목소리, 표정, 행동 등과 같은 비언어적 행동에도 주의를 기울여야 한다.

앞의 이야기를 풀어놓을 때 대성이의 목소리는 어땠을까? 아마도 크지 않은 목소리로 다소 느리게 이야기했을 것이다. 특히 앞부분에서는 느린 속도로 이야기했을 가능성이 크고, 만약 여동생과 두 사람을 바라보는 부모님에 대한 불만이 있다면 여동생에 대한 이야기 부분에서는 속도가 조금 빨라질 수 있다. "걔는 인생을 좀 스펙타클하게 살죠." 부분에서는 빈정대는 말투가 나올 수 있고, "요즘은 저보다 걔가 더 믿음직하다시네요." 부분에서는 어쩌면 쓴웃음을 지을지도 모른다. 만약 후반부에 속도가 조금 빨라지거나 빈정대는 말투나 쓴웃음이 나타나기보다 시종일관 작고 느린 말투가 이어진다면, 대성이는 이러한 상황에 대해 불만이나 화를 느끼기보다는 낙담하고 포기한 상태에 있을지도 모른다.

비언어적 행동에 주목함으로써 언어적 표현의 강도를 가늠할 수도 있고, 언어적 표현의 신빙성을 추측할 수도 있다. 가령 "사랑해."라고 말하며 지루한 표정을 짓는다면 그 말을 얼마나 믿을 수 있을 것인가? 누군가의 내적 경험을 탐색하기 위한 면접에서 비언어적 행동은 간과되어서는 안 되는 정보원이다.

### (2) Q분류

사람들은 저마다 어떤 대상에 대해 자신만의 관점을 갖는다. 그리고 성격을 이해하기 위해 사람들의 내적 경험을 살펴본다는 것은 사람들이 각자 갖고 있는 주관적인 관점을 이해한다는 것을 뜻하기도 한다. **Q분류**(Q-sort)는 여러 사람을 대상으로 그들의 주관적 관점들을 수집하고 그러한 주관적 관점들을 기준으로 사람들이 대체로 어떤 유형으로 분류될 수 있는지를 연구하기 위해 사용되는 방법이다.

Q분류를 하기 위해서는 무엇보다 이해하고자 하는 연구 대상자들에게 인터뷰를 실시하여 분석에 사용할 진술문을 선정한다. 예컨대, 대성이를 포함한 성격심리학 수강생들 30명의 자기개념을 이해하고 싶다면, 이들 중 몇 명을 불러서 "당신 자신에 대해 이야기해 주세요."와 같은 질문으로 자기에 대한 표현들을 수집한다. 일반적으로 60~90개 정도의 단어, 어구 또는 진술문으로 자료를 수집하여 각각을 별개의 카드에 기록한다. 가령 '복종적인' '외향적인' '호감이 가는' 등과 같은 진술문이 나올 수 있을 것이다.

다음 단계에서는 실제로 연구하고자 하는 대상에게 앞 단계에서 준비된 진술문 카드를 주고 분류하게 한다. 분류는 '가장 동의한다'부터 '가장 동의하지 않는다'까지의 일직선상에 정규분포가 되도록 한다. 즉, 연구자는 분류의 등급에 따라 중앙에는 가장 많은 카드가 오고 양쪽으로 갈수록 점차 카드의 수가 적어지도록 미리 각 등급에 해당하는 카드의 수를 정해 두고, 연구 대상자는 정해진 수에 맞추어 카드를 분류한다. 대성이와 다른 성격심리학

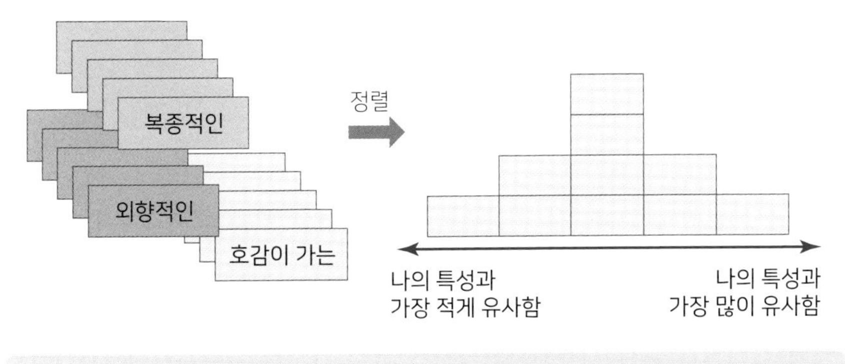


**[그림 4-3]** Q분류

수강생들은 자신에 대한 각 진술문들을 '가장 일치하는 것'에서 '가장 일치하지 않는 것'까지 정규분포하도록 분류하게 될 것이다.

다음으로, 통계적 방법으로 Q요인분석을 실시한다. 일반적인 요인분석에서는 각 응답치들이 변수가 되는 것과 달리, Q요인분석에서는 연구 대상자들이 변수가 된다. 분석을 통해 연구 대상자들이 갖고 있는 주관적 관점의 유사성에 따라 어떤 특징을 가진 몇 개의 집단으로 나뉘는지 알 수 있다. 30명의 성격심리학 수강생이 분류한 진술문들은 이 단계에서 통계적으로 패턴이 분석된다. 그 결과, 자신에 대한 주관적 관점이 서로 유사하게 나타나는 사람들은 몇 집단으로 묶이는지 그리고 그들은 자기개념 측면에서 어떠한 특징을 갖는지 알 수 있다. 마지막으로, 분석 결과를 토대로 연구 주제에 대해 유사한 관점을 가진 집단의 수와 그들의 특징 등에 대해 해석한다.

### (3) 적용

성격을 인간 개개인의 내적 경험으로 이해하는 관점은 개개인의 고유성과 가치를 존중하는 태도를 갖게 한다. 인본주의와 실존주의는 우리는 모두 지금-여기에 있는 그 자체로 충분한 존재라고 본다. 지금-여기서 생생하게 살아 있는 내적 경험을 하고 있는 개인만이 유일한 실체이며, 이러한 내적 경험은 그 자체로 괜찮은 것이다. 좋은 경험이나 나쁜 경험이 존재하는 것이 아니라 모든 내적 경험은 존중받아 마땅하다. 따라서 내적 경험으로 성격을 이해하는 관점은 개인 성격의 긍정성을 강조하여 인간 존재를 존중하도록 한다.

같은 맥락에서 이 관점은 상담 및 심리치료 종사자, 교육자 등 인간의 성장을 촉진하는 전문가들에게 개인을 대하는 태도에 대한 시사점을 제공한다. 내담자이든 환자이든 학생이든 개개인은 그 자체로 가치 있는 존재이며, 그들(또는 우리)의 내적 경험은 충분히 존중받을 만한 것이다. 또한 그들(또는 우리)은 삶의 다양한 환경과 자극에 대해 스스로 어떠한 반응을 할 것인지 선택할 능력과 권리를 갖는다. 내적 경험으로 성격을 바라보는 관점에서는 인간의 성장을 촉진하는 전문가는 그들의 목소리에 귀를 기울이고 그들을 있는 그대로 존중하고 이해하는 태도를 가질 것을 강조한다.

## 활동 6 역할 구성개념 목록 검사

1. 당신이 알고 있고, 당신과 관련된 여러 사람을 나열하세요.

2. 나열한 사람들을 세 집단으로 나누세요.

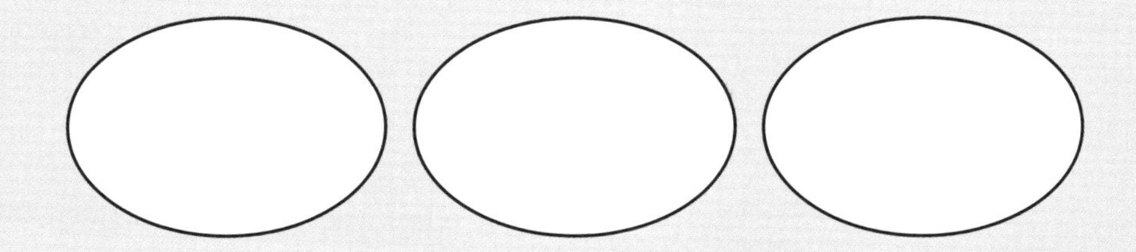

3. 세 집단을 유사한 두 집단과 다른 한 집단으로 분류하세요.

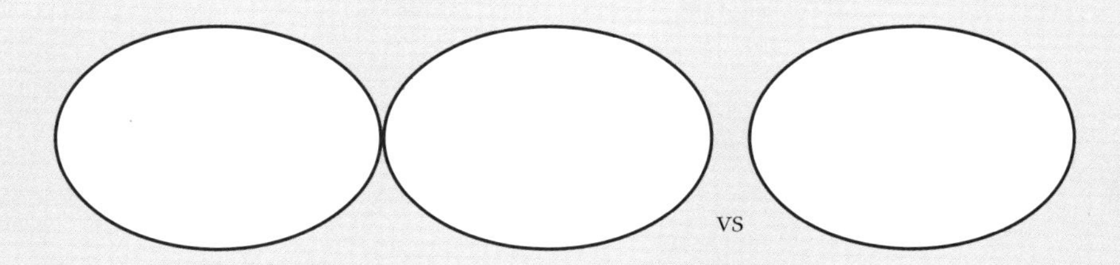

4. 유사한 것으로 분류된 두 집단이 서로 어떤 점에서 얼마나 비슷한지, 그 두 집단이 다른 것으로 분류된 한 집단과는 어떤 점에서 얼마나 다른지 쓰세요.

| 유사한 집단의 특징 | 다른 집단의 특징 |
|---|---|
| | |

5. 4번 문항의 답변을 통해 나의 주관적인 관점에서는 사람들의 어떤 특징들을 유사하다고 지각하는지 그리고 그러한 특징에 반대되는 개념을 무엇이라고 지각하는지 써 봅시다.

나는 사람들에 대해 ............................................................

............................................................ 한 특징을 유사한 개념으로 지각하는 것 같다.

그리고 그 사람들의 ............................................................

............................................................ 한 특징을 이에 반대되는 개념으로 지각하는 것 같다.

제5장

# 행동주의적으로 성격 보기

## 1. 행동주의적으로 성격을 이해한다는 것

수진 씨는 벌레를 무서워한다. 바퀴벌레를 비롯해서 파리, 메뚜기 등은 물론이고 나비와 잠자리를 보아도 경직된다. 왜 그런지를 물었을 때 딱히 적절한 설명을 하지는 못한다. 그런데 그녀의 어머니가 벌레를 무서워하고 자신의 정서를 크고 과장되게 표현한다는 점을 발견하였다. 아마도 어린 시절 수진 씨의 어머니는 벌레를 보면 크게 놀라고 두려워하는 반응을 수진 씨 앞에서 보였을 것이다.

경호 씨는 사람들과 지적인 토론하기를 좋아한다. 사람들과 대화하면서 그들의 이야기에서 논리적으로 어긋난 부분을 정확하게 짚어 주거나 명확하지 않은 표현을 명확하게 고쳐 주는 대화법이 익숙하다. 경호 씨가 일을 하는 환경은 이러한 정확한 논리와 표현법이 중요한 일터이며, 경호 씨의 직장 동료들은 그에 대해 능력 있고 지적이며 명쾌한 사람이라고 부러워한다.

이들이 보이는 행동의 원인에 대한 설명으로, 행동주의 성격학자들은 이러한 행동이 학습의 결과라고 설명한다. 성격을 행동주의적인 관점에서 이해한다는 것은 개인의 일관되고 안정적인 행동 패턴이 학습을 통해 형성되었다고 보는 것을 말한다. '학습'이라 하면 무엇인가를 배운다는 뜻이다. 엄밀히 말하자면, 우리가 '학습이 되었다'고 하면 무엇인가를 배워서 그 배움을 일상에 적용시키게 되는 것까지를 말한다. 그러니 인간의 행동이 학습을 통해 형성되었다고 할 때 '학습'이란 개체가 경험을 통해 배운 것을 경험 이후의 행동에도 비교적 지속적으로 반영하는 것을 말한다.

행동주의 성격학자들은 사람들의 행동(정서, 사고, 외현적 행동)이 언젠가, 어디선가 경험으로 배운 대로 나타난다고 설명한다. 개체가 그렇게 반응할 자유 의지가 있어서도 아니고, 무의식적인 동기가 작용해서도 아니다. 한 인간이 살아가면서 했던 경험들 속에서 그 행동을 학습했기 때문에 특정한 행동 반응이 나타난다.

종을 치면 침을 흘리는 개의 이야기를 들어 본 적이 있을 것이다. 이 개가 종소리에 침을 흘리는 것은 개의 자기실현을 위해서도 아니며, 개에게 종소리와 관련된 무의식이 존재해서도 아니다. 상자 속에서 레버를 눌러 음식을 나오게 하는 쥐의 이야기를 떠올려 보자. 이 쥐 역시 레버를 누르는 행동을 자기실현이나 무의식적 동기로는 설명할 수 없다. 이 개와 쥐의 이야기는 학습을 설명할 때 가장 빈번하게 드는 예들이다. 이 개와 쥐는 무엇을 학습한 것일까? (혹시 종을 치면 침을 흘리는 개나 레버를 누르는 쥐에 대해 들어 본 적이 없다 하더라도 괜찮다. 다만 기억할 것은 사람들의 성격에 따른 일관된 행동 패턴은 경험으로부터 배운—학습한—것이라는 것이다.)

## 2. 조건형성

종소리에 침을 흘리는 개와 상자 속에서 레버를 누르는 쥐가 무엇을 학습한 것인지를 이해하기 위해 인간에게 가능한 몇 가지 예를 들어 보자. 평화로운 어느 날 오후 3세 아이와 엄마가 거실에 앉아 있다. 거실 바닥을 바쁘게 지나가는 바퀴벌레 한 마리를 발견하고 아이가 흥미로워하는 순간, 바퀴벌레를 뒤늦게 발견한 엄마는 "아악!" 하고 소리를 지른다. 아이는 바퀴벌레와 엄마의 비명소리를 함께 경험한다. 엄마의 비명소리 또는 엄마의 겁에 질린 반응은 아이에게는 그 자체로 공포스러운 자극이다. 따라서 처음에는 흥미로운 존재였던 또는 아무런 감흥을 주지 않던 바퀴벌레는 엄마의 비명소리와 연합이 된다. 이후 아이는 엄마의 비명소리에 의해 경험했던 공포감을 바퀴벌레 자체에 대해서도 갖게 된다.

이 경험에서 아이는 무엇을 학습한 것일까? 아이의 경험에서 바퀴벌레는 엄마의 비명을 이끄는 자극이다. 즉, 바퀴벌레는 엄마의 비명과 연합이 되어 있다. 아이는 한 자극이 다른 자극과 연합되어 있다는 것을 학습한 것이다. 바퀴벌레와 엄마의 비명이 서로 연결되어 있음을 배우고 이후 행동에도 이 배움이 반영된다. 종소리에 침을 흘리는 개의 경우도 마찬가지이다. 이 개는 종소리가 울리고 음식이 제공되는 경험을 반복하면서 종소리와 음식이 연합됨을 학습하게 된다. 그 때문에 종소리에 대해서도 음식이 유발하는 반응을 보이게 된다. 종소리에 침을 흘리는 개와 함께 이후 자세히 다루겠지만, 이처럼 한 자극이 다른 자극과 연합되어 있음을 학습하는 과정을 **고전적 조건형성**이라고 한다.

또 다른 아이를 상상해 보자. 5세 여자아이인 이 꼬마는 어린이집에 다니는데, 아침마다 엄마가 꺼내 주는 옷을 입고 등원을 한다. 아이의 엄마는 아이에게 다양한 스타일의 옷들을 코디해서 입히는데, 어느 날 아이는 우연히 레이스가 가득한 핑크색 원피스를 입고 어린이집에 간다. 아파트 엘리베이터에서 아이를 본 이웃들은 "아이고, 예쁘네." 하며 웃어 주고, 어린이집 선생님들도 "공주님이네." 하며 긍정적으로 반응을 해 준다. 이날부터 아이는 핑크색과 레이스가 있는 옷만 고집하기 시작한다.

이 아이가 학습한 것은 무엇일까? 아이의 경험에서 레이스가 달린 핑크색 원피스를 입는 행동은 사람들의 호감이라는 반응을 유발한다. 즉, 공주풍 원피스를 입는 것은 사람들의 호감과 연합되어 있다. 따라서 아이는 자신의 행동이 특정 결과와 연합되어 있다는 것을 학습한 것이다. 즉, 공주풍 원피스를 입는 것과 호감을 얻는 것이 서로 연결되어 있음을 배우고 이후 행동에도 이 배움이 반영된 것으로 볼 수 있다. 상자 속에서 레버를 눌러 음식을 얻어내는 쥐 역시 자신의 행동이 특정 결과와 연합됨을 학습한 것이다. 상자 속에 들어간 쥐는 우연히 레버를 누르게 되고, 그 행동이 음식물이라는 꽤 괜찮은 결과를 가져온다는 것을 배우게 된다. 이 배움은 지속되어 쥐는 이후에도 음식을 얻기 위해 레버를 누르게 된다. 이후 쥐의 이야기와 함께 자세히 설명하겠지만, 이처럼 개체의 자발적 행동이 어떤 결과와 연합되어 있음을 학습하는 과정을 **조작적 조건형성**이라고 한다.

앞에서 무엇과 무엇이 연합되어 있음을 학습했다는 설명을 하면서 조건형성(conditioning)이 되었다고 언급하였다. 즉, 조건형성이란 연합을 학습하는 과정으로 이해할 수 있다. 요약하자면, 한 자극이 다른 자극과 연합됨을 학습하는 과정을 고전적 조건형성이라 하며, 어떤 행동이 특정 결과와 연합됨을 학습하는 과정을 조작적 조건형성이라 한다.

## 3. 행동주의 개념

### 1) 고전적 조건형성

앞에서 고전적 조건형성이란 한 자극이 다른 자극과 연합됨을 학습하는 것이라고 했다. 다시 그 유명한 **파블로프**(Ivan Pavlov)의 종소리에 침 흘리는 개 이야기로 돌아가 보자. 생리학자였던 파블로프는 행동주의나 조건형성 등과 별로 관련이 없는 실험을 위해 실험실에서 개를 키우게 된다. 그러다가 발견한 것이 개가 음식을 보기도 전에, 그러니까 음식이 제공되기 전에 늘 들리던 소리를 듣고도 타액을 분비하더라는 것이다. 주인의 발소리만 듣고도 마음 설레며 타액을 분비하는 개를 본 적이 있을 것이다. 음식이 나오기 전의 종소리만 듣고도 타액을 분비하는 개에게는 무슨 일이 일어난 것일까?

조건형성 전, 개에게 제공되던 음식물은 무조건자극(unconditioned stimulus: US)이다. 말하자면, 특별히 조건화되지 않아도 자극체로서 작용을 하는 자극이다. 무조건자극은 그 자체로 특정한 반응을 유발하는 자극인데, 음식물의 경우 타액을 분비하도록 하는 자극이 된다. 이때 분비되는 타액은 무조건반응(unconditioned response: UR)이다. 그러니까 원래 무조건 나오는 반응인 것이다. 한편, 조건형성이 이루어지기 전의 종소리는 개의 입장에서는 아무런 반응을 유발하지 않는 자극인 중성자극(neutral stimulus: NS)일 뿐이다. 그리고 중성자극에 대해서는 어떤 반응도 일어나지 않는다.

조건형성 중, 종소리(NS)와 음식물(US)이 함께 제시된다. 종소리와 음식물이 함께 제시되는 것을 반복 경험하면서 개는 종소리가 곧 음식물이 제공될

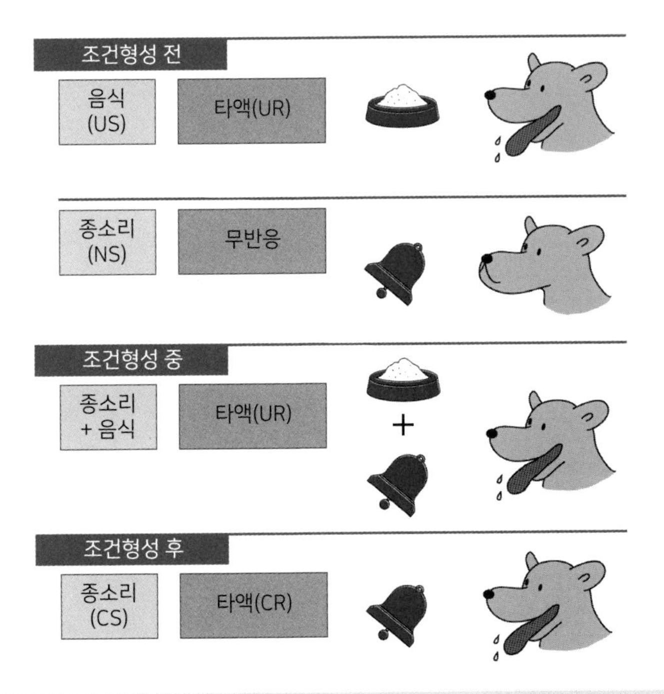


**[그림 5-1]** 고전적 조건형성

것임을 알리는 신호라는 것을 학습한다. 개에게 종소리가 곧 음식물을 의미하는 것으로 입력이 되는 과정이다.

조건형성 후, 이 개에게 종소리는 더 이상 중성자극이 아니다. 종소리는 특정한 반응을 유발하는 자극으로 조건화되어 조건자극(conditioned stimulus: CS)이 된다. 말하자면, 조건형성 후에는 종소리가 음식물 없이 독자적으로 타액이라는 반응을 유발할 수 있게 된다. 이때 음식물 없이 종소리에 대해서만 분비되는 타액은 조건반응(conditioned response: CR)이 된다.

전우영, 장경호, 황영선, 한재순(2012)의 연구에서는 기부를 잘하는 가수 김장훈이 우리 사회에서 그 자체로 기부의 이미지를 갖게 된 것을 확인하였다. 실험에서 한 집단에게는 김장훈의 사진을 15m/s(이 시간은 사람이 자신이 무엇을 보았는지 의식할 수 없을 정도로 짧은 시간이다) 동안 제시하고 다른 집단에게는 또 다른 가수인 김종서의 사진을 동일한 시간 동안 제시하였다(여기서 김종서는 단지 김장훈과 성별, 연령, 인지도, 음악 장르 등에서 유사하다는 이유로 선택되었다). 이후 컴퓨터로 일련의 단어를 제시하면서 이 단어들이 실제로 존재하는 단어인지 아닌지를 빠르게 선택하도록 하였다. 단어들은 도움 행동 단어들(헌혈, 양보, 봉사 등), 중성적 단어들(비행기, 책가방 등), 무의미 단어들로 구성되었다. 흥미롭게도, 김장훈을 제시한 집단에서는 도움 행동 단어들에 대한 반응시간이 중성적 단어들에 대한 반응시간보다 현저하게 짧았으나(즉, 빠르게 인식했으나) 김종서를 제시한 집단에서는 이러한 차이가 나타나지 않았다. 대중적으로 김장훈이라는 인물이 기부와 연합이 되어 있음을 알 수 있는 결과이다. 그리고 이어진 실험에서는 김장훈을 떠올릴 때가 김종서를 떠올릴 때보다 피험자의 실제 기부 행동이 더욱 증가됨을 밝혔다. 전우영 등(2012)의 연구 결과는 공익광고 모델로 도움 행동과 연합된 유명인을 선택하는 것이 효과적임을 보여 준다.

고전적 조건형성으로 인간의 성격을 설명할 때 가장 잘 설명할 수 있는 영역이 바로 어떻게 정서적인 반응이 이루어지는지에 대한 것이다. 이런 의미에서 정서 조건화(emotional conditioning)라는 용어가 사용되기도 한다. 즉,

김장훈

김종서

점화자극와 단어 유형에 따른 반응시간 평균(표준편차)

| 구분 | 김장훈 점화 | 김종서 점화 |
|---|---|---|
| 도움단어 | 567.48(19.01) | 580.91(18.45) |
| 통제단어 | 590.91(17.55) | 570.12(20.96) |

단위: m/s

**[그림 5-2]** 기부와 연합된 유명인은 기부에 대한 반응을 유발한다

어떤 사람이 어떤 것에 대하여 왜 그런 정서를 갖는지를 설명하는 데 고전적 조건형성이 유용한 틀이 될 수 있다. 앞의 예에서 수진 씨가 왜 벌레를 무서워하는지가 고전적 조건형성으로 설명 가능하다. 과거에 연인과 심하게 싸웠던 장소에 가면 왜 기분이 나빠지는지와 같은 것도 고전적 조건형성으로 설명이 가능하다.

인간에게 정서가 학습되는 과정에 대해 명확하게 보여 준 실험이 있는데, 바로 그 유명한 **어린 앨버트 실험**이다. **왓슨**(Watson)에 의해 돌이 되기 전 아기 앨버트는 실험실에 초대된다. 그곳에서 강아지, 쥐, 불타는 종이, 가면을 쓴 아저씨 등 다양한 자극을 접하게 되고 앨버트는 관심을 보이며 자극들을 향해 손을 뻗친다. 앨버트는 자극들과 한창 흥미로운 시간을 보내고, 이러한 자극들이 앨버트에게 중성자극임이 확인된다. 다음 단계에서 앨버트에게 흰쥐를 보여 주었는데, 앨버트가 흰쥐를 향해 손을 뻗을 때마다 연구원은 커다란 쇠막대를 두드려 앨버트를 놀라게 하였다. 이 과정이 반복된 후 앨버트는 흰쥐를 보기만 해도 울음을 터트리며 공포감을 보였다. 요즘과 같이 아동 인권에 대한 개념이 없었던 시절이었기에 가능했던 비인간적인 실험이다.

그러면 여기서 고전적 조건형성을 활용하여 마음에 드는 사람에게서 호감을 얻는 방법을 살펴보자. 고전적 조건형성에 의하면, 한 자극(NS)이 다른 자극(US)과 연합됨을 학습시키면 원래 중성자극이었던 자극(NS)이 연합된 다른 자극(US)이 유발하는 정서를 유발하는 역할을 할 수 있게 된다. 마음에 드는 사람이 당신 자신(NS)을 보고 긍정적인 정서를 느끼도록 하고 싶다면 긍정적인 정서를 자극하는 어떤 자극(US)과 당신(NS)을 함께 제시하면 된다. 말하자면, 당신과 맛있는 음식, 당신과 좋은 영화, 당신과 좋은 날씨와 같이 긍정적인 정서(UR)를 유발하는 다른 자극(US)과 당신이 연합됨을 학습한다면 그 사람은 당신에 대해서도 긍정적인 정서(CR)를 느끼게 될 것이다.

단, 여기서 주의해야 할 점은 이 방법은 당신 자신이 그 상대에게 '중성자극(NS)'이었을 때 가능하다는 점이다. 만약 애초에 당신이 그 사람에게 혐오자극(US)으로 작용하고 있었다면 이 방법은 효과가 없을 것이다. 혹시라도 당신이 그 사람에게 심각한 혐오자극의 역할을 하고 있었다면 이 방법 때문에 어쩌면 그 사람이 평소에 즐기던 음식, 영화, 좋은 날씨 등도 당신과 조건형성이 되어 부정적인 정서를 유발할 수도 있을 것이다. 그러니 이 방법을 사용하기 전에 당신 자신이 그 상대에게 최소한 중성자극인지 확인할 필요가 있다.

유명인의 이미지를 이용한 광고는 고전적 조건형성의 좋은 예이다. 대중에게 잘 알려진 영화나 드라마에 출연한 배우는 자신이 맡았던 역할에 따라 광고주의 관심 대상이 된다. 다음과 같은 이유에서이다. 역할을 맡지 않은 상태에서의 배우는 어쩌면 중성자극(NS)이라고 볼 수도 있을 것이다[물론 아무런 역할을 맡지 않아도 충분히 무조건자극으로서 발광(發光)하는 배우도 있지만, 보편적으로 중성자극 정도라고 치자]. 드라마 속 인물(실장님, 왕자님, 대표님 등)은 대중에게 특정한 정서를 무조건 유발하기에 충분한 무조건자극(US)으로 그려진다. 우리는 드라마 속 인물을 보면서 긍정적인 정서(UR)를 느낀다. 드라마에 몰입하여 회가 반복될수록 중성자극과 무조건자극은 연합이 되고, 드라마가 끝날 때 즈음이면 배우는 그 자체로 조건자극(CS)이 되어 대중에게 긍정적 정서(CR)를 유발한다. 광고주는 이때를 잡아 그 배우를 모델로 섭외하여, 광고에서 아직 중성자극(NS)인 자신의 상품과 배우를 함께 제시한다. 광고가 반복되면 중성자극이었던 상품은 배우와 연합이 되고, 배우가 유발하던 긍정적 정서를 상품 역시 유발할 수 있는 조건자극(CS)이 된다. 이처럼 조건형성이 연쇄적으로 일어나는 과정을 **고차 조건형성**이라 한다.

그런데 유기체는 한 자극(조건자극)이 다른 자극(무조건자극)과 연합된 것을 학습했더라도 이 연합은 사라질 수 있는데, 이를 **소거**(extinction)라 한다. 말하자면 종을 치면 음식이 나올 것을 알고 타액을 분비하던 개가 종소리에 더 이상 타액을 분비하지 않게 될 수도 있다는 것이다. 어떻게? 종을 치고도 음식을 주지 않는 경험이 반복되면 개는 깨달을 것이다. '아…… 더 이상 종과 음식은 연합되지 않는구나……' 이를 확인하기 위한 실험이 있다. 조건형성을 위해 종을 치고 음식을 제공하는 시행을 반복하니 학습이 이루어졌다. 그런데 이후 종만 치고 음식을 제공하지 않는 시행이 이루어지자 시행 처음에는 타액이 분비되었지만 이후 반복될수록 타액 분비량이 급격히 줄어들었다. 소거가 이루어진 것이다.

그런데 실험이 계속되면서 소거가 연합이 완전히 끊어진 것을 의미하지는 않는다는 것을 발견하게 되었다. 소거가 이루어졌다고 판단된 후 개와 실험자는 휴지기를 갖는다. 휴지기 이후 예전의 그 종을 울리자 개는 불현듯 다시 타액을 분비하게 된다. 음식이 함께 제공되지 않았음에도 불구하고 개가 '아, 이 종은 음식을 준다는 뜻!' 하고 반응한다. 이것이 **자발적 회복**(spontaneous recovery)으로, 휴지기 이후에 소거되었던 반응이 재출현하는 것을 말한다. 물론 자발적 회복이 이루어진 이후에도 계속해서 종소리(조건자극)만 제시된다면 연합은 다시 소거된다. 그렇지만 자발적 회복이 일어나는 현상은 소거 이후에도 조건자극과 무조건자극의 연합을 기억하는 신경망

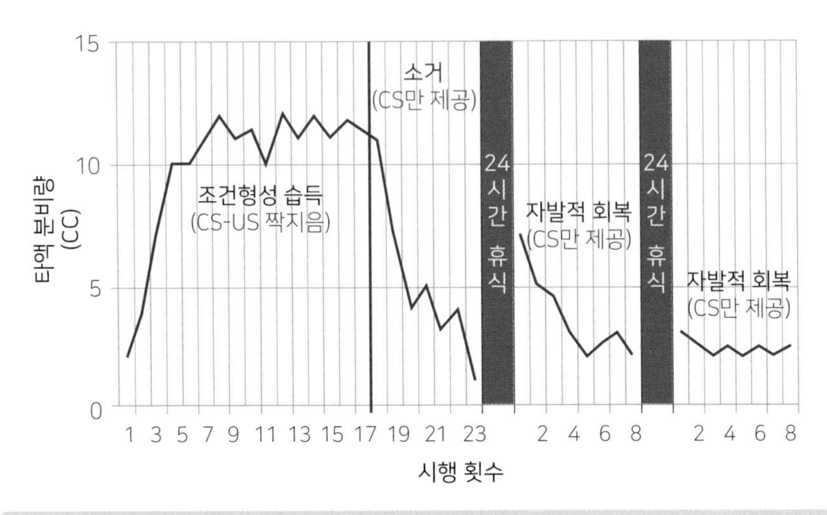


**[그림 5-3]** 소거와 자발적 회복

은 사라지지 않고 남아 있다는 증거가 된다.

조건자극과 무조건자극이 연합되어 있음을 학습했다면, 이러한 연합은 **일반화**가 되기도 한다. 고전적 조건형성에서 일반화란 조건자극과 유사한 다른 자극들에 대해서도 반응을 하는 경향성을 말한다. 실험실에서 늘 들리던 종소리에 타액을 분비하던 개는 그 종소리와 유사한 다른 종소리에도 타액을 분비하게 된다. 앞서 흰쥐와 큰 쇠막대 소리의 연합을 학습했던 어린 앨버트는 이후 강아지, 토끼인형, 심지어 산타클로스에 대해서도 공포 반응을 보이게 되었다. 이와 달리 조건자극과 조건자극이 아닌 것을 구분하는 능력을 **변별**이라 한다. 만약 개가 실험실에서 들은 종소리에 대해서는 타액을 분비하지만 인근 교회의 종소리에 대해서는 반응을 보이지 않는다면 개는 변별을 할 수 있게 된 것이다.

## 2) 조작적 조건형성

행동주의적으로 인간의 성격을 이해할 때, 우리는 어떤 사람의 전반적이고 일관된 행동 패턴을 경험으로부터 학습된 것으로 본다. 이때 학습이란 인간이 무엇과 무엇이 연합되어 있다는 것을 알게 되고 그 알게 된 내용이 이후 행동들에도 반영되는 것을 말한다. '무엇'과 '무엇'이 연합되어 있는지에 대해 조작적 조건형성은 어떤 '행동'이 특정 '결과'와 연합됨을 학습하는 과정을 말한다. 우리가 어떤 행동을 했을 때 그 결과물로 무엇인가가 일관되게 온다는 것을 학습하게 되면, 우리는 그 결과물이 무엇인지에 따라 행동을 계속할 것인지 말 것인지를 판단할 수 있다.

마침 조작적 조건형성을 설명하기에 적당한 실험체가 있다. 바로 **스키너 상자** 속에 들어간 쥐이다. **스키너**(Skinner)는 상자를 하나 만들고 그 안에 쥐를 넣었다. 낯선 환경에 들어간 쥐는 이런저런 행동을 해 보다가 우연히 레버를 눌러 보기도 한다. 그런데 이게 웬일인가? 레버를 눌렀더니 음식이 나온다. 레버를 누르고 음식을 얻기를 반복한 쥐는 레버를 누르는 자신의 행동이 음식이라는 결과와 연합됨을 학습하게 된다. 이후 이 쥐는 음식을 원할 때마다 레버를 누르게 되었다.

앞의 예에서 지적인 토론을 좋아하는 경호 씨의 경우도 마찬가지이다. 경호 씨가 속한 환경은 논리적 오류를 짚어 주고 표현을 정정해 주는 행동에 대해 능력 있고 지적이라는 부러움, 즉 긍정적 결과를 제공한다. 유기체가 속한 환경이 유기체의 특정 행동에 대해 긍정적 결과를 제공한다면 그 행동은 지속될 것이다. 만약 경호 씨가 속한 환경이 이러한 경호 씨의 행동에 대해 불쾌하다는 반응, 즉 부정적 결과를 제공했다면 경호 씨의 행동은 줄어들 것이다.

행동과 결과가 연합됨을 학습하는 것이 인간의 성격을 형성한다면, 어떻게 하면 바람직한 행동을 계속하도록 만들 수 있을지는 명확해 보인다. 바람직한 행동을 하는 것에 대해 긍정적인 결과물을 제공하면 되는 것이다. 예컨대, 경호 씨가 정정과 지적보다 남의 실수에 대해 넘어가 주는 아량 있는 행동을 하도록 만들고 싶다면, 경호 씨가 아량을 베풀 때 긍정적인 결과물(칭찬, 미소, 긍정적 보상과 교환할 수 있는 토큰 등)을 제공할 수 있을 것이다. 문제는 이러한 결과물을 어떤 방식으로 제공하는 것이 가장 효과적인가이다. 현실적으로 경호 씨가 목표 행동을 할 때마다 따라다니면서 긍정적 결과물(강화물)을 제공하는 것은 거의 불가능하다. 늘 그렇듯 우리는 가장 적은 노력을 들여서 가장 큰 효과를 보기를 원한다.

**강화계획**은 행동에 대한 결과로서 강화물을 어떻게 제공할지에 대한 계획이다. 이상적으로는 유기체가 목표 행동을 할 때마다 강화물을 제공한다면 유기체는 그 행동과 결과가 연합되어 있음을 가장 빠르게 학습할 것이다. 이러한 강화계획을 연속강화(continuous reinforcement)라고 한다. 연속강화가 이루어질 때에 학습 효과는 가장 좋다. 그렇지만 매번 행동이 이루어질 때마다 강화물을 제공하는 것은 현실적으로 불가능하다. 그리고 연속강화 이 외에도 현실에서 적용이 가능한 다양한 강화, 즉 간헐적 강화(intermittent reinforcement)가 있다. 이러한 강화계획들을 사용하면 강화물이 사라진 이후에도 소거가 쉽게 이루어지지 않는다는 점에서 이점이 있기도 하다. 연속강화 이외의 다양한 강화계획은 다음과 같다.

우선 유기체가 몇 번째 행동을 했을 때 강화물을 줄 것인지, 즉 행동의 횟수를 기준으로 강화계획을 세울 수 있다. 행동의 횟수를 기준으로 강화계획을 세울 때 '○○비율 강화계획'이라 한다. 그런데 목표 행동을 여러 번 하던 중 몇 번째 행동에 대해 강화물을 제공할 것인지를 사전에 정해 놓고 강화물을 준다면 이를 고정비율 강화계획이라 한다. 예컨대, 스키너 상자 속의 쥐가 레버를 5회 누를 때마다 음식물이 제공되도록 세팅을 해 두었다면 이는 고정비율 강화계획에 해당한다. 우리 생활에서 고정비율 강화계획을 경험할 수 있는 흔한 예로 커피 전문점의 쿠폰 도장을 들 수 있다. 열 번째 도장을 찍는 날 우리는 강화물로서 공짜 커피를 마실 수 있게 되는데, 그 강화물을 위해 우리가 해당 업체의 커피를 구매하는 행동은 유지 또는 증가한다.

몇 번째 행동에 대해 강화물이 제공되는지가 사전에 정해져 있지 않지만 목표 행동을 계속해서 하다 보면 어떤 시행에 대해 강화물이 제공되는 경우가 있다. 이를 변동비율 강화계획이라 한다. 대표적인 예로 도박장의 슬롯머신을 들 수 있다. 슬롯머신의 레버를 몇 번 당겨야 돈을 따게 되는지 모르지만 어찌되었건 시행을 해야만 강화물을 제공받는 것은 사실이다. 이러한 사실이 레버를 당기는 행동을 유지 및 증가시킨다. 과자를 사면 그 속에 들어있는 포켓몬 스티커 역시 변동비율 강화계획의 예이다. 몇 개를 사면 내가 원하는 캐릭터를 찾을 수 있을지 기약은 없지만 그렇다고 구매를 멈추면 강화물을 얻지 못하기 때문에 계속해서 구매를 하게 된다.

행동의 횟수를 기준으로 강화계획을 세우는 것과 달리 행동이 지속되는 시간을 기준으로 강화계획을 세울 때 '○○간격 강화계획'이라 한다. 즉, 행동이 지속되고 몇 시간 만에 강화물을 제공할지를 기준으로 강화계획을 수립할 수 있다. 그런데 행동이 지속되고 얼마 후에 강화물을 줄지 사전에 정해 놓고 강화물을 준다면 이를 고정간격 강화계획이라 한다. 예컨대, 스키너 상자 속의 쥐에게 5분마다 음식물을 준다면 이는 고정간격 강화계획에 해당한다. 그런데 주의할 점은 5분이 지났다고 무조건 음식물을 제공해서는 목표 행동이 증가하지 않는다는 것이다. 쥐가 조금만 생각을 한다면 아무런 행동을 하지 않아도 음식물이 제공된다는 것을 알게 될 것이고, 빈둥거리다가 5분마다 음식만 받아먹게 될 것이기 때문이다. 따라서 고정간격 강화계획에서는 일정 시간이 지난 후 목표 행동이 시행될 때 강화물을 제공하게 된다. 즉, 5분이 지난 후 처음 레버를 누를 때 음식을 제공하는 것이 레버를 누르는 행동을 유지 및 증가시키는 데 효과가 있다. 인간의 경우 매달 받는 월급이 고정간격 강화계획의 대표적인 예이다.

행동이 지속되고 얼마만큼의 시간이 지난 후에 강화물을 줄지를 사전에 정해 놓지 않은 경우는 변동간격 강화계획에 해당한다. 요즘은 스마트폰이나 버스정류장 전광판 등을 통해 버스의 도착시간을 사전에 알 수 있지만, 이러한 장치들이 없었던 때에 버스를 기다리는 행동은 변동간격 강화계획에 의해 유지되었던 것으로 볼 수 있다. 배차시간이 잘 지켜지지 않는 버스를 기다리는 행동이 유지되는 것은 어찌되었건 시간이 지나면 버스가 오기는 할 것이기 때문이다. 또 다른 예로는 마트의 깜짝 세일이 있다. 마트에 자주 가는 사람들은 누구나 깜짝 세일이라는 것이 있다는 것을 알고 있지만, 그 세일은 정말 불시에(무작위로) 찾아온다. 장보기 행동이 얼마 동안 지속되어야 깜짝 세일이라는 강화물이 제공되는지 알 수 없고, 그렇지만 세일을 하기는 할 것이기 때문에 그 세일을 기다리느라 마트를 떠나지 못하게 된다.

〈표 5-1〉 간헐적 강화계획

| 구분 | 정해 놓기 | 무작위 |
|---|---|---|
| 몇 번째에 강화물 줄지 | 고정비율 강화계획 | 변동비율 강화계획 |
| 몇 시간 만에 강화물 줄지 | 고정간격 강화계획 | 변동간격 강화계획 |

행동주의로 인간의 성격을 설명한다면, 유기체가 자신의 행동과 특정 결과가 연합됨을 학습하여 그 행동을 계속 하거나 하지 않게 되는 것이 성격을 나타낸다고 볼 수 있다. 그렇다면 행동의 결과가 유기체에게 좋은 것일 수도 있고 나쁜 것일 수도 있는데, 이에 따라 유기체는 그 행동을 계속 하거나 하지 않게 될 것이다. 이러한 관점에서 행동의 결과로서 환경으로부터 제공될 수 있는 것들은 강화와 처벌로 구분할 수 있다.

행동의 결과로서 강화와 처벌을 구분하기 위해서는 그 결과로 인해 목표 행동이 증가하는지 또는 감소하는지를 보면 된다. 유기체가 행동을 하고 환경이 결과물을 제공한다. 이때 어떤 결과로 인해 그 행동이 증가했다면 해당 결과는 **강화**라고 볼 수 있다. 반면, 행동의 결과로 무엇인가가 이루어졌는데 그것 때문에 행동이 감소했다면 그 결과는 **처벌**이라고 볼 수 있다. 즉, 앞에 했던 행동을 유지 및 증가시키는 결과물은 강화이며, 앞에 했던 행동을 감소시키는 결과물은 처벌이다.

목표 행동을 증가시키는 결과, 즉 강화는 결과물로 무엇인가를 제공하는지 또는 있던 것을 없애는지에 따라 정적강화(positive reinforcement)와 부적강화(negative reinforcement)로 구분된다. 여기서 주의할 것은 정적(positive)이라고 해서 뭔가 좋은 것이고 부적(negative)이라고 해서 뭔가 나쁜 것은 아니라는 것이다. 정적과 부적은 자극을 주는지 또는 없애는지를 설명하는 단어이다. 따라서 정적강화는 유기체가 목표 행동을 했을 때 자극을 줌(positive)으로써 목표 행동을 증가시키는 결과물이다. 예를 들면, 아이가 동생에게 물건을 양보하기를 원하는 부모라면 물건을 양보(목표 행동)했을 때 안아 주기(자극 제공)를 결과로 제공하면 목표 행동이 증가할 것이다. 이때 안아 주기는 정적강화가 된다. 아이가 방청소를 하도록 만들고 싶다면, 방청소(목표 행동)를 할 때 용돈(자극 제공)을 주는 것이 정적강화로 작용할 것이다.

이와 달리 부적강화는 유기체가 목표 행동을 할 때 자극을 없앰(negative)으로써 목표 행동을 증가시키는 결과물이다. 증가시키고 싶은 행동을 유기체가 하면, 환경이 기존에 있던 자극을 없애 주어 그 행동을 계속 하게 만드는 것이다. 예컨대, 안전벨트를 매지 않고 앉아 있으면 불쾌하게 삐삐거리는 소리를 내는 자동차가 있다. 운전자가 안전벨트를 매도록 하는 것이 이 자동차의 목표일 것이다. 이때 운전자가 안전벨트를 매면(목표 행동) 불쾌한 삐삐 소리는 멈추고(자극 제거) 안전벨트를 매고 있는 행동은 계속해서 유지된다. 이때 삐삐 소리가 사라지는 것은 부적강화물로 작용한 것이다. 지인의 아이가 햄스터를 사 달라며 계속 졸라댄다는 이야기를 들었다. 자는 엄마의 귀에 "햄스터, 햄스터."라고 속삭이는 집요함 끝에 아이는 결국 햄스터를 키우게 되었다. 아이는 엄마에게 부적강화를 사용한 것이다.

이번에는 처벌을 살펴보자. 어떤 행동(목표 행동)을 감소시키는 결과물은 처벌이다. 강화와 마찬가지로 처벌 역시 결과가 자극을 제시하는 것이라면 정적이라 하고, 자극을 제거하는 것이라면 부적이라고 한다. 그러니 정적처벌(positive punishment)과 부적처벌(negative punishment)로 구분할 수 있겠다. 말하자면 정적처벌은 목표 행동을 감소시키기 위해서 행동이 일어났을 때 자극을 제공하는 것을 말한다. 쉬운 예로, 아이의 나쁜 행동을 감소(처벌)시키기 위해 나쁜 행동(목표 행동)이 발생했을 때 체벌을 가하는(자극 제공) 것을 들 수 있겠다. 주차위반을 하지 않도록 하기 위해 주차위반을 했을 때 주차딱지를 끊는 것 역시 정적처벌이 된다.

부적처벌의 경우는 목표 행동을 감소시키기 위해 행동이 일어났을 때 자극을 제거하는 것을 말한다. 예컨대, 놀이시간에 다른 아이들을 괴롭히는 아이가 있어서 이를 못하게 하려면, 괴롭히는 행동(목표 행동)을 했을 때 아이들과의 놀이에 참여하지 못하게(자극 제거) 하는 부적처벌을 사용할 수 있다. 잘못된 운전 습관을 막기 위해 음주운전을 했을 때 운전면허증을 취소하는 것 역시 부적처벌의 예가 된다.

〈표 5-2〉 강화와 처벌

| 구분 | 정적(positive): 자극 주기 | 부적(negative): 자극 없애기 |
|---|---|---|
| 강화(reinforcement): 행동의 증가 | 정적강화 | 부적강화 |
| 처벌(punishment): 행동의 감소 | 정적처벌 | 부적처벌 |

앞에서 유기체에게 목표 행동을 하도록 하기 위해서는 환경이 그 행동에 뒤따라 어떤 결과물을 제시하면 된다고 했다. 유기체가 사실상 그 목표 행동을 처음 시행하는 것은 주로 우연에 의해서이다. 스키너 상자 속에서 쥐가 우연히 레버를 눌렀던 것처럼 말이다. 그런데 목표 행동이 우연히 일어날 확률이 매우 낮다면 어떻게 할까? 예컨대, 비둘기가 벽에 그려진 작은 점을 부리로 콕 쪼는 것을 목표 행동으로 한다면, 우리는 그 비둘기가 사방을 돌아다니며 여기저기 쪼아대는 것을 마냥 쳐다보면서 언젠가 목표한 지점을 찍으면 아낌없이 모이를 제공할 준비만 하고 있어야 할까?

목표 행동이 우연히 일어날 확률이 낮을 때 사용할 수 있는 방법이 **행동조성**인데, 이는 원하는 특정 행동에 점차적으로 가깝게 접근하도록 하는 방법이다. 앞의 예에서 비둘기가 목표한 지점과 가까운 곳을 쫄 때마다 모이를 주는 것이다. 이때 주의할 것은 비둘기가 어떤 지점을 쪼아서 모이를 얻었다면 다음 번 모이는 먼젓번보다는 목표 지점에 더 가까운 곳을 쪼았을 때 얻을 수 있어야 한다는 것이다. 그다음 번 모이 역시 앞서 모이를 얻었을 때보다 더 목표 지점에 가까운 곳을 쪼았을 때 제공되어야 한다. 그렇지 않으면 비둘기는 자신이 점차 다가가야 할 지점이 어디인지 헷갈리게 되고 행동조성은 어려워진다.

아기가 '엄마'라는 말을 성공하게 되는 과정도 행동조성으로 설명할 수 있다. 세상 모든 엄마는 자신의 아기가 옹알이를 시작할 때부터 아기가 '엄마'라고 말했다고 우기기 시작한다. 사실 아기는 "음ㅁ……." 같은 소리를 냈을 것이다. 이를 본 엄마는 활짝 웃으며 반긴다. 아기에게 엄마의 미소는 강력한 정적강화물이다. 다음번에 아기는 "음므……." 같은 소리를 낼 것이며 이 역시 엄마의 정적강화를 얻게 될 것이다. 어느 시점에 아기는 "엄머……."와 같은 소리를 낼 것인데, 이 역시 엄마는 강화를 해 준다. 주목할 것은 이 시점에 아기가 만약 "엄머……."보다 "엄마."에서 더 멀어진 "음ㅁ……." 소리를 낸다면 엄마가 이전(처음 "음ㅁ……." 소리를 냈을 때)처럼 격렬히 반응하지 않는 것이다. 행동조성에서는 목표 행동에 점차 가까워질 때에만 강화물을 제공하는 것이 중요하다. 엄마가 다시 "음ㅁ……."에 열광한다면 아기의 소리가 "엄마."에 가까워지는 것은 힘들게 된다.

**[그림 5-4]** 아기가 '엄마'라고 소리를 내기까지 행동조성이 한몫을 한다

고전적 조건형성이 우리가 정서적으로 왜 그렇게 반응하는지에 대해 설명하는 데 유용하다면 조작적 조건형성은 조금 더 복잡한 행동에 대한 설명에

유용하다. 앞의 예에서 논쟁하기를 좋아하는 경호 씨가 왜 그리 논쟁을 즐기는지에 대해서 그를 둘러싼 환경이 그의 행동에 대해 긍정적인 결과를 제공했기 때문일 수 있다고 설명하였다. 이 외에도 조작적 조건형성은 힘든 과제가 있을 때 몸이 아프다는 호소를 자주 하는 민호 씨에 대해서도 어쩌면 그가 속한 환경에서는 몸이 아프다는 호소가 힘든 과제를 피하게 되는 긍정적인 결과를 제공했을지도 모른다는 추측을 가능하게 한다. 사랑스러운 표정과 애교 섞인 말투로 사람들을 대하는 희영 씨는 어쩌면 그러한 표정과 말투에 뒤따르는 사람들의 호의를 자주 경험해 왔는지도 모른다. 이와 달리 애교 섞인 말투를 보일 때마다 언짢아하는 환경에서 살아온 수희 씨는 애교스러운 행동이 줄어들 것이다.

조작적 조건형성으로 성격을 설명할 때 이 네 사람은 모두 결국 자신들에게 긍정적인 결과를 유발하는 행동은 유지 및 증가시키고 부정적인 결과를 초래하는 행동은 하지 않게 되어 그것이 성격으로 형성된 것이다. 바꾸어 말하면, 이들을 포함한 우리 인간은 우리의 행동으로 환경이 우리에게 긍정적인 결과를 주고 부정적인 결과를 주지 않도록 선택하고 있는 것으로 보인다. 결국 사람들은 자극에 수동적으로 반응하는 것이 아니라 환경을 조작한다고도 볼 수 있겠다. 우는 아이에게 떡을 하나 더 주는 것이 인지상정이기는 하지만, 이 행동이 반복되면 아이는 떡을 먹기 위해서 울 수도 있다는 것이다.

조작적 조건형성에서도 소거가 가능하다. 특정 행동과 어떤 결과가 연합된 것을 학습했더라도 행동에 대한 결과물이 지속적으로 주어지지 않을 때는 행동이 사라지게 된다. 스키너 상자 속에서 레버를 누르던 쥐가 레버를 눌러도 음식이 나오지 않는 경험을 하게 되면 더 이상 레버를 누르지 않을 것이다. 레버 누르기(행동)와 음식(결과)의 연합이 소거된 것이다. 그런데 상자를 잠시 떠나 있던 쥐가 다시 그 상자에 들어오게 되면 슬그머니 레버를 한번 눌러보게 되는데, 이를 자발적 회복이라 한다.

조작적 조건형성에서도 일반화가 이루어지기도 하는데, 이는 유사한 다른 행동에 대해서도 강화가 될 것으로 기대하는 현상에 따른 것이다. 스키너 상자 속에서 레버를 눌렀던 쥐는 집에 돌아가서 벽에 튀어나와 있는 못을 꾹 눌러 볼 수 있다. 음식이라는 강화물을 기대하면서 말이다. 또한 조작적 조건형성에서도 변별이 일어날 수 있는데, 사실 인간이 사회에 적응하기 위해서는 변별할 수 있는 능력이 중요하다. 변별이란 자신의 행동이 강화될 행동인지 또는 강화되지 않을 행동인지 구분하는 능력이다. 지적인 논쟁이 강화되는 직장에서 경호 씨는 자신의 지적 능력을 마음껏 드러내는 행동을 한다. 그렇지만 경호 씨가 연애관계에서도 자신의 이러한 태도가 강화를 받을 것이라고 기대한다면, 즉 변별을 하지 못한다면 문제가 생길 수 있다. 애교로 다른 사람의 긍정적 반응을 얻던 희영 씨가 엄격한 회사생활에서 동일한 행동으로 동일한 반응을 얻을 것을 기대한다면 적응이 어려울 수도 있을 것이다. 그러니 건강한 성격을 갖기 위해서는 변별할 수 있는 능력이 필요하다.

## 4. 평가와 적용

### 1) 행동평가

행동주의적 관점에서 성격을 평가하기 위해서는 우선 개인의 **관찰 가능한 행동**을 **수량화**할 수 있어야 한다. 관찰 가능한 행동이라는 것은 존재하는 것으로 가정되기는 하나 눈에 보이지는 않는 인지나 정서와 같은 것이 아니라 실제 관찰자의 눈에 보이는 행동이라는 뜻이다. 공격성을 예로 들어 보자. 우리가 초등학교 4학년 진우의 공격성이 높다고 판단하는 것은 사실상 진우가 교실에서 친구에게 욕을 하고 책상을 주먹으로 내리치는 관찰 가능한 행동을 통해서이다. 행동주의적 관점에서는 추측되는 인지나 정서가 아닌 육안으로 관찰할 수 있는 외현적 행동에 주목한다. 수량화한다는 것은 이러한 행동의 정도를 수로 표현할 수 있어야 한다는 것이다. 친구에게 공격적인 행동을 '많이' 하는 것이 아니라 욕을 2시간에 5회 하고 책상을 주먹으로 내리치기를 1시간에 1회 하는 것으로 수량화하는 것이 행동평가의 출발점이다.

다음으로, 개인의 특정 행동이 어떤 환경적 자극과 연합되어 있는지를 평가한다. 행동주의적 관점에 의하면 우리는 특정 행동을 했을 때 결과가 긍정적이면 그 행동을 지속하게 된다. 진우가 친구에게 욕을 하고 책상을 내리칠 때 진우의 환경, 즉 주변 친구들이나 교사 등이 어떤 결과물을 제공하는지 관찰해 볼 필요가 있다. 예컨대, 친구들이 마지못해 진우가 원하는 것을 들어주거나 담임교사가 진우의 공격적 행동이 발생할 때마다 진우에게 특별한 관심을 쏟는(그리고 그것이 진우에게 강화물로 작용하는) 등의 결과가 제공된다면 진우의 공격적 행동은 강화되어 지속될 수 있다.

행동을 수량화하는 것은 개인의 행동이 어떤 조건하에서 다르게 나타나는지를 평가하는 데 유용하다. 학교에서와 달리 학원에서 진우는 욕을 2시간에 3회 하고 책상을 내리치는 행동은 하지 않는다고 하자. 환경적 조건을 살펴보니 학원의 친구들은 진우의 욕설에 아랑곳하지 않고 학원 교사는 진우의 공격적 행동을 못 본 체한다. 그렇다면 진우의 공격적 행동은 학교에서 더 많이 나타나고 있고, 이 행동은 환경이 제공하는 긍정적 결과물에 의해 강화되고 있다고 평가할 수 있다. (설명을 위해 단순화한 것이니 학교와 학원의 환경 차이, 공격적 행동으로 인한 카타르시스 등의 가능성은 배제하도록 하자.) 결국 이 경우 진우의 공격적 행동은 친구들의 양보와 교사의 관심이라는 결과와 연합되어 학습된 것이라고 이해할 수 있다.

### 2) 적용

성격에 대한 행동주의적 관점은 일관되고 지속적인 정서나 행동이 개인에게 어떻게 습득되었는지를 이해하는 데 유용하다. 고전적 조건형성 원리를 적용하여 다른 사람들과 구별되는 개인의 특정한 정서적 반응의 원인을 이해할 수 있고, 조작적 조건형성 원리를 적용하여 개인의 독특한 행동 패턴을 이해할 수 있다.

특히 문제가 되는 정서나 행동을 수정하는 데 행동주의적 관점은 유용하다. 구체적인 절차나 원리는 이후 〈활동 7〉에서 설명하겠지만, 실제로 행동주의자들은 이러한 행동수정 방법을 적용하여 다양한 문제 행동을 재학습시키고 있다. TV 프로그램 〈세상에 나쁜 개는 없다〉에서는 행동주의적 접근법을 사용하여 동물의 행동 변화를 위해 개입하는 모습을 볼 수 있는데, 이는 행동주의가 동물을 대상으로 발견한 법칙을 인간의 행동 이해와 변화에 적용한 것이라는 점에서 자연스러운 현상이다. 인간 행동의 메커니즘이 동물과 동일하지는 않기 때문에 행동주의만으로는 설명되지 않는 부분들도 분명 있겠지만, 여전히 많은 행동은 이 관점으로 이해와 변화가 가능하다. 특히 인간에 대해서는 유아 및 아동의 행동 변화를 위해서 칭찬 스티커 제공하기, 상과 벌 제공하기 등의 형태로 활발히 적용되고 있다. 또한 행동조성과 같은 방법은 성인의 행동 변화에도 유용하다.

##  행동주의적 관점의 성격 변화를 위한 계획

체계적 둔감화 계획

앞서 설명한 것처럼 고전적 조건형성은 한 자극(A)이 다른 자극(B)과 연합됨을 학습하는 것입니다. 조건형성이 이루어지면 B자극이 기존의 A자극이 유발하는 반응을 유발할 수 있게 됩니다. 음식과 종소리가 연합되어 종소리가 음식이 유발하는 반응을 유발할 수 있게 된 것과 마찬가지입니다. 우선 다음 내용을 이해해 봅시다.

고전적 조건형성을 이용한 성격 변화 방법으로 '체계적 둔감화' 기법이 있다. 이 기법은 특히 특정 대상에 대한 불안 반응을 감소시키는 데 유용하다. 신체의 긴장을 완전히 풀어내는 이완훈련(a)을 불안을 유발하는 자극(b)과 연합시키면, 불안을 유발하는 자극(b)이 이완훈련(a)으로 인한 반응, 즉 편안함이라는 반응을 유발할 수 있다. 예컨대, 뱀 공포증을 가진 사람이 있다고 상상해 보자. 이 사람은 뱀이라는 자극이 강렬한 불안 반응을 유발하는 행동 패턴을 가졌다. 아마도 뱀이 긴장과 불안 정서를 유발하는 다른 자극(예: 뱀을 보고 소스라치게 놀라던 주 양육자의 모습)과 연합된 조건형성이 이루어진 것으로 이해할 수 있다. 이 사람이 신체의 긴장을 풀어내는 이완 활동과 뱀과 관련된 자극을 성공적으로 연합시킨다면, 뱀이라는 자극이 편안함이라는 반응을 유발할 수 있게 된다.
체계적 둔감화 기법은 홍수 기법과 달리 특정 공포증은 매우 강렬한 불안 반응을 유발하므로 그 자극과 관련된 아주 약한 자극부터 점차적으로 자극의 강도를 높여 가면서 매 단계에서 편안함을 경험하도록 하는 접근법이다. 변화를 위해서 가장 약한 수준의 불안 자극에 노출시키고, 목표 행동에 가까워질수록 점점 강한 수준의 불안 자극에 노출시킨다. 중요한 것은 이전 단계에서 완전히 편안함을 경험해야 다음 단계로 넘어간다는 것이다. 그러면 최종적으로 목표 행동을 할 때 불안이 아닌 편안함을 경험할 수 있게 된다는 것이다.

이제 다음과 같이 나를 위한 체계적 둔감화 계획을 세워 봅시다. 먼저, 자신이 불안을 경험하는 상황이나 대상을 떠올려 보세요(1번 문항). 그리고 그 상황이나 대상에 대해 자신이 어떻게 할 수 있게 되기를 원하는지 구체적으로 설정해 봅시다(2번 문항). 마지막으로, 1번 문항에서 기술한 불안 유발 상황(대상)과 관련하여 가장 불안을 약하게 유발하는 자극을 ①에 기술하고, 목표 행동을 ⑩에 기술한 후 ②~⑨에는 약한 자극부터 강한 자극까지 순차적으로 기술합니다. 단계의 수는 10개 이하여도 무관합니다. 다만 매 단계가 유발하는 불안의 크기 차이가 크지 않아서 다음 단계로 넘어가는 것이 '할 수 있는' 정도로 느껴지도록 계획하는 것이 중요합니다.

이것이 당신의 변화를 위한 체계적 둔감화 계획입니다. 실제로 또는 심상을 떠올려서 각 상황에 노출되고 매 상황에서 완전한 편안함을 느낄 수 있게 된다면 당신의 성격은 변화할 수 있을 것입니다.

1. 불안 유발 상황(대상): ..............................

2. 목표 행동: ..............................

3. 체계적 둔감화를 위한 단계

① ..............................

② ..............................

③ ..............................

④ ..............................

⑤ ..............................

⑥ ..............................

⑦ ..............................

⑧ ..............................

⑨ ..............................

⑩ ..............................

### 강화물을 이용한 행동 변화 계획

조작적 조건형성 방법을 활용하면 새로운 행동을 학습할 수 있습니다. 새롭게 습득하고 싶은 행동을 떠올려 보고 다음 절차에 따라 학습을 계획해 봅시다. ① 목표 행동을 설정하고, ② 적절한 강화물을 찾고, ③ 강화계획을 설정해 봅시다.

1. 목표 행동: ............................................................

2. 나에게 적절한 강화물

............................................................

............................................................

............................................................

3. 강화계획

............................................................

............................................................

............................................................

**제6장**

# 인지로 성격 보기

## 1. 사회인지적 관점

초등학생 지민이는 아버지의 직장 때문에 지방에서 서울로 이사를 하면서 전학을 했다. 새로 간 학교는 서울에서도 학구열이 매우 높은 지역에 있는데, 똘똘하고 사교적인 지민이는 자신의 사투리가 조금 신경이 쓰이지만 새 학교 규칙도 금방 이해하고 친구들을 빨리 사귀었다. 지민이는 새로 사귄 친구와 쉬는 시간에 함께 그림을 그리고는 "우리 누가 더 잘 그렸는지 내기할래?" 하고 청했다. 친구들의 투표로 친구의 그림이 더 잘 그린 것으로 의견이 모이자 지민이는 뾰로퉁해지면서 "너는 잘난척쟁이야."라고 외쳤다.

사회인지적 관점은 인간의 성격을 이해하기 위해서는 그 사람의 인지 과정을 이해해야 한다는 입장을 취한다. 성격에서 인지를 강조하는 입장에서는 인간의 행동을 ABC로 설명해 왔다. 이에 따르면 우리가 살면서 겪는 다양한 사건인 A(activating event, antecedent)는 그 사건에 대한 해석인 B(belief)를 통해서 정서적 · 행동적 결과인 C(consequence)를 유발한다. 지민이의 경우,

친구의 그림이 자신의 그림보다 더 많은 표를 얻은 사건(A)에 대해 자신이 친구들에게 인정받지 못했다고 해석(B)하면서 뾰로통해지는 결과(C)를 낳았다. 어쩌면 투표 후 친구의 표정(A)을 으스대는 것으로 해석(B)하고 마음이 상했을(C) 수도 있다. 그런데 이 사건을 겪은 지민이의 마음은 그보다 더 복잡한 것 같다. 내기에서 진 초등학생이 속상해하는 것은 흔한 일이지만 "너는 잘난척쟁이야."라는 외침은 어디서 온 것일까? 추측컨대, 내기를 먼저 청할 때 지민이가 가졌던 기대가 있었을 것이고, 이러한 기대를 갖게 한 자기에 대한 상이 있었을 것이다. 또한 새 학교에서 지민이가 자신이 속한 사회적 환경을 어떻게 지각했을지도 짚어 볼 일이다. 즉, 지민이가 자신과 주변 사람을 어떻게 지각하고 자기가 겪은 사건에 대해 어떤 방식으로 정보를 처리했는지를 들여다본다면 지민이의 행동을 이해할 수 있다. 사회인지적 관점은 이처럼 사건에 대한 개인의 사회인지적 정보처리를 강조한다.

### 1) 사회인지적 관점의 이해

사회인지란 사회적 측면에 대한 인지를 뜻하는데, 우선 사회적이라는 의미부터 살펴보자. 사회인지에서는 개인의 사회적 행동양식이나 삶의 대인적인 측면에 관심을 둔다. 인간은 사회적 동물이라는 오랜 표현에서도 알 수 있듯이, 인간의 인지적 · 정서적 · 외현적 행동은 모두 사회적인 관계 맥락에서 자극을 받고 반응이 나타난다. '나' 때문에 뿌듯하고, '너' 때문에 반갑고, '우리' 때문에 슬픈 것이 인간 행동의 전부라고 해도 과언이 아니다. 사회인지적 관점에서는 나, 너, 우리, 인류를 제외한 진공 상태에서 일어날 수 있는 인지, 정서, 행동은 없다고 본다. 따라서 우리의 예측 가능한 일관된 행동과 관련된 주제는 사회적이라 할 수 있다.

사회인지적 관점에서 인지란 우리의 정신 과정을 뜻한다. 이 관점에서는 우리에게 제공되는 자극 자체가 아니라 그 자극에 대한 정신적 표상이 중요하다. 즉, 인간의 정신 과정에 강조점을 두고 다양한 사람이 정보를 어떻게 처리하는지를 이해한다면 성격을 이해할 수 있다. 앞에서 인간의 성격에 대한 행동적 관점에서는 환경이 인간을 포함한 개체의 행동에 대해 어떠한 결과물을 제공하는지가 인간의 행동을 결정한다고 설명하였다. 이 과정에서 인간의 행동은 환경의 자극에 의해 기계적으로 조성된 것으로 보이기도 하지만, 면면히 들여다보면 그 과정에는 자신의 행동이 긍정적인 또는 부정적인 결과물을 가져다줄 것이라는 기대, 즉 개인의 인지적 과정이 개입되어 있다. 그리고 우리는 긍정적인 결과물을 얻거나 부정적인 결과물을 피하기 위해서, 즉 개인적 목표에 따라 행동을 한다. 인간의 행동에는 자극에 대한 정신적 과정이 반영된다.

행동적 관점이 사회인지적 관점으로 전환되는 과정에는 인간의 학습이 직접적 경험에 의해서뿐만 아니라 간접적 경험, 즉 관찰학습에 의해서도 이루어진다는 제안이 있다. **관찰학습**은 인간이 다른 사람의 행동과 그에 따르는 보상 및 처벌을 간접적으로 관찰함으로써 학습이 이루어지는 기제를 설명한다. 눈치 빠른 둘째 아이는 첫째 아이가 어떤 행동에 대해서 강화를 받고 어떤 행동에 대해서는 처벌을 받는지 관찰하면서 학습한다. 그러고는 자신이 원하는 결과를 가져올 적절한 행동을 한다. 마트 장난감 코너에서 드러눕는 형이 장난감을 획득하는 것을 관찰했다면 동생 역시 그 앞에서 드러눕게 될 것이다.

일반적으로 관찰학습은 자신과 유사한 특성을 가진 대상을 관찰했을 때 이루어진다. 동생들이 엄마, 아빠보다 언니, 오빠, 형, 누나를 더 많이 따라 하는 것이 그 이유이다. 유사한 특성을 가진 대상의 행동을 모방했을 때는 유사한 결과물을 얻을 것이라는 기대가 더 크다. 또한 관찰학습은 자신보다 더 성공적인 것으로 지각되는 사람을 대상으로 이루어진다. 그래서 아이들은 동생보다 손위 형제를 따라 하며 동생이 마트에서 드러누워 장난감을 획득하더라도 형은 그 행동을 따라 하는 것을 주저하게 된다. 나보다 더 나은 사람의 행동을 모방하는 것이 성공 확률이 높으며, 나보다 못한 사람의 행동을 모방하는 것은 자기상에도 부정적인 영향을 준다. 행동과 결과의 관계를 직접 경험하지 않더라도 관찰만으로 학습이 가능하며 관찰학습이 아무나를 대상으로 이루어지지 않는다는 것은 인간의 행동에는 인지 과정이 개입된다는 증거가 된다.

사회적 인지는 사회적 환경에서의 정보처리 정신 과정이며, 이것이 우리의 행동을 일관되고 예측 가능하도록 한다. 우리가 사회적 맥락을 이해하는 틀을 **인지도식**(schema)이라 하는데, 도식에 대해서는 다음 장에서 더 상세히 다룰 것이다. 아무튼 사회적 정보를 일정한 방식으로 처리하는 틀을 인지도식으로 이해하면 되겠다.

대표적으로 **우울에 대한 인지적 모델**에서의 정보처리 과정을 살펴보자([그림 6-1] 참조). 유전적 · 성격적으로 우울에 취약한 사람이 환경적 촉발요인을 만나면 자기와 관련한 우울한 인지도식이 활성화된다. 처음 인지도식이 활성화되면 내적 · 외적인 정서적 자극에 대한 편향된 주의, 편향된 정보처리 그리고 편향된 기억이 촉발된다. 활성화된 인지도식이 그 사람이 접하는 사

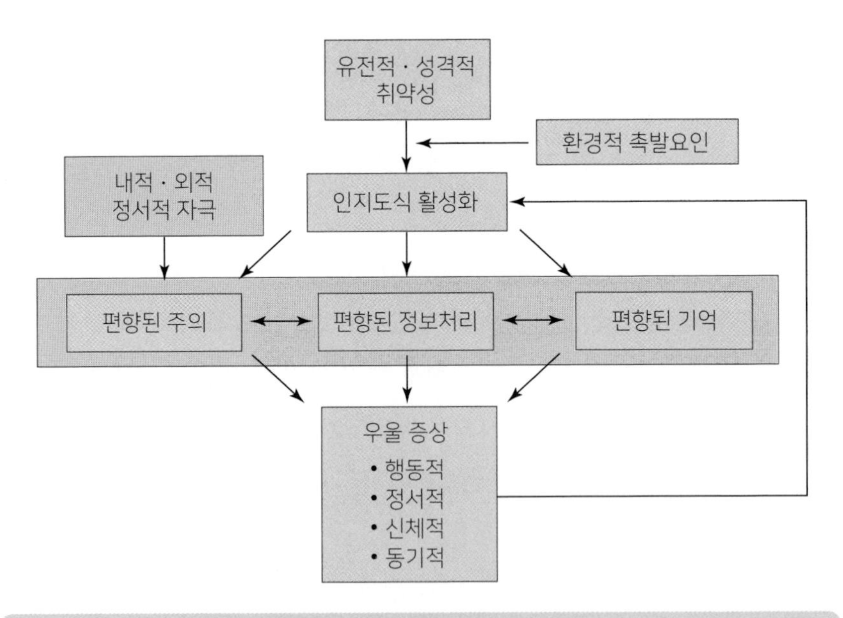


**[그림 6-1] 우울에 대한 인지적 모델에서 정보처리 과정**

출처: Disner, Beevers, & Haigh (2011).

회적 환경 자극을 편향되게 지각하고 해석하도록 하는데, 그 결과 새로 들어오는 정보는 일정하게 걸러져서 환경 중에서도 자신의 인지도식에 일치하는 요소만 과도하게 표상화된다. 그래서 나타나는 우울한 증상들은 다시 자기 관련 인지도식을 강화하는데(오른쪽 화살표), 이로 인해 우울한 요인들에 대한 그 사람의 신념은 더욱 강해진다. 우울증의 발병과 지속은 이러한 과정으로 이루어진다.

지민이의 경우 우울이라고 단정할 수는 없지만 이 사건에서 드러난 정서적으로 언짢은 상태를 이 모델로 이해할 수 있다. 지민이는 성격적으로 자기를 드러내고 인정받고 싶은 욕구가 있는 것으로 보이며 이사를 하기 전에는 이러한 욕구가 상당히 충족되는 환경에 있었을 것이다. 그런데 학구열이 높은 지역의 학교로 전학을 가는 것이 환경적 촉발요인으로 작용했고, 또래들 속에서 자신이 능력으로 인정받지 못하고 있다는 인지도식이 활성화되었다. 이번 그림 그리기 내기에서 많은 표를 받지 못한 사건이 내적 또는 외적인 정서적 자극이 되면서 지민이는 상대 친구에게 표를 준 친구들이 자기를 무시하는 것으로 정보를 처리했다. 그리고 상대 친구가 슬쩍 숨긴 흐뭇한 미소에 편향된 주의 집중을 하고는 "네 그림도 멋있어."라고 해 주는 말이나 자기에게 표를 준 소수의 친구는 주의를 기울이거나 기억하지 않았다. 반 친구들은 자기를 인정해 주지 않는 사람들이고 상대 친구는 자기를 무시하는 존재이며 자기는 예전과 달리 인정을 받지 못하는 존재로 정보처리가 이루어진 것이다. 이것이 지민이를 뾰로통해지게 하고 "너는 잘난척쟁이야."라고 외치게 한 것으로 이해할 수 있다. 지민이의 내적 과정은 환경 중에서 자신의 도식에 일치하는 요소들에만 집중하고 강조하는 형식으로 편향된 것인데, 안타깝게도 이 경험이 다시 해당 인지도식을 강화하는 역할을 하게 된다면 정서적 불편감은 지속될 것으로 예상된다.

우리가 사회적 정보를 처리하는 과정은 **내적 표상**들의 연결로 설명할 수 있다. 내적 표상이란 사건으로 인해 활성화된 구체적인 인지나 느낌을 말한다. 사회적 사건에 처한 순간부터 반응이 나타나기까지 어쩌면 1초도 되지 않는 시간 사이에 우리는 이 사건에 대해 지각하고 해석하는데, 여기에는 일련의 내적 표상이 관여된다. 각 표상들이 활성화되고 다음 표상을 자극하는 과정을 정보처리 과정이라 할 수 있다. 그러니까 사회인지적 관점에서는 개인이 얼마나 많은 특질을 가지고 있느냐보다 개인의 내적 표상이 각각 어떻게 관련되어 있고 어떻게 서로 연결되는지에 초점을 둔다. 그리고 성격에 있어서의 개인차는 그 사람의 개인적 변인들에 얼마나 쉽게 접근되는지 그리고 개인적 변인들이 어떻게 조직화되어 있는지의 차이로 설명된다.

거절민감성을 예로 들어 보자. 거절민감성이 높은 사람은 타인의 사소한 단서도 자신을 거절하는 단서로 과도하게 지각하는 사람이다. 쉽게 말하면, 언제든지 거절당할 것을 예상하며 거절당했다는 증거를 적극적으로 수집하는 사람이다. **거절민감성 모델**([그림 6-2] 참조)에 의하면, 이들은 상황적 자극이 유발되면 거절민감성 역동이 작동한다(화살표 ①). 예컨대, 거절민감성이 높은 아영이가 연애를 하고 있던 어느 날 애인에게 카톡을 보냈는데, 숫자 1이 지워진 지 5분이 지났는데도 아직 답이 없다. 카톡에 회신이 오지 않는다는 상황적 촉발요인이 발생하면서 거절민감성 역동이 작동하는데(화살표 ②), 우선 거절에 대한 불안한 예상이 활성화된다. 아영이는 애인이 자신을 밀쳐내는 것이라고 예상을 하기 시작한다. 다음으로 거절의 단서를 지각하며(화살표 ③), 뒤이어 인지-정서적 반응이 나타난다(화살표 ④). 이에 따르면 아영이는 카톡을 읽고 답을 하는 데 1분이면 충분하며, 지금 애인은 점심시간이니 회신을 하지 못할 상황이 아니고, 카톡을 확인할 수 있는 상황이라면 답을 하지 못할 상황일 리가 없다고 확신한다. 그러고는 애인이 자신을 부담스러워하고 있으며 어쩌면 애정이 식은 것이라고 해석하고 실망하고 분노한다. 거절민감성 역동은 이어서 외현적 행동 반응을 유발하는데(화살표 ⑤), 행동적 결과와 상대방의 반응 그리고 장기적 결과를 초래한다. 거절민감성 역동의 방식으로 상황에 대한 정보처리를 한 아영이는 뒤이어 "우리 헤어지자."는 카톡을 보내고 휴대폰을 꺼 버린다. 그 행동의 결과는 상대와의 단절이며, 사실 아영이의 이러한 행동을 처음 접한 것이 아닌 애인은 화를 내거

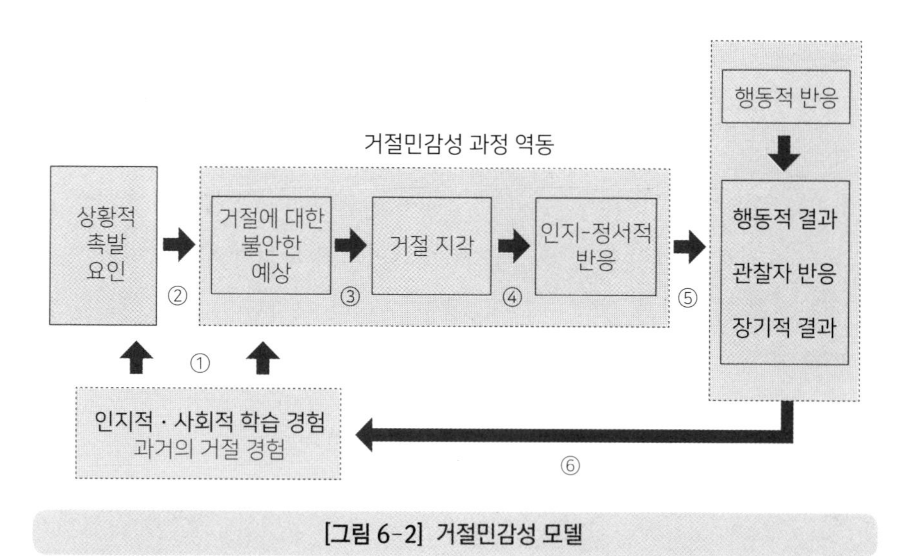


**[그림 6-2] 거절민감성 모델**

출처: Romero-Canyas, Downey, Berenson, Ayduk, & Kang (2010).

나 아무 반응도 하지 않는다. 그리고 장기적으로 둘은 정말 헤어졌다.

순서상으로 보면 상황적 자극이 거절민감성 역동을 작동시키는 것에는 그 사람의 이전 경험이 영향을 미친다(화살표 ①). 과거에 거절당한 경험이 있기에 인지적 · 사회적 학습이 이루어졌다면, 누구에게나 발생할 수 있는 상황적 자극에도 거절민감성 역동이 작동할 수 있다. 그 학습 경험은 무책임한 전 애인과의 연애 경험이었을 수 있고, 항상 바쁘고 무관심했던 부모와의 관계였을 수도 있다. 이러한 사회적 관계 속에서 아영은 자신이 늘 거절당하고 타인은 자신을 잘 받아 주지 않는다고 학습했을 것이다. 그리고 안타깝게도 현재 거절민감성으로 인해 자신이 행한 행동과 그 결과는 또다시 거절당한 경험으로 축적되고(화살표 ⑥), 이후 생활에서 겪게 되는 다양한 상황에서도 거절민감성이 활성화될 가능성을 높인다.

정보를 처리하는 과정에서 순차적으로 활성화되고 작동하는 각 요소들을 살펴보면, 사회인지적 요소로 명명된 요인들이 사실상 온전히 인지적인 요인들로만 구성된 것이 아니라는 점이 확인된다. 앞서 예를 든 거절민감성 역동에서는 상황에 대한 예측과 주관적 지각 그리고 정서적 반응과 같은 요인들이 사회적 상황에 대한 정보처리 과정을 구성한다. 우울이 발생하는 과정을 설명한 모델에서도 자기와 관련한 우울한 인지도식에는 자기에 대한 정서적인 태도나 타인에 대한 기대와 같은 요소가 포함된다. 즉, 사건에 대한 정보처리 과정에는 사실상 고전적 관점에서의 인지에는 포함되지 않았던 정서 등의 요인들이 들어 있는데, 이로써 사회인지적 관점에서 주목하는 인지적 정보처리 과정에는 신념이나 사고뿐만 아니라 다양한 요인이 있음을 알 수 있다.

### 2) 인지, 행동, 환경의 상호작용

사회인지적 관점에서 성격은 개인의 인지적 요인, 행동, 환경의 상호작용이다. 먼저 개인의 인지적 요인을 살펴보자. 인지적 정보처리에는 다양한 요인이 있다고 했다. 인지적 개인 요인들은 부호화, 기대 및 신념, 정서, 목표 및 가치, 유능성 및 자기조절 등으로 구분할 수 있다. 이들 요인은 성격에서의 개인차를 설명하기 위한 기본 단위들이다. 부호화는 사회적 상황 또는 사건에 대한 해석이나 평가를 말한다. 사회적 사건 또는 맥락에는 자기를 포함한 사람들이 등장하고 사건이나 물건, 상황이 관여되는데, 우리는 각자의 관점에서 그것을 해석하고 평가한다. 즉, 부호화는 개인이 사건을 어떻게 보는가에 대한 문제이다. 초등학생 지민이는 그림 그리기에 대한 투표 상황을 자신이 인정받을 기회로 부호화하고 새로운 반 친구는 잘난 척하는 아이로 부호화했다. 아영은 카톡에 5분 동안 답이 오지 않는 것을 거절 상황으로 부호화하고 자신은 거절의 아이콘으로 부호화했다.

기대와 신념은 자신이 겪는 사회적 사건에서 무엇이 일어날 것으로 보는가에 대한 문제이다. 우리는 특정한 상황에서 자신의 행동의 결과나 성과가 어떨 것인지 예상하게 되는데 이 역시 개인의 인지적 요인에 해당한다. 지민이는 그림 그리기에서 자신이 이길 수 있다고 예상했기에 내기를 먼저 제안했고, 아영은 자신이 누군가의 애정을 지속적으로 받을 수 없다고 예상했기에 거절당할 것을 미리 준비했다. 인지적 요인 중 기대와 신념에 해당하는 대표적인 요소는 자기효능감, 즉 특정한 상황에서 필요한 행동을 자신이 성공적으로 달성할 수 있다는 신념이다. 지민이의 예술적 자기효능감이나 아영의 사회적 자기효능감은 이들의 성격에 일조한다.

앞서 언급한 것처럼, 사회인지적 관점에서는 개인의 정서 역시 중요한 인지적 요인에 포함된다고 본다. 정서란 느낌, 감정, 생리적 반응을 포함하는 정서적 반응을 뜻하며 '뜨거운' 반응이라고도 칭한다. 사회적 사건을 겪는 개인은 일련의 정보처리 과정 중 들뜸, 행복함, 화, 우울, 창피함 등의 정서가 활성화되기도 하는데, 이 인지 표상은 그 자체로 행동을 유발하기도 하고 뒤이은 다른 정보처리 과정을 활성화시키기도 한다. 지민이는 내기에서 지면서 창피함을 경험했을 수 있고, 이로 인해 상대 친구의 표정에서 의기양양함을 지각했다면 상대 친구를 '잘난척쟁이'로 부호화될 수 있다. 애인의 거절 단서를 열심히 수집하고 지각한 아영은 실망과 분노를 경험하고, 이어서 단절 행동을 하게 된다. 이처럼 인지 과정에는 정서가 포함되기도 하는데, 인지 과정에서 강렬한 정서를 활성화시키는 사고를 '뜨거운 인지(hot cognition)'라 한다. 뜨거운 인지의 내용을 자세히 살펴보면 자기 또는 자기 미래에 대한 신념들이 담겨 있다. 예컨대, 누군가가 '나는 무능력하다' 또는 '나는 사랑받을 가치가 없다'라는 신념이 활성화된다면 이는 뜨거운 인지로 작용하여 막막함이나 우울, 좌절감과 같은 뜨거운 반응으로 이어지게 된다. 사실상 우리의 감정을 강하게 움직이게 하는 사고는 대부분 자기와 관련한 사고이다.

인지적 개인 요인 중 목표와 가치는 우리가 무엇을 원하는가 또는 어떤 것이 무슨 가치가 있는가에 해당한다. 우리는 사회적 맥락에서 얻고자 하는 바와 피하고자 하는 바가 있고 가치 있게 지각하는 것들이 있다. 지민이는 친구들의 인정을 얻고자 하고 자신의 능력을 드러내는 것에 가치를 둔다. 아영은 사소한 거절도 피하고자 하는 불가능한 목표를 갖고 있다. 이들은 각각 사회적 환경에 대한 정보처리 과정에 영향을 미치며 성격에 일조한다.

개인의 유능성 및 자기조절은 우리가 사회적 맥락에서 무엇을 할 수 있는가의 문제이다. 사회적 맥락에서 우리는 자신이 취할 수 있는 잠재적인 행동이 무엇인지 떠올릴 수 있다. 그리고 자신의 행동을 조직화하고 그 행동이 가져올 성과도 예측한다. 우리는 자신을 관찰할 수 있으며 상황에 적절한 행동을 선택할 수 있다. 지민이는 자기조절을 통해 뾰로통해진 마음을 추스르고 "그래, 네 그림 멋져."라고 말을 할 수도 있다. 아영은 헤어지자는 문자를 보내기 전에 두세 시간 정도 더 기다려 볼 수도 있고 차분히 상황을 알아볼 수도 있다.

[그림 6-3]을 보자. 이 상황은 당신에게 어떤 상황으로 지각되는가? 뜨거운 여름날 더위를 식히기 위해 자유롭게 분수에서 물놀이를 하는 아이들이 보이는가? 아니면 위생 상태가 확인되지 않은 분수 속에서 위험하게 놀고 있는 아이들이 보이는가? 후자라면 이 아이들이 염려스러울 것이고, 아이들이 질병, 최소한 감기 정도에는 걸릴 것으로 예상될 것이다. 또는 이 사진에서 모두가 함께 즐겨야 할 공공장소에서 남에게 피해를 주는 것에도 아랑곳하지 않고 공공질서를 어지럽히는 아이들이 보이는가? 그렇다면 이 사진 속의 상황에 대해 언짢은 감정이 함께 일어날 수도 있다. 이 상황을 무엇으로 해석하고 그로부터 어떤 것을 예상하며 어떤 정서가 경험되는지는 개인차가

[그림 6-3] 사진 속 상황이 당신에게 무엇으로 지각되는가?

있고, 이 개인 변인이 인지적 요인을 구성한다.

개인의 인지적 요인과 함께 개인의 행동과 환경은 우리 성격을 구성하는 요인으로 작용한다. 지민이의 상황에 대한 해석이 속상한 말로 표현되었고, 그 말은 친구들이 언짢아하는 환경을 유발했다. 아영의 행동은 환경의 반응을 유발했지만, 아영의 과거 환경들은 그녀의 이러한 행동을 형성하는 데 영향을 주었다. 이처럼 인지적 요인과 외현적 행동, 환경은 서로 영향을 주고받으며 우리의 성격을 구성한다. 외현적으로 드러나는 우리의 행동으로 인지적 요인이나 환경이 변화하기도 하고, 환경은 인지적 요인과 행동을 조성하기도 한다. 그리고 인지적 요인은 행동과 환경의 선택에 반영되기도 한다. 여름날 분수 물줄기를 즐거운 놀잇감으로 지각(인지적 요인)하는 사람이라면 그 속에 뛰어들 수 있고(행동), 일탈적이고 즐거운 경험을 제공하는 환경을 찾을 것이다. 또한 우리는 환경으로부터 정보처리 방식이나 행동을 학습한다. 나의 가족(환경)은 내가 분수 물줄기를 놀잇감으로 볼지 또는 오염수로 볼지에 영향을 주고(인지적 요인) 옷이 젖지 않도록 조심할지 또는 뛰어들지(행동)에도 영향을 준다. 그리고 만약 분수 물줄기에 뛰어든다면(행동) 물놀이는 흥미진진한 즐거움으로 지각(인지적 요인)될 수 있으며 나의 물놀이 행동은 분수에 뛰어들기를 선택하는 다른 친구의 무리(환경)를 만나게 하기도 한다. 따라서 누군가의 성격을 이해한다는 것은 그 사람의 인지적 정보처리 과정과 행동, 그 사람이 속한 환경이 서로 어떻게 상호작용하는지를 이해한다는 뜻이기도 하다.

### 3) 인지도식

인간의 행동에서 인지를 강조하는 관점에서는 사건(A)에 대한 정보처리(B)가 결과(C)를 유발한다고 본다. 우리의 인지적 · 정서적 · 외현적 행동 반응은 우리가 처한 사건 자체가 아니라 그 사건에 대한 정보처리에 의해 나타난다. 사회인지적 관점에서는 정보처리에 해당하는 다양한 개념을 제시했는데, 여기서는 그중 인지도식(schema)을 살펴보자.

도식은 일반적으로 구조나 뼈대를 뜻하는 용어인데, 심리학 분야에서는 인지도식 또는 심리도식으로 사용된다. 우리는 살면서 겪는 다양한 사건을 각자의 방식으로 해석하고 그에 따라 반응한다. 이러저러한 상황에서는 어떻게 느끼고 생각하고 행동할지 나름의 틀을 가지고 살고 있으며 살면서 사건들을 마주했을 때 틀에 따라 사건을 주관적으로 겪어 내는 것이다. 인지도식이란 이처럼 우리가 자기 자신과 세상을 바라보고 이해하는 틀 또는 규칙을 말한다. 인지도식은 개인의 삶의 경험을 이해하는 조직화된 원리이며 광범위하고 만연된 주제나 패턴이다. 인지도식은 개별적인 사건이 발생하기 전에 이미 형성되어 있으며, 살아가면서 겪는 다양한 사건이 어떤 사람에게 어떻게 해석되는지는 그 사람의 인지도식에 따라 달라진다.

인지도식은 자기 자신이나 타인과의 대인관계에 대한 평가를 주 내용으로 한다. 각자의 도식 속에서 자신과 타인은 일정한 모습으로 그려지고 각자 특정 역할을 하는 것으로 기대된다. 그리고 앞서 언급한 인지적 개인 요인의 특징과 동일하게, 인지도식은 온전히 인지만을 포함하는 것이 아니라 관련한 기억이나 감정, 신체 감각도 포함한다. 자신과 세상의 관계에 대한 평가는 그에 상응하는 감정이나 신체 감각을 유발하게 되며, 감정과 신체 감각은 또한 평가에 반영된다.

**영**(Jeffrey Young)은 인지도식 모델을 통해 몇 가지 **부적응적 인지도식**을 제시했다. 인지도식 모델에 따르면 인지도식은 5개의 영역으로 구분되며 각각은 단절 및 거절 영역, 손상된 자율성 및 손상된 수행 영역, 손상된 한계 영역, 타인중심성 영역, 과잉경계 및 억제 영역이다. 각 영역은 다시 2~5개의 심리도식을 포함하여 총 18개의 인지도식으로 구성되어 있다([그림 6-4] 참조). 그중 대표적으로 단절 및 거절 영역은 개인이 타인과의 관계에서 안전이나 안정감, 돌봄, 공감이나 수용에 대한 욕구가 충족되지 않을 것이라고 기대하는 특징이 있다. 이 도식을 가진 사람들은 일반적으로 냉담하고 분리되어 있으며 예측하기 힘들고 억제적이거나 학대하는 가족관계를 경험한 발달사가 있다. 단절 및 거절 영역에는 5개의 심리도식이 포함되어 있다. 유기/불안정 도식은 앞서 언급한 것처럼 타인을 불안정하고 언제든 지지를 철회할 존재로 지각하여 자신이 유기될 것으로 예상하는 것이다. 불신/학대 도식은 타인은 고의로 또는 자신에게 지나치게 무관심해서 자신을 학대하고 이용하는 존재이며 자신은 늘 남들에게 속고 당하는 존재로 지각하는 것이다. 정서적 결핍 도식은 자신은 다른 사람에게 정서적으로 지지를 받고자 하는 소망을 갖지만 이러한 소망이 타인으로부터 적절하게 충족되지 못할 것이라 기대하는 것이다. 결함/수치심 도식은 자신은 결함이 있고 남들이 원치 않는 존재이며 자신의 진짜 모습이 드러나면 타인의 사랑을 받지 못할 것이라 지각하는 것이다. 마지막으로, 사회적 고립/소외 도식은 자신을 세상으로부터 고립되어 있으며 사회적인 집단에 소속되지 못하는 존재라고 지각하는 것이다. 예로 든 5개의 도식에서 알 수 있듯이, 인지도식은 공통적으로 사회적 맥락에서의 자기와 타인에 대한 인지에 해당하며, 신념뿐만 아니라 기억, 관련 정서 및 신체 감각을 포함하고 있다.

단절 및 거절 도식이 어떻게 부정적 기분을 높이고 대인관계 문제를 유발하는지를 살펴본 연구(안하얀, 서영석, 2010)에서는 단절 및 거절 도식은 부정적 기분과 대인관계 문제에 직접적으로 영향을 주기도 하지만 정서적 과민 반응을 통해서 간접적으로도 영향을 준다고 보고하였다. 즉, 단절 및 거절 도식이 높을수록 정서적 과민 반응이 증가하고 이렇게 증가한 정서적 과민 반응이 기분을 부정적으로 만들 뿐만 아니라 대인관계 문제를 증가시키기도 한다. 단절 및 거절 도식이 높을수록 일상생활에서 타인과의 정서적 단절이 높아지는 과정에 대한 연구(유아진, 서영석, 2017)에서는 단절 및 거절 도식이 높은 것이 직접적으로 정서적 단절을 높이기도 하지만 거부민감성과 친밀함에 대한 두려움을 거쳐서도 높인다고 보고하였다. 즉, 단절 및 거절 도식을 많이 가지고 있는 사람은 대인관계에서 거부당할 것을 예상하는 경향성이 높은데, 이로 인해 친밀함에 대한 두려움이 높아지고 그 결과 정서적 단절을 경험하게 된다.

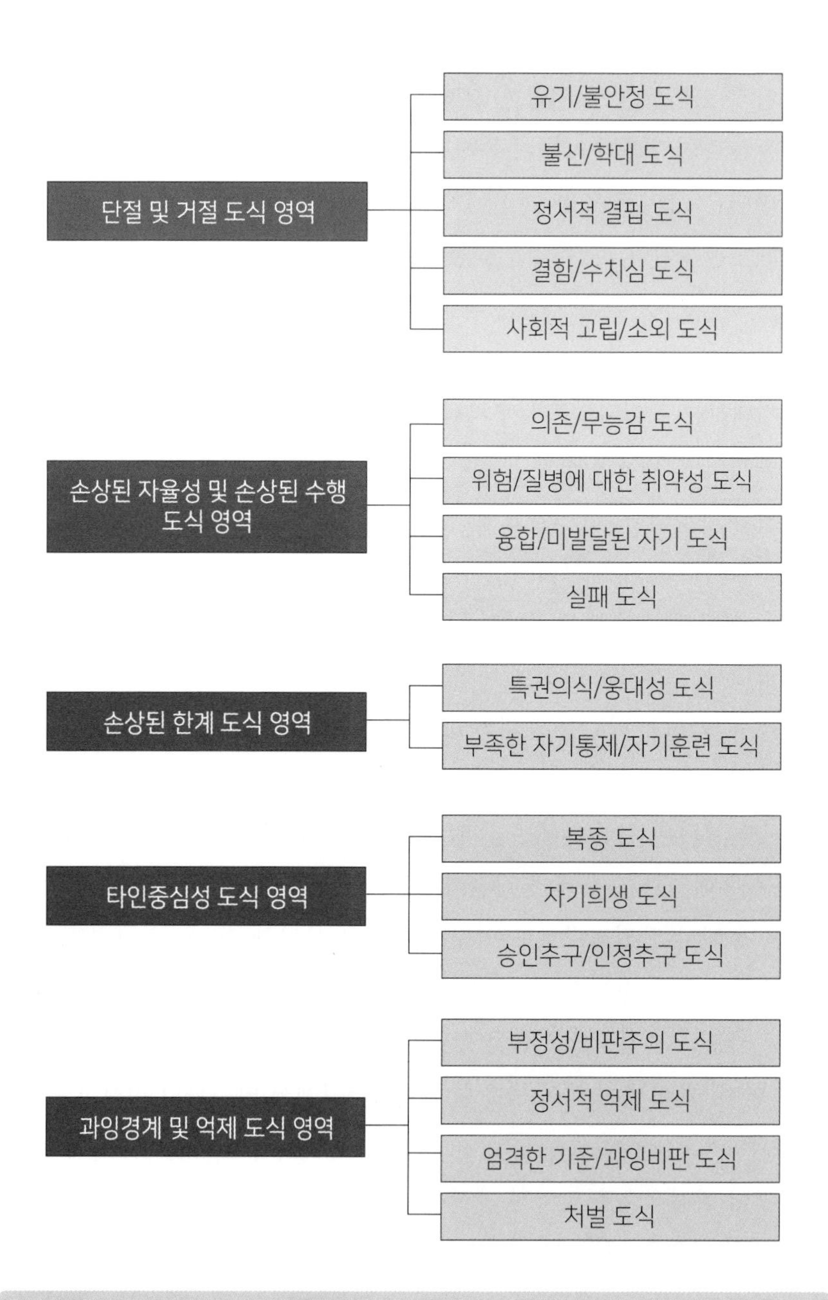


**[그림 6-4] 부적응적 인지도식**

출처: Jeffrey Young(Schema Therapy Institute, 36 West 44th street, Suite 1007, New York, NY10036).

인지도식은 핵심적 정서 욕구와 생애 초기 경험 그리고 기질에 기원한다. 핵심적 정서 욕구는 인간이 보편적으로 갖는 욕구인데, 타인과 안정적으로 애착을 형성하고자 하는 욕구, 자율적이고 유능한 존재이고자 하는 욕구, 욕구와 감정을 표현하고자 하는 욕구 등이 해당된다. 개인에 따라 정도의 차이는 있지만 이러한 정서 욕구는 모든 사람이 보편적으로 가지고 있다. 그리고 우리가 처한 환경과 타고난 기질은 이러한 정서 욕구를 충족시키기에 적절하거나 또는 부적절했을 것이다. 각자가 형성한 인지도식은 생애 초기에 환경이 개인에게 제공한 경험과 개인의 타고난 기질이 개인의 이러한 정서 욕구를 얼마나 어떻게 충족시켰는지에 따라 달라진다.

인간이 생애 초기에 타인으로부터 어떤 환경을 제공받았는지는 개인의 도식 형성에 영향을 준다. 유아가 처음 사회를 경험하는 것은 대부분의 경우 주 양육자를 포함한 핵가족이며, 따라서 생애 초기에 인지도식 형성에 영향을 주는 타인이란 일반적으로 가족을 의미한다. 그리고 인지도식 형성에 영향을 주는 생애 초기에 타인으로부터 제공받은 환경이란 객관적이고 물리적인 환경이 아니라 주로 심리적 환경을 의미한다. 물리적으로 어떤 구조의 얼마나 큰 집에서 생애 초기를 보냈는지보다는 그 구조와 크기에서 그 사람은 얼마나 큰 방을 자신의 방으로 가졌으며 그 방을 가졌다는 사실에 대해 어떻게 느꼈는지가 인지도식의 형성에 더 중요하다. 크지 않은 집에서 가장 큰 방을 자신의 방으로 가진 사람이 그것을 자신의 특권으로 느끼는 심리적 환경에 있었는지 또는 부모나 다른 형제들과는 단절된 것으로 경험하는 심리적 환경에 있었는지가 그 사람의 인지도식을 형성한다. 즉, 인지도식을 형성하는 생애 초기 경험이란 핵가족과 어떤 관계 경험을 했는지를 의미한다. 인지도식이 형성된 이후 생활 속에서 다양한 사건을 겪을 때 활성화되는 기억, 정서, 인지 등은 이러한 생애 초기에 핵가족과 맺었던 관계를 재경험하는 것이다.

정서적 기질 역시 인지도식 형성에 영향을 준다. 아이들은 생물학적으로 자극을 감지하거나 반응하는 방식에 있어서 일정한 패턴을 타고난다. 어떤 아이는 더 무던하고 어떤 아이는 더 짜증스러우며, 어떤 아이는 더 사교적이고 어떤 아이는 더 수줍어한다. 인내심이 높은 아이가 있고 금방 싫증내는 아이가 있으며, 꼼꼼한 아이가 있고 산만한 아이가 있다. 정서적인 기질은 아이가 생애 초기에 겪는 사건들과 상호작용하여 인지도식을 형성한다. 아이의 기질이 생애 초기 환경의 반응을 이끌어 내기도 하는데, 일례로 산만한 아이가 부모의 신경질적인 반응을 유발하거나 공격적인 아이가 거친 부모의 학대를 더 유발하는 경우가 있다. 또는 동일한 환경에서라도 기질이 다른 아이들은 다른 인지도식을 형성한다. 무기력하고 무관심한 엄마의 거절적인 양육 환경에서 기질적으로 수줍음이 많은 아이가 자란다면, 이 아이는 대인관계에서 더욱 움츠러들고 자신을 드러내지 않게 되며 사회적 관계가 빈약한 탓에 거의 유일한 타인인 엄마에게 더욱 매달리게 된다. 반면, 동일하게 거절적인 양육 환경에서라도 사교성이 높은 아이라면, 이 아이는 타인과의 관계 욕구를 충족시키기 위해 엄마가 아닌 다른 사람과 긍정적 관계를 맺으려 할 것이다.

일반적으로 생애 초기 환경과 정서적 기질은 상호작용하는데, 둘 중 하나가 극단적으로 좋거나 나쁜 경우는 다른 하나를 무력화시키기도 한다. 예컨대, 불안정한 정서를 타고난 아이라 하더라도 매우 안정적이고 수용적이며 적절한 양육 환경을 경험한다면 자신과 타인을 긍정적인 존재로 지각하고 안정적이고 편안한 관계를 맺을 수 있게 된다. 반대로 긍정적 정서와 사교성을 타고난 아이라 하더라도 학대적이고 매우 불안정한 양육 환경을 경험한다면 대인관계에서 위축되거나 파괴적 대인관계 패턴을 보일 수 있다. 이처럼 인지도식은 생애 초기 환경과 정서적 기질의 상호작용으로 아동기 혹은 청소년기에 발달하며, 한번 형성된 인지도식은 생애 전반에 걸쳐 정교화된다. 청소년기 이후 인지도식은 다양한 삶의 경험을 통해 수정될 여지가 있지만, 일반적으로 성인기에는 일단 형성된 인지도식에 부합하는 방식으로 사회적 사건들을 지각하기 때문에 자연스럽게 도식이 수정되는 경우는 드물다.

가정환경의 영향을 받은 인지도식이 개인의 부적응적 행동으로 이어진다는 것을 밝힌 국내 연구들은 지속적으로 보고되고 있다. 일례로, 초등학교 5~6학년 학생들 중 아동기에 신체적·정서적 학대를 받은 경험이 많을수록 부적응적 도식을 더 많이 갖게 되며 이것이 아이들의 공격성을 높이는 것으로 보고되었다(노영천, 김홍석, 2013). 생애 초기의 양육 환경에 더하여 개인의 기질이 인지도식으로 이어져서 부적응 행동으로 연결되는 과정을 살펴본 연구들도 있다. 예컨대, 청소년을 대상으로 한 연구(곽영희, 정현희, 2011)에서는 청소년의 위험 회피 기질이 높을수록 부적응적 도식을 더 많이 갖고 부모의 양육태도가 더 부정적일수록 부적응적 도식을 더 많이 갖는 것으로 나타났다. 그리고 위험 회피 기질과 부모의 부정적 양육태도의 영향을 받은 부적응적 도식은 청소년의 우울을 더 높이는 것으로 나타났다. 더 세부적으로는 청소년의 손상된 한계 도식은 인내성 기질과 부모 양육태도의 영향을 받아 공격성으로 이어지고(황정미, 김민정, 2018), 대학생의 단절 및 거절 도식은 아동기의 외상 경험과 낙관성 기질의 영향을 받아 대인관계 문제로 이어진다(장숙경, 김민정, 2020)는 보고도 이루어졌다.

## 활동 8 ABCDE 연습하기

사회인지적 관점에서는 우리가 경험하는 사건(activating event: A)에 대해 어떻게 해석(belief: B)하는지에 따라 정서적 · 행동적 결과(consequence: C)가 나타난다고 봅니다. 그리고 이 해석을 다르게 함(dispute: D)으로써 다른 효과(effect: E)가 나타날 수 있다고 합니다. 다음 활동을 통해 확인해 봅시다.

1. 지난 한 주 중(혹은 근래)에 우울하거나 화가 나거나 불안했던 경험을 떠올리고, 그때의 감정이나 행동을 C에 기록하세요.
2. 어떤 상황이었는지 A에 기록하세요.
3. 그 당시에 A에 대해 어떻게 지각하고 평가했는지 B에 기록하세요. A가 C로 간 과정에서 B가 어떤 역할을 했는지 연결이 되나요? 만약 그렇지 않다면 A와 C 사이에 있었던 B가 무엇이었을지 다시 한번 찬찬히 살펴보세요. B를 찾는 것은 쉬운 일이 아니니 천천히 떠올려 보세요.
4. B를 대체할 지각이나 평가를 D에 기록하세요. 집단 활동이라면 다른 사람이 D를 찾아 줘도 좋습니다.
5. A에 대해 D의 방식으로 생각해 보고 이에 뒤따르는 E를 기록해 보세요.

| A(activating event) | B(belief) | C(consequence) |
| --- | --- | --- |
| | | |

| | D(dispute) | E(effect) |
| --- | --- | --- |
| | | |

# 2. 성격을 설명하는 인지양식

사회적 상황에 대한 인지적 정보처리 과정에 따라 우리는 다양한 상황에서 다양한 반응을 지속적이고 일관되게 보인다. 이 절에서는 개인의 성격을 이야기할 때 사용하는 몇 가지 인지양식을 살펴본다. 구체적으로는 통제소재, 귀인양식, 설명양식을 살펴볼 것인데, 이들은 사회적 상황에 대한 정보처리 방식, 즉 생각하는 방식들을 보여 준다. 이 외에도 성격을 설명하는 인지양식으로 자기에 대해 생각하는 방식이 포함될 수 있는데, 이 절에서는 그중 자기개념을 소개하기로 한다. 자기개념 이 외에도 자기에 대해 생각하는 방식으로 자존감이나 자기효능감이 있지만, 해당 내용들은 자기에 대해 소개하는 장(제8장)에서 별도로 소개하기로 한다. 이제 사람들이 생각하는 방식은 어떤 차이가 있는지 살펴보자.

## 1) 통제소재

여행을 갈 때 여행지의 날씨가 자신에게 달려 있다고 믿는가? 축구 한일전에서 우리 팀의 골이 들어가는지 또는 안 들어가는지가 자신의 응원 여부에 달려 있다고 믿는가? 어떤 결과가 자기 자신의 행동이나 특성에 달려 있다고 믿는 정도에는 개인차가 있으며, 이러한 믿음은 비교적 일관되게 나타난다. 살면서 자신에게 일어나는 일들에 대해 얼마나 통제력을 갖는다고 믿는지를 **통제소재**(locus of control)라 한다(Rotter, 1966). 우리는 세상을 경험하면서 예측이나 기대를 발달시키는데, 통제소재 역시 경험을 통해 형성된다.

**내적 통제소재**(internal locus of control)를 가진 사람은 자신에게 일어나는 일들에 대해 자신이 통제력을 갖는다고 믿는다. 이들은 내재론자라고 불리는데, 자신이 한 행동에 대해 보상을 받은 경험이 축적되어 자신이 일들을 통제할 수 있다고 믿게 된다. 내적 통제소재를 가진 사람들은 자신에게 필요할 것으로 판단되는 정보를 수집하고 보유하려 하는 경향이 있다. 예컨대, 그들이 환자이거나 죄수인 상태일 때 내적 통제소재를 가진 사람들은 자신의 건강 상태나 상황에 대해 더 많은 정보를 수집한다. 자신이 상황에 대해 더 많이 알고 있는 것이 자신에게 긍정적인 방향으로 상황을 변화시키는 데 중요하다고 여기기 때문이다. 이에 반해 **외적 통제소재**(external locus of control)를 가진 사람은 자신에게 일어나는 일들은 자신이 통제하지 못하고 운이나 운명, 다른 사람에 의해 일들이 일어난다고 믿는다. 외재론자라 불리는 이들은 오늘의 운세나 사주, 별자리 점을 더 많이 믿는데, 자신의 행동과 살면서 일어나는 일들의 연관성을 발견하는 경험이 많지 않았을 것이다. 우리가 세상일들에 대해 내가 통제할 수 있을지를 떠올릴 때는 내적 통제소재와 외적 통제소재의 방식을 모두 사용하기는 하지만 개인에 따라 비교적 더 많이 사용하는 방식은 있다.

### (1) 학습된 무기력

사건이나 상황에 대한 통제력이 어디에 있는지에 대한 지각은 우리가 어떻게 해서 무기력을 경험하게 되는지를 설명한다. 힘든 상황이나 사건에 대해 외적 통제소재를 지각하는 것은 그 일에 대해 자신이 할 수 있는 일이 없다고 느끼는 것인데, 이것이 곧 무기력이다.

개들을 대상으로 한 고전적인 연구(Seligman & Maier, 1967)를 살펴보자. A집단의 개들은 전기충격을 받을 때 머리 위에 있는 패널을 건드리면 전기충격을 멈출 수 있는 조건에 놓였다. B집단의 개들은 동일한 전기충격을 받지만 이 개들에게는 전기충격을 멈출 수 있는 장치는 없었다. C집단의 개들은 전기충격을 받지 않는 조건에 놓였다. 이 실험에서 C집단은 개들의 무기력한 반응이 전기충격 자체에 대한 반응이 아님을 확인하기 위한 통제집단이다. 각각의 조건에서 24시간 동안의 훈련을 받은 후 개들은 다른 상자로 옮겨졌다. 새 상자는 2개의 영역으로 구분되었는데 두 영역 사이에는 개의 키보다 낮은 칸막이가 놓여 있었다. 상자의 한 영역에 개를 놓고 상자의 불빛을 희미하게 한 후 10초 뒤 상자 바닥을 통해 전기충격을 가했다. 이때 개가 칸막이를 뛰어넘어 다른 영역으로 넘어가면 전기충격을 멈췄다. A, B, C 집단의 개들은 새로운 조건을 학습했을까?

통제집단인 C집단의 개들 중 칸막이를 뛰어넘어 전기충격을 피하지 못한 개들은 12.5%였다. 이에 비해 A집단에 속한 개들은 모두 불빛이 흐려지자 칸막이를 넘어서 전기충격을 피했다. 이 집단에서 전기충격을 피하지 못한 개는 0%였는데, 이들은 이전 학습을 통해 괴로운 상황에 대해 자신이 할 수 있는 것이 있다는 것을 알았고 새로운 상황에서도 괴로운 상황을 통제하려 한 것으로 해석된다. 이와 달리 B집단에 속한 개들은 대부분 칸막이를 넘지 않았는데, 이렇게 전기충격을 피하지 못한 개가 75%나 되었다. 이들은 이전 학습을 통해 괴로운 상황을 통제하기 위해 자신이 할 수 있는 것이 없다는 것을 알게 된 것으로 이해할 수 있다.

앞선 조건에서 괴로운 상황을 종식시키기 위해 자신이 시도할 방법이 없음을 반복적으로 경험한 개는 바로 옆에 낮은 칸막이가 있어도 그것을 뛰어넘어 상황을 종식시키려는 시도를 하지 않게 된 것이다. 유사한 현상이 사람들에게서도 나타나는데, 사람들이 자신이 처한 부정적이고 고통스러운 상황을 통제하기 위해 자신이 할 수 있는 것이 아무것도 없다고 믿는 것을 **학습된 무기력**(learned helplessness)이라 한다. 이들은 고통스러운 사건에 대한 통제

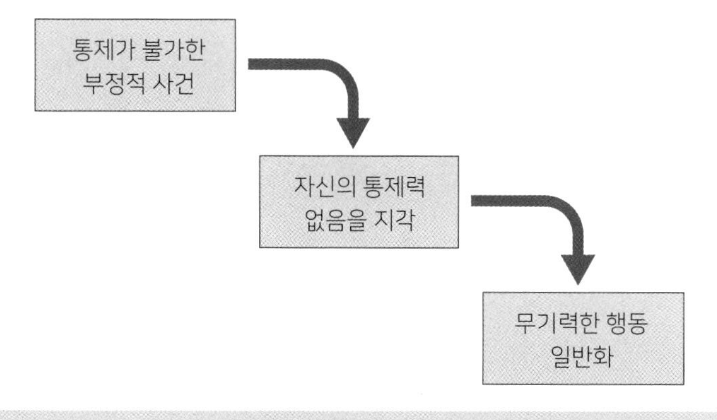


**[그림 6-5] 학습된 무기력**

의 소재가 외부에 있다고 지각한다.

학습된 무기력 상태에서 개인은 자기를 '무기력'으로 부호화한다. 지속적이고 반복적인 폭력에 노출된 사람은 처음에는 그 폭력에서 벗어나기 위해 무엇이든 행동을 취했을 것이다. 자신이 할 수 있는 방법을 모두 사용해 보았지만 그 상황을 벗어날 수 없었던 경험이 축적되면서 그 사람은 스스로를 무기력한 존재라고 학습하게 된다. 학습된 무기력 상태의 개인은 자신이 무엇을 해도 혐오적인 결과를 통제할 수 없다는 신념을 갖게 되고, 이것이 무력감이나 우울증의 원인이 된다.

그런데 인간의 우울증은 현재의 무기력이 미래에 대한 무망감으로 이어질 때 발생한다. 우울증의 무망감 모델(hopelessness model)은 무망감이 어떻게 우울증을 설명하는지를 보여 준다. 동물과 달리 인간은 무기력한 자신의 상태에 대해 생각을 하게 되는데, 그것은 '왜 이렇게 무기력한가?' 또는 '나는 어떻게 될 것인가' 등과 같은 생각들이다. 그런데 우리의 인지와 정서, 신체적 반응은 서로 일치하는 방향으로 상호작용하며, 인지적 처리과정 역시 일관된 방향으로 정보를 처리한다. 따라서 현재 자기를 무기력으로 부호화한 개인은 정서적으로나 신체 반응에서도 무기력한 상태에 있게 되고, 정보처리 과정에서 미래의 자신에 대해서도 무기력한 존재로 예상하여 무망감을 갖게 되는데, 이것이 곧 우울증을 설명해 준다. 물론 현재나 미래의 자기는 무기력하지만 외부의 영향으로 자신의 괴로운 상황이 종식될 수 있다고 기대할 수도 있다. 예컨대, 나를 괴롭히는 사람이 사라지거나 누군가가 나를 도와줄 것이라는 기대가 있다면 무망감을 갖지 않을 수 있다.

### (2) 통제소재와 심리적 건강

학업, 업무 등과 같은 성취와 관련한 영역이나 일반적인 적응에 있어서는 내적 통제소재를 갖는 것이 더 유용하다는 보고들이 있다. 고등학생을 대상으로 한 연구(권대훈, 2016)에서는 내적 통제소재를 가지는 경향이 높을수록 미래의 사건을 예견하고 활동을 계획하고 조직하는 능력이 높고, 장기적인 목적을 달성하기 위한 지속성과 열정도 높은 것으로 나타났다. 그리고 내적 통제소재로 인해 높아진 미래 계획 및 조직 능력과 지속성 및 열정은 해야 할 일을 의도적으로 미루는 지연 경향성을 낮추었다. 이등병에서 병장까지의 병사들의 군 적응에 대한 연구(이주희, 김정규, 2015)에서는 내적 통제소재를 많이 지각할수록 스트레스 상황에서 문제 해결 중심적 대처 방식을 사용하고 사회적 지지를 많이 받으며, 결과적으로 군 적응 수준이 높아지는 것으로 보고되었다.

이상의 설명을 보면 내재론자가 더 적응적이고 건강한 삶을 살 것으로 그려진다. 그런데 삶에서 느끼는 주관적인 불편감에 있어서는 외적 통재소재를 가진 사람들도 크게 불편함을 느끼지는 않는다. 이들은 운명이나 영향력 있는 타인이 나를 이끈다는 나름대로의 신념이 있고, 그 신념에 따라 적응하며 살아가고 있다. 로터(Julian Rotter) 역시 내적 통제소재가 더 우월한 사고방식이며 외적 통제소재는 건강하지 않은 사고방식이라고 단정 지을 수는 없다고 언급하였다. 통제소재에 대한 신념은 문화권에 따라 다르게 나타나기도 하는데, 일반적으로 개인주의 문화권에서는 내재론자들이 더 많이 발견된다. 개인주의 문화는 개개인의 독립성과 자율성을 강조하는데, 이러한 문화에서는 자신에게 생기는 일들은 자신의 행동에 따른 것이라 믿는 경향이 많다. 이와 달리 집단주의 문화권에서는 개개인은 서로 연결된 공동체의 일원이라는 의식이 강하다. 집단주의 문화권에서의 공동체는 동시대의 다른 공간과의 연결이며 윗세대와 아랫세대라는 다른 시간과의 연결이기도 하다. 그 공동체의 일원인 개인에게 생기는 일은 개인의 행동을 넘어선 다른 힘의 영향으로 인식되는 경향이 많다.

사실상 우리가 다양한 상황을 겪으면서 통제를 하려는 것은 궁극적으로 자신의 불편감을 줄이고 긍정적인 정서를 갖기 위한 노력이다. 세상사에 대한 통제력이 자신에게 있는지 또는 외부에 있는지와 별도로, 우리가 세상사에 대해 통제력을 갖는 방법에는 두 가지가 있다. 하나는 일차 통제(primary control)인데, 자신에게 불편감을 주는 상황을 바꾸어서 기분을 좋게 하고 불편감을 없애려는 통제방법이다. 위층에서 발생하는 층간소음으로 불편한 상황에서 윗집을 찾아가 조용히 해 달라고 요청하는 것이나 열심히 작성한 보고서에 대한 평가가 좋지 않을 때 평가를 담당한 교수나 직장상사를 찾아가서 정정을 요청하는 것이 일차 통제방법에 해당한다. 이러한 통제방법은 내적 통제소재를 가진 사람들에게서 나타난다. 이와 달리 이차 통제(secondary control)는 불편감을 줄이고 긍정적 정서를 갖기 위해 사건이나 상황 자체를 변화시키는 것이 아니라 자신을 상황에 맞게 조절하고 상황을 수용하려 노력한다. 층간소음이 발생할 때 한창 뛰어놀 나이의 윗집 아이를 떠올리며 소음이 있어도 지장이 없는 일을 찾아서 하거나, 보고서 평가 결과에 불쾌한 마음을 다스리며 보고서를 작성해 본 것만으로도 자신에게 도움이 되었다고 스스로를 위로하는 것이 이차 통제방법에 해당한다.

일차 통제방법과 이차 통제방법 중 어떤 방법이 더 좋은 통제방법일까? 혹시 이 글을 읽고 있는 당신의 나이가 20대에서 40대 사이에 해당하는 젊은 편에 속한다면 일차 통제방법이 더 바람직하다고 생각할 가능성이 높지만, 아마도 나이가 더 들수록 이차 통제방법 쪽으로 더 마음이 기우는 현상이 나타날 것이다. 개인주의 문화권에 속하며 내적 통제소재를 가진 사람이 많은, 즉 일차 통제방법에 익숙한 미국인을 대상으로 한 연구(Schultz, Heckhausen, & Locher, 1991)에서도 청년기에서 중년기 초기에는 일차 통제방법을 많이 사용하지만, 그 이후로 나이가 더 들면서 이차 통제방법을 더 많이 사용하는 것으로 나타났다. 폭풍우 속에서 혼자 힘으로 버티다가 부러지는 참나무와 바람에 몸을 맡겨 폭풍우를 버텨 내는 갈대의 이야기가 회자되는 이유는 때로는 이차 통제가 유용한 통제방법이 될 수 있음을 우리가 알고 있기 때문이다. 불편감을 줄이고 안녕감을 높이기 위해 상황을 변화시키는 것이 적절한지 또는 자신을 상황에 맞게 조절하는 것이 적절한지는 상황과 개인에 따라 다를 것이다. 라인홀트 니버(Reinhold Niebuhr)의 〈평안의 기도〉는 통제방법을 선별하는 것이 지혜임을 이야기하고 있다.

신이시여, 내가 변화시킬 수 없는 것들은 받아들이는 평온함을 주시고,
변화시킬 수 있는 것들은 변화시키는 용기를 주시고,
이 두 가지를 구별할 줄 아는 지혜를 주소서.

– 라인홀트 니버, 〈평안의 기도〉

## 2) 귀인양식

얼마 전 라디오에서 "요즘 스트레스 때문에 자꾸 먹다 보니 살이 많이 쪘어요."라는 사연을 소개하는 것을 들었다. 글을 읽은 진행자는 "스트레스 때문이 아니라 그냥 자꾸 먹어서 살이 찐 거예요." 하고 짚어 주었다. 생활 속에서 사건이나 상황이 발생할 경우 그 원인을 무엇으로 꼽는지에도 개인차가 있다. 내가 살이 찌는 이유는 스트레스 때문일까, 아니면 내가 먹었기 때문일까?

### (1) 귀인과 행동

**귀인**(attribution)은 사람들이 사건이나 상황의 원인을 무엇으로 지목하는지를 뜻한다. 인간은 자신이 겪는 상황이나 사건에 대해 이해하고 싶어 하고 그것의 원인을 떠올린다. 이때 사건의 원인으로 자신의 내적인 요인을 지목하는 것을 **내부귀인**이라 한다. 내적인 요인들에는 노력, 능력, 태도, 인성, 정서, 동기 등이 있다. 이와 달리 사건의 원인으로 외적인 요인을 지목하는 것을 **외부귀인**이라 한다. 외적인 요인에는 운, 타인, 상이나 벌, 과제의 난이도나 성격 등이 있다. 시험에서 A+를 받았을 때 자신의 노력이나 능력 때문이라고 한다면 내부귀인을 한 것이고, 시험이 쉬웠다거나 운이 좋았다고 한다면 외부귀인을 한 것이다.

귀인양식은 일반적으로 원인의 소재 차원에 따라 내적 귀인과 외적 귀인으로 구분되지만, 다른 차원으로도 구분이 가능하다. 그중 하나는 안정성 차원인데, 이것은 얼마나 변화가 가능한 것을 원인으로 지목하는지의 문제이

다. 노력과 능력은 원인의 소재 차원에서는 모두 내적 요인이지만 안정성 차원에서는 일반적으로 능력이 더 안정적인 요인으로 평가된다. 따라서 성공이나 실패의 원인을 능력에 귀인한다면 유사한 다른 상황에서도 동일한 결과가 나올 것이라고 예상한다. 이와 달리 노력에 귀인한다면 유사한 다른 상황에서도 결과가 다르게 나올 수 있다고 예상하게 된다. 그러니 만일 성격심리학에서 F를 받고 이것이 자신의 능력이 부족한 탓이라고 귀인한다면 재수강을 하더라도 결과가 크게 다르지 않을 것으로 예상하겠지만, 노력이 부족한 탓이라고 귀인한다면 다음에는 다른 결과를 받을 수 있다고 기대한다.

귀인양식을 구분하는 또 다른 차원은 통제 가능성 차원이다. 이것은 사건이나 상황의 원인으로 지목된 요인이 개인의 의도에 따라 통제할 수 있는 요인인지 아닌지의 문제이다. 예컨대, 자신의 노력은 일반적으로 통제 가능한 요인으로 분류되지만 기분이나 컨디션은 의지에 따라 통제하기가 어려운 요인으로 분류된다.

귀인양식을 구분하는 데 주로 사용되는 차원은 원인의 소재 차원이다. 내적인 요인에 귀인하는지 또는 외적인 요인에 귀인하는지에 따라 정서와 행동이 달라진다고 한다. 예컨대, 시험에서 A+를 받은 것을 내부에 귀인한다면 뿌듯함을 크게 느끼겠지만 외부에 귀인한다면 뿌듯함은 줄어들 것이다. 그리고 살이 찌는 상황을 외부에 귀인한다면 내부에 귀인할 때보다 자괴감이 줄어들 것이다.

그런데 우리는 다양한 사건에 대해 항상 동일한 귀인양식을 사용하지는 않는다. 어떤 귀인양식을 사용하는지에는 개인에 따른 차이도 있지만 사건의 특성에 따른 차이도 있다. 즉, 어떤 특성의 사건에 대해서는 내적 귀인을 사용하지만 또 다른 특성의 사건에 대해서는 외적 귀인을 사용하기도 하는 것이다. 일반적으로 성공적인 사건에 대해서 내부에 귀인하고 실패한 사건에 대해서는 외부에 귀인하는 것이 자부심을 극대화하는 방법이다. 예컨대, 이번 학기에 성격심리학 과목에서 A+를 받은 것은 자신이 열심히 준비했고 능력이 있어서라고 귀인하고, 이상심리학 과목에서 F를 받은 것은 교수가 문제를 이상하게 내어서라고 귀인한다면 그 사람의 자부심은 극대화될 것이다. 이들은 대체로 자신에 대해 더 긍정적인 감정을 갖고 자신의 능력을 더 크게 평가한다. 반면, 성공적인 사건은 외적 귀인을 하고 실패한 사건은 내적 귀인을 한다면 수치심을 극대화하게 된다. 동일하게 이번 학기에 성격심리학 과목에서 A+를 받았지만 이것은 교수가 점수를 대체로 후하게 주기 때문이라고 귀인하고, 이상심리학 과목에서 F를 받은 것은 자신의 능력이 부족하고 노력하지 않았기 때문이라고 귀인한다면 수치심이 극대화될 것이다.

우리는 또한 어떤 경우에는 외적 귀인과 내적 귀인을 모두 사용하기도 한다. 자신이 취업에서 실패하는 것은 전 세계적인 경제 불황 때문이기도 하지만 자신의 능력이 부족한 것 또한 원인일 수 있다고 지각한다. 마음에 드는 연애 상대가 나의 데이트 신청을 받아들인 것은 내가 매력적이기 때문이기도 하지만 요즘 그 사람이 부쩍 외로움을 타기 때문이기도 하다고 지각할 수 있다.

귀인의 소재 차원 이외의 요인들도 우리의 정서와 행동에 영향을 준다. 노력과 능력은 우리가 결과에 대해 내부에 귀인할 때 주목하는 대표적인 요인들이다. 앞서 소개한 각각의 차원에 의하면 일반적으로 노력은 내적-불안정적-통제 가능한 요인, 능력은 내적-안정적-통제 불가능한 요인으로 구분된다. 따라서 동일한 내적 귀인이지만 능력이 아닌 노력에 귀인한다면 다음에는 노력을 달리하여 이번과 다른 결과를 가져올 수 있다고 믿을 것이다. 그런데 능력이 안정적이며 통제가 불가능한 요인인지에 대해서는 사람들마다 생각이 조금씩 다르다. 그리고 동일하게 능력에 귀인을 하더라도 능력이라는 요인의 특성에 대해 어떤 신념을 갖는지에 따라 귀인의 결과가 달라진다.

부정적인 사건, 예컨대 이상심리학에서 F를 받는 사건을 떠올려 보자. 이 사건의 원인으로 노력 부족을 떠올렸다면, 우리는 대체로 다음번에는 더 많은 노력을 통해 더 긍정적인 점수를 받을 수 있다고 기대한다. 그런데 만일 낮은 점수의 원인을 능력 부족에 귀인한다면, 이 경우 우리는 능력이라는 요인을 어떻게 보는지에 따라 각각 다른 반응을 보일 수 있다. 실패한 사건에 대해 능력에 귀인을 하더라도 능력이 변화와 통제가 가능한 변인이라는 신념을 가진 사람들은 능력을 향상시키기 위해 노력을 한다. 이와 달리 능력은 불변하며 통제가 불가능한 변인이라고 믿는 사람들이 실패 상황에서 능력에 귀인을 한다면 좌절하게 된다. 따라서 우리의 행동은 우리가 어디에 귀인을 하는지에 따라서도 달라지지만 귀인한 요인에 대해 어떤 신념을 갖는지에 따라서도 달라진다고 볼 수 있다.

### (2) 자기고양 편파

긍정적 또는 부정적 사건에 대해 내적 귀인 또는 외적 귀인을 하면 이 수치심이나 자부심을 경험한다고 했다. 다행스럽게도, 대부분의 사람은 긍정적 성과에 대해서는 내부에 귀인하고 부정적 결과는 외부에 귀인하는 경향이 있는데, 이는 **자기고양 편파**(self-enhancing bias)의 일환이다. '잘되면 제 탓, 못되면 조상 탓'이라는 속담은 어떤 일이 성공적일 때 그 원인을 자신에게 돌리고 실패한 일에 대해서는 원인을 애매한 조상에게 돌린다는 뜻으로, 자기고양 편파 현상을 일컫는다.

우리는 대부분 다소나마 자기와 관련한 긍정적 환상, 즉 자기고양 편파를 갖고 있다. 조긍호(2002)의 연구에서는 고등학생들에게 몇 가지 영역을 제시하면서 '같은 학교 학생들 중 몇 %가 나 자신보다 더 우수하다고 생각되는가?"에 대해 응답하도록 하였다. 이 글을 읽고 있는 당신도 다음의 각 영역에 대해 당신이 속한 집단(당신이 속한 학교, 직장 또는 동년배의 남성 또는 여성 집단 등)에서 몇 %가 당신보다 더 우수하다고 생각되는지 생각해 보아도 좋겠다. 평가하도록 요청한 영역은 능력(지적 능력, 기억력, 운동 능력)과 개체성 특성(독립성, 자립성, 자기주장성) 그리고 배려성 특성(동정심, 따뜻한 마음씨, 타인 사정 이해성)이다. 만일 우리가 자신에 대해 모두 객관적이고 정확하게 평가를 한다면 응답자들의 응답 평균은 각 영역 모두 50%에 해당해야 할 것이다. 그런데 결과는 자신에 대한 평가의 평균치는 전반적인 능력에 대해서는 40.5%, 개체성은 36.8%, 배려성은 34.6%로 나타났다. 즉, 대부분이 자신이 상위 그룹에 속한다고 평가하고 있었다. 그중 전반적인 능력은 사회적 활동에서 객관적으로 점수화 또는 등수화되는 경험이 많이 있는 항목이어서 더 낫게(또는 객관적으로) 평가되었겠지만, 개체성이나 배려성과 같이 객관적 평가의 기회가 적은 항목에 대해서는 대부분이 자신을 더 긍정적인 쪽으로 편파적인 지각을 하는 것으로 해석된다.

자기를 긍정적으로 편파적으로 지각하는 경향성이 지나친 경우에는 방어적 자존감을 가진 것으로 설명되기도 한다. 자기에 대한 긍정적 태도에 대한 고전적 연구(Horney, 1937)에서는 진실한(true) 자존감과 방어적(defensive) 자존감을 구분하였다. 진실한 자존감은 자기가치감과 자기존중 그리고 자신의 강점과 약점을 순수하게 수용하는 변하지 않는 긍정적 자기감을 의미한다. 이에 반해 방어적 자존감은 내면에 부정적인 자기가치감을 갖고 있으나 타인에게 인정받고 싶은 욕구가 높아 자신에 대해 긍정적으로 보고하는 경우를 말한다. 방어적 자존감이 높은 사람은 자존감 수준이 높으면서 동시에 타인에게 인정받고자 하는 욕구가 높거나 자기를 과대하게 지각하고 표현하는 경향이 높은 것으로 설명할 수 있다.

그런데 사실상 자존감에 있어서 방어적 측면은 대부분의 개인에게는 보편적인 현상이다. 앞서 언급한 것처럼 우리는 자기고양 편파를 갖고 있으며, 개인은 생득적으로 자기를 긍정적으로 여기려는 자기고양 동기를 가지고 있다. 자존감은 실존적으로 자신의 유한성과 연약함을 인식하는 유기체가 자기를 보호하려는 동기 시스템으로서의 기능을 한다(Solomon, Greenberg, & Pyszczynski, 1991). 그래서 이제 방어적 자존감에 대한 논의는 방어적 자존감이 진실되지 못하거나 거짓된 자존감이라는 관점에서 벗어나 지나치게 방어적인 자존감은 불안정한 특징을 갖고 있으며 너무 약해서 보호받아야 할 자존감이라는 관점으로 모아지고 있다. 앞에서 '다행스럽게도' 대부분의 사람은 자기고양 편파가 있다고 했는데, 이는 우리에게 자기고양 편파 현상이 있기 때문에 각자의 자존감을 높게 유지할 수 있다는 점 때문이다. 결국 어쩌면 자기에 대한 평가가 반드시 객관적 근거에 의거하여 정확하게 이루어질 필요는 없으며, 다소는 편파적으로 자기를 높게 인정해 주는 것도 괜찮을 것이다.

### 3) 설명양식

우리는 살면서 겪는 좋은 일이나 나쁜 일에 대해 설명을 하고 싶어 한다. 예컨대, 우리는 "영화를 예매하지 않고 그냥 갔더니 좋은 자리가 안 남았네." "그날 어쩌다가 먼저 온 버스를 놓쳐서 다음 버스를 기다렸는데 덕분에 그 애를 우연히 다시 만났지."와 같이 우리의 긍정적이거나 부정적인 경험에 대해 다른 사람에게 또는 자기 스스로에게 설명을 한다. 사람들은 자신이 겪는 사건에 대해 비교적 안정적이고 일관된 방식으로 설명하는데, 이를 **설명양식**(explanatory style)이라 한다.

설명양식은 우리가 어떻게 낙관주의자나 비관주의자가 되는지를 알려 준다. **낙관주의자**들은 자신이 겪는 나쁜 일에 대해 외재적 · 불안정적 · 특정적으로 설명한다. 즉, 자신에게 일어난 나쁜 일은 외적인 원인에 의한 것이고, 어쩌다가 일어난 일일 뿐 늘 있는 일은 아니며, 단지 그 일에 대해서만 나쁜 일이 생긴 것이지 자신의 삶의 다른 영역에서는 그 일이 영향을 미치지 않는다고 믿는다. 버스를 놓친 것은 버스 간격이 일정하지 않아서이며, 다른 날은 그렇지 않지만 그날 우연히 놓친 것이고, 버스를 놓친 것만 나쁜 일이었지 이 외의 삶에서는 좋은 일이 계속된다고 설명한다면 낙관주의 설명양식을 가진 것이다. 낙관주의자들은 좋은 일에 대해서는 내재적 · 안정적 · 전반적으로 설명한다. 자신이 겪은 좋은 일은 자신이 만들어 낸 것이고, 이와 유사한 좋은 일은 다음에도 다시 만들 수 있으며, 그 일이 삶의 영역 전반에 긍정적인 영향을 미친다고 믿는다.

이와 달리 **비관주의자**들은 자신이 겪는 나쁜 일에 대해서 내재적 · 안정적 · 전반적으로 설명한다. 즉, 나쁜 일은 자신이 초래한 것이고, 이런 일은 이번뿐만 아니라 앞으로도 계속 일어날 것이며, 그 일이 중요할 뿐 이 외의 삶은 크게 중요하지 않게 느낀다. 영화관에 좋은 자리가 남지 않은 것은 자신이 영화를 예매하지 않았기 때문이고, 자신은 언제 어디서든 좋은 자리를 차지할 수가 없으며, 그로 인해 이 외의 삶도 엉망으로 느낀다면 비관주의 설명양식을 가졌다고 볼 수 있다. 이들은 좋은 일에 대해서는 자신이 그 좋은 일을 만들었다고 믿지 않으며, 이렇게 좋은 일이 다시 일어날 것이라고 기대하지 않고, 그 일이 여기서 그칠 뿐 삶의 다른 영역에 좋은 영향을 미칠 것이라 생각하지 않는다.

우리의 낙관주의와 비관주의는 정서와 행동에 영향을 준다. 대학생을 대상으로 낙관주의자와 방어적 비관주의자(일어날 수 있는 부정적 결과를 모두 고려하여 대비하는 것)를 선별하고 과제를 수행하도록 한 연구(정영숙, 임서영, 2016)가 있다. 과제를 간략하게 설명한 후 '이 과제는 대학생들이 평균적으로 5개 정도 풀 수 있는 문제'라고 설명하였다. 실제로는 각각 쉬운 과제(10문제 중 평균 8개 성공하는 과제)와 어려운 과제(10문제 중 평균 2개 성공하는 과제)를 푸는 두 조건에 낙관주의자들과 비관주의자들을 무선적으로 배치하였다. 누가 더 높은 점수를 받았을까?

결과는 쉬운 과제를 푸는 조건에서는 비관주의자가 낙관주의자보다 더 좋은 수행을 보였지만 어려운 과제를 푸는 조건에서는 낙관주의자가 더 좋은 수행을 보이는 것으로 나타났다. 그런데 쉬운 과제 조건에서 실제 수행은 비관주의자가 더 좋았지만 자신의 수행에 대한 만족도는 비관주의자가 더 낮은 것으로 평정되었다. 이러한 결과는 비관주의자는 불안이 높은 사람들이며, 따라서 쉬운 과제에 대해서는 불안으로 인한 적절한 각성이 수행에 도움이 되었지만 어려운 과제에 대해서는 높은 불안으로 수행 점수가 낮아졌을 가능성을 시사한다. 또한 비관주의자가 좋은 수행에도 불구하고 만족도가 낮았다는 것은 이들이 실제 성과와 무관하게 삶의 만족도가 낮을 가능성을 시사한다.

이처럼 일반적으로 우리는 비관주의 설명양식보다 낙관주의 설명양식을 더 좋은 것으로 인식하고 있으며 관련 연구들도 낙관주의의 장점이나 비관주의의 단점을 확인하는 것을 목적으로 진행되어 왔다. 그런데 정말 낙관주의는 항상 더 좋고 비관주의는 항상 더 나쁜 것일까? 낙관주의자는 실제로 통제가 불가능한 상황에서도 자신이 상황을 통제할 수 있다고 믿어서 현실적인 위험에 대비하지 않는 경향이 있다. 이들은 미래에 발생 가능한 위험에 대해 주목하지 않고 준비를 하지 않는다. 또한 이들은 실패 경험에서 교훈을 얻지 못한다. 실패의 원인을 외부에서 찾으며 이러한 실패가 다시 일어날 수 있다고 인식하지 못하여 반복해서 부정적인 경험을 하기도 한다.

### 4) 자기개념

글을 더 읽기 전에 우선 다음 페이지에 제시된 20문장 검사에 답을 해 보자. 답을 마쳤다면 이제 **자기개념**에 대한 설명으로 넘어가는 것이 좋겠다. 20문장 검사는 자기개념을 알아보기 위한 도구이다. 답을 하기 위해서는 자기에 대한 생각을 떠올려야 한다. 신입생 환영회, 소개팅 자리에서와 같이 새로운 사람을 만나거나 조직에 들어가면 자기소개를 할 기회가 생긴다. 그렇지만 다른 사람에게 소개할 때 떠올리는 자기에 대한 내용은 '나는 누구일까?'라는 질문에 대해 자기 스스로 내리는 답과는 다를 수 있다. 자기개념은 나는 누구인가에 대한 내 자신의 생각이다. 더 구체적으로 말하면, 자기개념은 특성, 사회적 역할, 인지도식, 관계성을 포함하는 자기 자신에 대한 생각과 추론이다(Baumeister, 1997). 우리는 각자 자기 자신을 '무엇'으로 생각하는데, 그 내용은 비교적 안정적이며 환경에 대한 일관된 반응을 유발한다는 점에서 성격으로 설명될 수 있다. 자기 자신을 어떻게 정의하는지는 사회인지적 정보처리 과정에서 자기에 대한 인지에 포함되며, 이것은 사회적 상황에서 그 사람이 어떤 인지적 · 정서적 · 행동적 반응을 보일지에 영향을 준다.

20문장 검사에서 작성한 자신의 답을 살펴보자. 당신의 사회적 역할이나 범주로 자신을 설명하는 답은 얼마나 되는가? 당신의 특질을 답한 정도는 얼

20문장 검사

20번까지 번호가 매겨진 다음 선 위에 '나는 누구일까?'라는 간단한 질문에 대한 답을 적어 보세요. 이 질문에 대해 20개의 다른 답을 쓰기만 하면 됩니다. 다른 누군가가 아닌 자기 자신에게 답을 한다고 생각하고 적으세요. 떠오르는 순서대로 답을 적으시면 됩니다. 논리적이거나 중요할 필요는 없습니다. 나는 누구일까요?

1. ........................................
2. ........................................
3. ........................................
4. ........................................
5. ........................................
6. ........................................
7. ........................................
8. ........................................
9. ........................................
10. ........................................
11. ........................................
12. ........................................
13. ........................................
14. ........................................
15. ........................................
16. ........................................
17. ........................................
18. ........................................
19. ........................................
20. ........................................

출처: Baumann, Mitchell, & Persell (1989). Exercise 5, Twenty Statement Test, p. 305에서 발췌.

마나 되는가? 자기개념은 자기에 대한 객관적 · 주관적 정보의 내용 측면에서 고려할 수 있지만 자신이 이러한 정보들 중 어떤 정보를 더 중요하게 인식하는지의 측면에서도 고려할 수 있다. 예컨대, 당신이 여자 또는 남자라는 정보는 누구에게나 일정하게 존재한다. 자신의 성별에 대한 정보가 있는지 없는지에는 개인차가 거의 없을 것이다. 그렇지만 자신이 여자 또는 남자라는 사실적 정보가 자기개념에서 차지하는 중요도는 개인차가 있다. 자신의 성별은 누군가에게 객관적 사실일 뿐이겠지만 또 다른 누군가에게는 자기개념의 큰 부분을 차지하고 있을 것이며, 그때 이 자기개념은 그 사람의 많은 행동에서 중요한 요인으로 작용할 것이다.

### (1) 자기개념의 형성

자기개념을 가지기 위해서는 우선 '자기'를 인식할 수 있어야 하고, 그다음으로 자기에 대한 '개념'이 형성되어야 한다. 동물이 자기를 인식하는지를 알아보기 위한 **거울 실험**(Gallup, 1970)에서 전신거울을 처음 접한 침팬지는 거울 속의 침팬지에 대해 다른 침팬지를 대하는 것과 마찬가지로 반응했다. 처음에는 거울 속 침팬지에게 소리를 지르고 몸을 흔드는 행동을 하던 침팬지는 이내 거울을 들여다보며 자신의 털을 정리하거나 얼굴을 찌푸려 보는 등 거울 속 침팬지가 자기임을 인식하는 반응을 보였다. 침팬지가 모르게 침팬지의 얼굴에 붉은 물감을 묻히자, 침팬지는 거울을 본 후 자기 얼굴을 만지는 행동을 했다. 이로써 침팬지와 같은 인간과 가까운 영장류는 자기를 인식한다고 판단할 수 있다.

인간도 모두가 자기를 인식하는 것은 아니다. 갓 태어난 아이는 자기를 인식하지 못하는 것으로 알려져 있다. 만 1~2세 이전의 아기는 거울 속의 아기를 또 다른 아기로 인식할 뿐 자기라고 인식하지는 못한다. 침팬지에게 한 실험과 동일하게 아기의 코에 몰래 립스틱을 묻혔을 때 거울 속의 자기를 보고 자신의 코에 무언가가 묻었다는 것을 알아차린 아기는 평균 18개월 된 아기들이었다. 평균 18개월이 지난 아기들이 말을 하기 시작할 때 아기들이

'엄마' '아빠'나 '맘마'만큼 빨리 사용하기 시작하는 말은 '내가' 또는 '내 거'이다. '나'라는 어휘를 사용하는 것은 자기를 인식할 때 가능하다.

'자기'를 인식하게 되었다면 인간을 설명하는 '개념'에 대한 이해가 있어야 자기개념이 생길 수 있다. 자기가 무엇인지를 생각할 수 있으려면 이 세상에 어떤 개념들이 존재하는지 알아야 할 것이다. 3~4세 아동은 성별이나 나이, 가족관계, 착함과 나쁨과 같은 개념들을 이해하게 되면서 자기에 대해서 이러한 개념들을 적용하게 된다. 이때가 되면 아동은 "나는 우리 엄마 딸." 또는 "나는 착해."와 같이 자기에 대한 생각들이 생기게 된다. 취학 연령의 아동은 학교에서 또래와의 비교를 통해 자신의 능력에 대한 감각이 형성된다. 이 시기의 아이들은 "나는 수학을 잘해." "나는 다른 애들에 비해 인기가 많아."와 같은 식으로 자기를 생각한다. 또한 이 시기의 아동은 인간을 지속적이고 안정적인 방식으로 행동하도록 하는 특질이라는 것이 있음을 이해하는데, "나는 배려심이 많아." "나는 영리한 편이야."처럼 특질의 형태로 자기를 설명한다. 청소년기가 되면서 추상적 사고가 나타나면 자기에 대한 생각은 더 추상화되는데, "나는 인간이야." "나는 양성평등주의자야."와 같은 설명이 가능하다.

자기개념이 형성되는 과정을 살펴보면, 자기개념은 인간이 자기를 인식하게 되면서부터 살면서 습득한 인간에 대한 다양한 개념을 자기에게 적용한 결과이다. 우리는 여러 장면에서 성공 또는 실패 경험을 하게 되고 이 경험들을 통해 자기를 어떤 존재로 이해한다. 또는 자기에 대해 타인이 어떻게 피드백을 하는지 역시 자기에 대한 생각에 영향을 주며, 타인을 관찰하고 자신과 비교한 결과도 자기개념에 반영이 된다. 즉, 자기 자신의 자기에 대한 평가, 자기에 대한 타인의 반응 그리고 타인과의 비교가 자기개념의 자원이 되는 것이다. 결국 우리의 자기개념은 진공 상태에서 형성되는 것이 아니라 타인과의 사회적 맥락 속에서 경험한 것들이 축적된 것이라고 볼 수 있다.

### (2) 가능한 자기

자신이 무엇인지에 더하여 자신이 무엇이 될 것인지에 대한 생각도 자기개념에 포함된다. 이것은 자기가 무엇이 되어야겠다는 의지나 희망일 수도 있고, 무엇이 될까 두렵다는 염려일 수도 있다. 성공한 사업가인 자기, 자상한 부모인 자기, 인기가 많은 자기, 건강한 자기, 낙천적인 자기와 같은 자기가 되고자 하는 바람이 있다면, 그것은 바라는 자기(hoped-for self)에 해당한다. 반면, 직장이 없는 자기, 소외된 자기, 아픈 자기, 폭력적인 부모인 자기 등은 내가 될까 봐 두려운 자기(feared self)이다. 바라는 자기와 두려운 자기는 모두 **가능한 자기**(possible self)이며 우리의 자기개념에 속한다(Markus & Nurius, 1986).

가능한 자기는 우리가 상황과 사건을 지각하고 반응하는 것에 영향을 준다. 엄마인 미영 씨는 가능한 자기 중에 폭력을 휘두르는 엄마인 자기가 두려운 자기로 있는 사람이다. 말썽이 심한 4세 아들을 양육하던 중 욱하는 마음에 오른손에 힘이 들어갔지만, 자제력을 잃지는 않았다. 그렇지만 미영 씨는 자신의 반응이 너무나 좌절스럽고 자신이 큰 잘못을 저지른 것만 같이 느껴진다. 대학생 호철 씨는 가능한 자기 속에 좋은 직장에 취직한 자기와 취직을 못한 자기가 각각 바라는 자기와 두려운 자기로 포함되어 있다. 전공과목에서 C-를 받았을 때 호철 씨는 크게 상심했고 염려스러웠다. 반면, 대학생 상희 씨의 가능한 자기 속에는 창업을 한 자기가 바라는 자기로 포함되어 있는데, 상희 씨에게 전공과목의 C- 학점은 크게 중요하게 지각되지 않는다.

가능한 자기 역시 과거의 다양한 경험 속에서 형성된다. 자기에 대한 자신의 관찰과 평가, 자기에 대한 다른 사람들의 반응, 다른 사람과의 비교 속에서 형성된 가능한 자기는 삶의 경험 속에서 변화되기도 한다. 저자에게는 평생 마른 체형으로 살아온 오랜 친구가 있는데, 이 친구는 살을 빼기 위한 노력 같은 것은 한 적이 없다. 이 친구의 가능한 자기에는 살이 찐 자기는 없는 것 같았다. 자기관찰과 자기에 대한 타인의 반응, 타인과의 비교 결과, 이 친구는 살이 찐 자기를 바라는 자기나 두려운 자기에 포함시킬 이유가 없었던 것이다. 그런데 약 5년 전부터 이 친구가 먹는 것에 신경을 쓰기 시작했고, "내가 배가 나올 줄은 상상도 못했어."라고 말했다. 가능한 자기 속에 살이 찐 자기가 포함된 것이다.

우리가 바라는 자기와 두려운 자기에는 어떤 것이 있을까? 한국 대학생의 가능한 자기에 대한 연구(이지연, 2006)에서는 대학생 298명을 대상으로 바라는 자기와 두려운 자기를 기술하도록 하였다. 대학생들의 바라는 자기에는 원하는 직업을 가진 자기, 어학공부를 하는 자기, 대학원에 진학한 자기와 같은 직업이나 교육에 대한 범주(328회)와 좋은 가족 구성원이 된 자기, 타인에게 인정받는 자기, 어려운 사람을 돕는 자기, 부모님께 효도하는 자기와 같은 대인 간 영역에 대한 범주(322회)가 유사한 빈도로 가장 많이 언급되었다. 그다음으로 정서적으로 안정된 자기나 행복한 자기와 같은 개인 내적 영역(150회)이나 해외여행 및 봉사활동을 하는 자기와 같은 과외활동 영역(95회)이 언급되었다. 두려운 자기에는 불행한 가정생활을 하는 자기, 가까운 관계의 상실이나 고립 등에 놓인 자기, 노총각/노처녀 등이 된 자기와 같은 대인 간 영역(315회)과 이기적인 자기, 부정적인 성격특성을 가진 자기, 삶의 공허감을 느끼는 자기와 같은 개인 내적 영역(312회)이 유사한 빈도로 높게 보고되었다. 바라는 자기에 직업이나 교육적 측면에서의 자기가 가장 높은 빈도로 보고되기는 했지만 대인 간 영역에서의 자기와 차이가 크지 않고 두려운 자기에서는 대인 간 영역이 가장 높은 빈도로 언급된 반면 직업이나 교육은 높은 빈도가 아니었다는 점에서 우리나라 대학생들의 가능한 자기에는 타인과의 관계 속에서의 자기가 큰 영역을 차지하고 있는 것으로 보인다.

### 5) 평가와 적용

#### (1) 자기보고식 검사

개인이 사회적 상황에 대해 정보처리를 하는 대체적 경향성을 평가하기 위해 자기보고식 검사를 사용할 수 있다. 귀인양식 검사, 통제소재 검사 등은 우리에게 일어난 사회적 사건과 상황의 원인을 무엇에 귀인하는지 또는 사건이나 상황에 대한 통제력이 어디에 있다고 지각하는지를 측정하는 자기보고식 검사이다. 자기에 대한 정보처리에 해당하는 일반적 자기효능감이나 특수 자기효능감 또는 자기존중감이나 자기개념 역시 자기보고식 검사로 측정할 수 있다.

### (2) 암묵적 연합검사

우리가 사회적 상황에 대해 어떻게 정보를 처리하는지는 대부분의 경우 자기보고로 측정 및 평가가 가능하지만, 정보를 처리하는 과정 중 어떠한 영역은 자동적으로 처리가 이루어져서 스스로 보고하기 어려울 때가 있다. 헤어진 연인에 대한 마음이 다 정리되었고 이미 그 사람을 잊었다고 생각했는데, 새벽녘 술에 취했거나 감상에 젖어 자신도 모르게 그 사람에게 전화나 문자를 한 사례에 대해 들어 본 적이 있을 것이다. 그 사례의 주인공에게 헤어진 연인에 대한 태도를 자기보고식 검사로 응답하도록 했다면 상당히 마음이 정리가 된 상태로 측정이 될 것이지만, 암묵적 연합검사(Implicit Association Test: IAT)를 사용한다면 다른 결과가 나올 수 있다.

암묵적 연합검사는 우리의 의식적이고 보고 가능한 정보처리가 아닌 자동적이고 암묵적인 정보처리를 평가한다. 구체적으로는 특정 대상에 대한 암묵적 태도를 측정하기 위해 사용된다. 컴퓨터로 측정하고자 하는 대상과 긍정적 정서를 유발하는 단어 또는 대상과 부정적 정서를 유발하는 단어를 함께 제시하고, 응답 속도를 측정하여 대상에 대한 자동적 태도를 측정한다. 단어를 구성하는 내용에 따라 남성 또는 여성에 대한 태도, 인종에 대한 태도, 자신에 대한 태도 등을 평가할 수 있다.

### (3) 적용

사회인지적 관점은 인간 행동의 변화를 위한 인지-행동적 상담 및 심리치료 이론들에 유용하게 적용된다. 사회인지적 관점에서 인간의 성격을 이해하는 것은 사회적 상황에서 나타나는 우리의 행동이 어떠한 기제를 통해 그렇게 나타나게 되었는지를 이해하는 데 유용하다. 개개인의 행동에 대한 인지적 기제를 이해하게 되면 그 사람이 다른 행동을 하도록 변화시킬 수도 있다. 즉, 해당 상황이 정보처리 과정에서 어떻게 처리되어 그러한 행동을 유발하였는지를 밝혀 문제가 되는 정보처리 과정을 기능적이고 합리적인 정보처리가 가능하도록 변화시키면 될 것이다. **벡**(Aaron Beck)의 인지행동치료나 **엘리스**(Albert Ellis)의 합리적 정서행동치료, 영의 도식치료와 같은 인지를 중심으로 한 심리치료들은 우리의 특정한 정보처리 과정이 어떻게 형성되었으며 어떤 구조를 갖는지를 이론적으로 체계화하였다. 그리고 임상적 검증을 통해 우리의 행동이 적응적인 방향으로 변화할 수 있도록 개입하는 방안을 제시하였다.

## 활동 9 설명양식 짚어 보기

자신의 설명양식을 탐색해 보고, 그 설명양식의 영향을 생각해 봅시다.

1. 다음은 '나 자신'에 대한 여러분의 생각이 어떠한지 묻는 질문입니다. 여러분의 생각과 일치하는 번호에 ○표시를 해 주십시오.

| 문항 | 전혀 아니다 | | | | | 보통이다 | | | | | 매우 그렇다 |
|---|---|---|---|---|---|---|---|---|---|---|---|
| 1. 나는 내가 잘 할 것이라는 것을 알지만 최악을 예상하며 학업 상황에 임한다. | 1 | 2 | 3 | 4 | 5 | 6 | 7 | 8 | 9 | 10 | 11 |
| 2. 나는 일반적으로 긍정적인 예상을 갖고 학업 상황에 임한다. | 1 | 2 | 3 | 4 | 5 | 6 | 7 | 8 | 9 | 10 | 11 |
| 3. 나는 과거에 학업 상황에서 일반적으로 꽤 잘했다. | 1 | 2 | 3 | 4 | 5 | 6 | 7 | 8 | 9 | 10 | 11 |
| 4. 나는 학업 상황에서 내가 매우 못했을 때 어떤 일이 벌어질지 종종 생각한다. | 1 | 2 | 3 | 4 | 5 | 6 | 7 | 8 | 9 | 10 | 11 |
| 5. 나는 학업 상황에서 내가 매우 잘했을 때 어떤 일이 벌어질지 종종 생각한다. | 1 | 2 | 3 | 4 | 5 | 6 | 7 | 8 | 9 | 10 | 11 |
| 6. 나는 학업 상황에서 내가 매우 못했을 때 내가 무엇을 할 수 있을지 종종 생각한다. | 1 | 2 | 3 | 4 | 5 | 6 | 7 | 8 | 9 | 10 | 11 |

| 7. 나는 종종 학업 상황에서 내가 얼마나 잘할 수 있는지 이해하려고 노력한다. | 1 | 2 | 3 | 4 | 5 | 6 | 7 | 8 | 9 | 10 | 11 |
|---|---|---|---|---|---|---|---|---|---|---|---|
| 8. 내가 학업 상황에서 잘했을 때 나는 종종 안도감을 느낀다. | 1 | 2 | 3 | 4 | 5 | 6 | 7 | 8 | 9 | 10 | 11 |
| 9. 내가 학업 상황에서 잘했을 때 나는 정말 행복을 느낀다. | 1 | 2 | 3 | 4 | 5 | 6 | 7 | 8 | 9 | 10 | 11 |

2. 체크한 내용을 토대로 채점해 봅시다.

1) 2, 5, 7, 9번은 낙관주의 문항, 1, 4, 6, 8번은 비관주의 문항입니다. '낙관주의 문항 총합-비관주의 문항 총합'이 높을수록 낙관주의에, 낮을수록 비관주의에 가깝습니다.

**낙관주의 문항 총합-비관주의 문항 총합=(　　　)점**

2) 특히 비관주의 문항 점수의 총합이 낙관주의 문항 점수의 총합보다 더 높게 나온 사람(즉, 계산 결과가 0보다 낮은 사람) 중 3번 문항에서 8점 이상으로 응답한 사람은 방어적 비관주의자로 생각해 볼 수 있습니다. 즉, 미래를 비관적으로 예상하여 실패를 피하기 위해 노력을 많이 하는 경향성이 있는 사람으로 생각할 수 있습니다.

**3번 문항 점수=(　　　)점**

3) 다음과 같이 판단할 수 있습니다.

- **검사에 따르면 학업 영역에서 나의 설명양식은 낙관주의/비관주의(둘 중 하나 선택)에 가까운 것 같다.**
- **(만약 비관주의에 가깝고 3번 문항 점수가 8점 이상이라면) 나의 비관주의는 방어적 비관주의에 가까운 것으로 보인다.**

3. 검사 결과가 실제 자신의 학업에 대한 설명양식과 일치하는지, 아니면 자신을 돌아볼 때 검사와 다른 설명양식을 갖고 있는 것으로 판단되는지 생각해 봅시다. 실제 자신은 어떤 설명양식을 갖고 있는 것으로 판단되나요?

4. 학업 영역에서 자신이 낙관적 · 비관적 또는 방어적 비관주의적 설명양식을 갖고 있는 것이 자신의 행동과 어떻게 관련되는지 생각해 봅시다.

- 이러한 설명양식으로 인해 나는 학업 관련 행동을 어떻게 하나요?
- 이러한 설명양식의 장점은 무엇인가요?
- 이러한 설명양식의 단점은 무엇인가요?

제7장

# 생물학적으로 성격 보기

누군가의 성격을 생물학적으로 이해한다는 것은 그 사람의 행동을 신체적 요인과 관련된 것으로 이해하는 것이다. 신체적인 요인들 중 인간의 행동을 설명하기 위해 언급되는 대표적인 요인은 유전자와 뇌이다. 이 장에서는 우선 뇌와 행동의 관계를 살펴보기로 한다. 그리고 우리의 유전자가 설명하는 성격에 대해 살펴보고, 유전자로 성격을 설명할 때 고려할 점을 짚어 보고자 한다.

## 1. 뇌와 성격

뚜렷한 근거는 없지만, '손이 따뜻하면 마음이 따뜻하다'거나 '머리가 크면 지능이 높다'는 식의 이야기를 들어 본 적이 있는가? 우리는 성격을 파악할 수 있는 생물학적 근거를 찾고 싶어 한다. '넷째 손가락이 길면 충동적이다'라는 말은 어떤가?

태내 테스토스테론은 초기의 뇌 발달과 출생 후 행동에 영향을 많은 미치는 것으로 알려져 있다. 예컨대, 테스토스테론은 사회적 행동의 기저가 되는 신경망을 조직화하는 데 관여하는 것으로 보고되고 있다. 그런데 흥미롭게도 태내 테스토스테론은 둘째 손가락과 넷째 손가락 길이의 비율, 즉 2D:4D 비율에도 관여하는 것으로 알려져 있다. 2D:4D 비율이 낮을수록, 즉 넷째 손가락이 둘째 손가락에 비해서 상대적으로 길수록 높은 태내 테스토스테론에 노출된 것으로 보고된다. 이러한 사실은 손가락 길이로 그 사람의 성격을 이해할 수 있다는 가설을 도출하게 한다. 이러한 가정을 근거로 다양한 연구에서는 사회적 의사결정 장면에서 2D:4D의 비율에 따라 사회적 협력, 위험감수, 충동성, 공격성이 다르게 나타나는지를 살펴보았으며, 이러한 선행 연구들을 개관한 연구(심경옥, 전우영, 2014)에서는 손가락 비율이 사회적 의사결정을 달라지게 한다고 보고하였다.

단순화하면 손가락 비율로 성격을 추측할 수 있다는 것으로 이해할 수 있지만, 이는 엄밀히 말하면 손가락 비율 때문에 성격이 달라짐을 의미하는 것은 아니다. 그보다는 손가락 비율로 추론된 뇌 신경망으로 성격 차이를 설명할 수 있다고 해석하는 것이 옳을 것이다. 기술이 발달하면서 인간의 생물학적 상태를 관찰할 수 있는 도구들이 다양하게 개발되었고, 성격이 생물학적 상태와 관련이 있다는 연구들이 보고되었다. 이 장에서는 특히 뇌와 성격의 관계를 살펴본다. 우리는 이해할 수 없는 누군가의 행동을 보면서 '저 사람의 머릿속에는 뭐가 들었을까?' 하고 궁금하게 여긴다. 뇌를 이해하면 그 사람을 이해할 수도 있을 것 같다. 그렇다면 인간의 행동을 이해하기 위해 뇌를 이해한다는 것은 뇌의 무엇을 이해한다는 것일까? 그리고 그것들과 성격은 어떤 관련이 있을까?

### 1) 뇌의 생화학적 활동과 성격

인간의 행동을 이해하기 위해 뇌를 연구하는 사람들은 뇌의 생화학적 활동, 그중에서도 **신경전달물질**의 활동에 주목한다. 뇌는 매우 정교한 신경세포 덩어리이다. 뇌를 구성하는 신경세포들은 작은 틈을 사이에 두고 서로 촘촘하게 연결된 구조이다. 연결되어 있으나 붙어 있는 것은 아니라는 뜻이다. 그래서 신경세포와 신경세포 사이에 정보를 전달하는 누군가가 필요한데, 이것이 신경전달물질들이다. 즉, 뇌 연구자들은 뇌가 신경전달물질이라는 대표적인 화학물질을 어떻게 처리하는지에 관심을 두고, 혈액이나 소변, 타액, 뇌척수액을 분석하여 이러한 화학물질을 관찰한다. 또한 연구를 위해 특정 신경전달물질을 증가 또는 감소시키는 약물을 투여한 후, 해당 신경전달물질과 관련된 행동의 변화가 나타나는지 살펴보기도 한다.

신경전달물질 중 **도파민**(dopamine)과 **세로토닌**(serotonin)은 정서와 행동을 설명하는 데 유용하게 사용된다. 도파민은 중추신경을 홍분시키는 역할을 하며 몰입과 의욕, 유쾌한 정서와 관련되는 것으로 알려져 있다. 따라서 도파민이 부족할 때 의욕이 없고 무기력한 상태가 나타나는데, 우울하고 활동량이 적어지는 특징이 있는 파킨슨병이나 우울증의 경우는 도파민 부족과 관련이 있다. 반면, 조현병은 도파민 과잉과 관련이 있다. 그리고 세로토닌은 각성, 기분 조절, 수면 및 섭식 조절과 관련이 있다. 세로토닌이 부족할 때 스트레스를 경험하면 정서적으로 불안정해지고 우울, 불안이 나타나며, 세로토닌 부족은 과도한 식욕이나 불면증과도 관련된 것으로 보고된다. 이와 같은 뇌의 생화학적 활동과 인간 행동의 관련성에 대한 연구들은 이상 행동에 대한 약물치료에 유용하게 활용된다.

### 2) 뇌의 구조와 성격

뇌의 구조로 인간 행동의 다양성을 설명할 수도 있다. 뇌의 구조와 인간 행동의 관련성을 연구한다는 것은 뇌의 특정 영역의 크기나 무게의 개인차를 살펴보거나 어떤 종류의 세포가 어느 영역에서 많이 발견되는지를 살피는 것이다.

뇌를 해부하지 않고 구조를 들여다볼 수 있는 기술로는 **컴퓨터 단층촬영**(Computerized Tomography: CT)이 있다. 해상도가 높은 X선으로 뇌의 얇은 단면 사진을 여러 장 찍는 방법인데, 이로써 뇌 조직에서의 개인차를 볼 수 있다. **자기공명영상**(Magnetic Resonance Imaging: MRI)은 강한 자기장으로 원자핵을 공명하게 하여 서로 다른 농도의 수소 원자가 만들어 내는 다양한 공명 패턴으로 뇌의 다차원적 영상을 얻는다.

MRI를 이용하여 507명의 뇌를 살펴본 최근 연구(Riccelli, Toschi, Nigro, Terracciano, & Passamonti, 2017)에서는 성격의 5요인이 뇌의 특정 영역의 크기와 관련이 있다고 보고하였다. 구체적으로는 외향성이 높을수록 대뇌 두정엽(pre-cuneus)이 더 두껍고 상측두피질(superior temporal cortex)이 더 작았으며, 수용성이 높을수록 전전두피질(prefrontal cortex)이 더 얇고 방추상회(fusiform gyrus) 영역이 더 작았다. 이 외에도 성실성이 높을수록 피질(cortex)이 더 두껍고 전전두부위(prefrontal regions)가 더 작았다. 이와 같이 연구에서는 MRI를 이용하여 5요인과 뇌의 구조의 관련성을 검증하였다.

이 외에도 조현병 환자의 뇌와 정상군의 뇌를 비교했을 때, 조현병 환자군의 대뇌피질과 시상이 정상군에 비해 비정상적으로 축소되어 있는 것으로

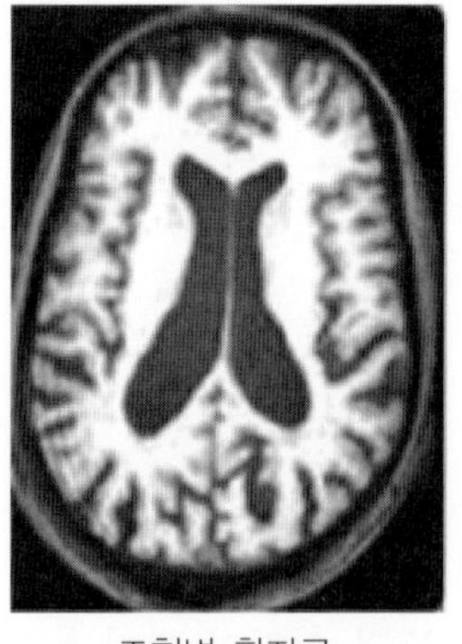
조현병 환자군

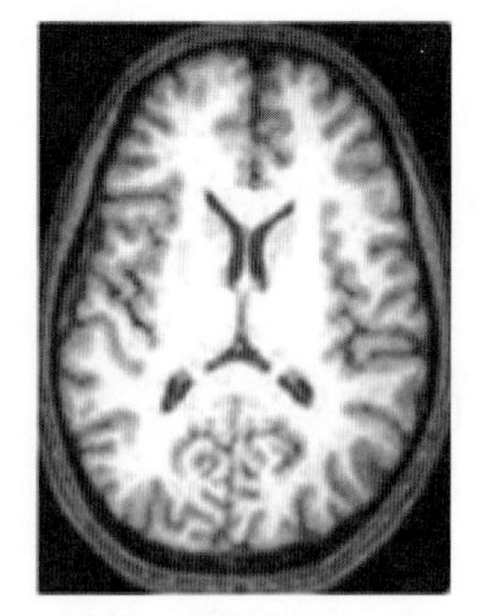
정상군

**[그림 7-1] 조현병 환자군과 정상군의 뇌 구조 차이**

출처: Anitha, Jyothi, & Rao (2016).

알려졌다. 사고 기능을 담당하는 대뇌피질과 감각 기능을 담당하는 시상 영역이 축소된 것이 조현병 환자가 보이는 망상과 환각 증상과 관련된 것으로 이해할 수 있다.

### 3) 뇌의 활동과 성격

뇌의 활동과 인간 행동의 관계를 살펴보자. 뇌가 고정되어 있지 않고 활동하는 동안 구조적인 변화가 일어나는 것을 관찰할 수 있다. 활동하는 뇌를 관찰하기 위해서 연구 대상자에게 다양한 자극을 제시하고 그동안 뇌의 활동을 다음과 같은 방법으로 모니터링한다.

두피에 전극을 심어서 뇌의 전기 활동을 관찰하는 **뇌전도**(electroencephalograph: EEG) 방법을 사용하여 자극에 반응하는 뇌의 활동을 살펴볼 수 있다. 또는 뇌에 방사성 포도당을 주입한 후 **양전자 방출 단층촬영**(Positron Emission Tomography: PET)을 실시한다. 뇌에서 활동하는 영역은 그렇지 않은 영역에 비해 포도당을 더 많이 소모하는데, PET는 컴퓨터를 통해 뇌 활동 수준에 따라 색깔이 다르게 나타나게 하여 뇌의 활동을 살펴보는 방법이다.

뇌의 활동과 성격의 관계를 살펴본 연구들에서 가장 활발하게 연구된 주제 중 하나가 외향성 및 내향성과 뇌의 관계에 대한 것이다. 외향성과 내향성의 차이는 대뇌피질의 생리적 각성 수준의 차이에 기인한 것으로 보고된다. 외향적인 사람들과 내향적인 사람들의 EEG를 측정했을 때 외향적인 사람들의 전두엽과 측두엽, 후두엽에서 뇌가 더 비활성화되어 있음이 발견되었다(Gale, Edwards, Morris, Moore, & Forrester, 2001). 이것은 외향적인 사람들과 내향적인 사람들이 자신에게 가장 적절한 각성 수준을 유지하기 위해 필요한 자극의 정도가 다르다는 가정을 뒷받침한다. 즉, 내향적인 사람들은 적은 자극에도 과잉 각성이 되지만 외향적인 사람들은 적정 각성 수준을 유지하기 위해 더 많은 자극이 필요한 것으로 보인다. 예컨대, 내향적인 사람과 외향적인 사람이 커플이 된다면, 내향적인 사람은 함께 조용한 서점에

가거나 단둘이 대화를 나누며 시간을 보내고 싶은 반면, 외향적인 사람은 시끌벅적한 시장을 거닐거나 여러 사람과 함께 파티를 하고 싶을지 모른다. 내향적인 사람에게 적절한 자극은 외향적인 사람에게는 너무 적게 느껴지고 외향적인 사람에게 적절한 자극은 내향적인 사람에게는 너무 많게 느껴질 것이다.

외향성과 내향성의 사회성 측면에서의 차이도 뇌의 활동으로 설명된다. 한 국내 연구(정봉교, 윤병수, 2013)에서는 자기보고식 검사로 외향성 집단과 내향성 집단으로 구분한 후 두 집단에게 사람의 얼굴 사진과 건물 사진을 각각 사회적·정서적 자극과 비사회적 통제자극으로 제시하였다. 각 자극에 대한 두 집단의 P300의 크기를 비교하였는데, P300은 뇌 활동의 전기생리학적 지표인 사건관련 전위(event-related response: ERP) 중 동기적으로 중요한 정보를 처리할수록 더 크게 나타나는 파형이다. 연구에서는 두 집단 모두 건물 사진보다 얼굴 사진에 대해 유의미하게 높은 P300을 나타내었는데, 이는 일반적으로 사람들은 사회적·정서적 자극에 대해 더 동기화됨을 시사한다. 그런데 통제자극인 건물 자극에 대해서는 두 집단 간 P300의 차이가 없었지만, 얼굴 자극에 대해서는 외향성 집단이 내향성 집단보다 더 높은 P300을 나타내었다. 이 결과는 외향성의 특징인 사회적 자극에 대한 높은 동기화가 신경 과정에서의 개인차 때문인 것으로 설명할 수 있을 것이다.

현재 뇌의 활동을 살펴보기 위한 가장 정밀한 방법은 **기능적 자기공명영상**(functional Magnetic Resonance Imaging: fMRI)이다. 뇌는 더 활발하게 활동하는 영역이 더 많은 산소를 소비하는데 이것을 컴퓨터상에서 여러 색깔로 나타낼 수 있는 것이 fMRI이다. 몇 해 전 드라마 〈마담 앙트완〉에서는 여자 주인공이 좋아하는 남자 주인공에게 fMRI 촬영을 하는 장면이 연출되었다. 자신에 대한 남자 주인공의 마음을 알아보겠다면서 그를 촬영 기계 속에 들어가게 하고 자신을 포함한 다양한 여자 연예인의 사진을 촬영 기계 속에서 순차적으로 제시했는데, 촬영 기계 속 남자 주인공은 각 사진들(자극)을 볼 때마다 뇌의 일정 영역에서 반응을 보였다. 제시된 자극에 대해 뇌가 반응하는 활동을 fMRI로 이미지화하는 것이다. 상대방의 머릿속을 들여다보고 싶은 우리의 마음을 대변한 연출이라고 생각되는데, 이것이 현실적으로 가능한 것일까?

fMRI가 뇌의 활동을 세포 단위로 정밀하게 보여 주기는 하지만, 자극에 반응하는 뇌의 활동이 약 1/1,000초의 순간에 해당하는 것에 반해 fMRI가 포착하는 혈류 속 산소의 소비에는 2초가량의 시간이 소요된다. 즉, 뇌가 자극에 대해 반응을 했다고 하더라도 fMRI가 포착한 뇌의 영역이 정확히 실제로 반응한 영역이라는 보장은 없다. 따라서 이러한 방법으로 상대방의 마음을 확인하려는 시도는 오류가 있을 수 있다. 무엇보다 fMRI로 상대방의 마음을 들여다보려는 시도는 비용 측면에서 비현실적이다. 이처럼 고가의 장비를 사용할 바에야 상대에게 마음을 직접 물어보는 편이 훨씬 현실적일 것이다. 이전 장에서 언급한 적절한 면접 기술을 갖고 있다면 더욱 좋겠다. 고비용은 fMRI를 이용한 연구들이 다수의 피험자를 사용할 수 없는 이유이기도 하다. 그리고 피험자 수가 적은 연구는 신뢰도가 낮다는 점에서 fMRI를 이용하여 인간의 행동을 이해하려는 시도는 현재로서는 제한점이 있는 것도 사실이다.

뇌와 인간 행동의 관계에 대한 연구를 통해 인간 행동의 많은 부분이 뇌의 구조나 활동과 관련된다는 것이 알려졌다. 이런 보고들은 일견 우리의 행동은 뇌에 의해 결정되어 있어서 마치 후천적으로 변화가 불가능함을 시사하는 것처럼 보이기도 한다. 그런데 주목할 것은 뇌는 후천적 경험으로 변화가 가능하다는 것이다. 우리는 모두 뇌를 갖고 있다는 점에서 동일하지만, 각자가 가진 뇌 속 뉴런의 연결 패턴에 따라 각기 다른 행동 패턴을 보인다. 그리고 반복적인 경험을 통해 뉴런은 연결 패턴이 달라지기도 하고 강화되기도 한다. **체계적 둔감화** 기법으로 특정 공포증을 치료하는 과정을 뉴런의 재구성으로 설명할 수 있다. 공포 자극에 대해 공포 반응을 유발하도록 연결되어 있던 뉴런이 반복적인 경험을 통해 공포 자극에 대해 편안한 반응을 하도록 재구성되는 것이 치료의 과정이다. 상담이나 심리치료 전후의 뇌 활동의 변화에 대한 연구들도 후천적 경험이 뇌의 구조 및 활동을 변화시킨다는 것을 보여 준다.

## 2. 성격과 유전

2011년에 차두리 선수가 득남을 했다는 소식이 전해졌을 때 국민들의 주된 관심사는 '차두리 선수의 아들이 축구선수가 될까?'였다. 더 정확히 말하자면 '차두리 선수의 아들은 얼마나 훌륭한 축구선수가 될까?'를 궁금해했고, 3대 국가대표 축하를 미리 전하는 사람들도 있었다. 그럼 우리도 함께 생각해 보자. 차두리 선수의 아들은 대를 이은 훌륭한 축구선수가 될 것인가? 만일 그렇다면 왜? 우선적으로 떠올릴 수 있는 요소는 이 아이가 타고났을 유전자이다. 신생아 때부터 긴 팔다리를 가진 것으로 알려졌고, 아마도 근육량이나 운동신경 등에 있어서 축구선수에 적합한 조건을 물려받았을 가능성이 크다. 그렇다면 이미 이 아이는 '타고난' 훌륭한 축구선수인 것이다.

그렇지만 우리는 이 아이가 접할 환경도 살펴볼 필요가 있다. 이 아이가 살면서 받게 될, 어쩌면 맨 처음 받게 될 장난감은 아마도 축구 관련 용품일 것이고, 이 아이가 어쩌다가 발차기를 한 번 하면 가족을 포함한 주변 사람들은 "우와~!" 하며 주목할 것이다. 게다가 아이의 출생 시에 이미 할아버지

[그림 7-2] 차범근 선수의 손자가 훌륭한 축구선수가 된다면 왜일까?

가 트레이닝 계획표를 짜 놓았다는 세간의 소문도 있고, 만일 그렇다면 이미 환경적으로 훌륭한 축구선수의 조건을 갖고 있다고 볼 수 있다.

결국 차두리 선수의 아들이 훌륭한 축구선수가 된다면 그 원인은 유전과 환경 모두에 있을 것이다. 생물학적으로 준비된 축구선수일 가능성이 매우 높지만, 환경은 그 유전적 소인이 발현될 수 있는 기회를 제공한다. 이 절에서는 성격에 대한 생물학적인 관점을 살펴볼 텐데, 이를 위해 우선 성격에 대한 유전의 영향을 생각해 볼 필요가 있다. 우리의 성격은 생물학적 부모로부터 얼마나 물려받게 된 것일까?

## 1) 유전 연구방법

성격에 대해 유전이 얼마나 강력한 영향력을 갖는지를 살펴보는 것은 사실 그리 쉬운 일이 아니다. 부모와 똑같은 행동을 하는 아이가 있더라도, 우리는 결코 그 아이가 생물학적으로 그러한 성격을 물려받았기 때문이라고 단정 지을 수 없다. 사실 그 아이는 부모의 유전자를 물려받기도 했지만 대부분의 경우는 부모가 제공하는 환경 속에서 성장했다. 말하자면 그런 성격의 유전자를 물려받는 것인지 또는 부모의 모습을 보고 배운 것인지 명확하게 구분 지어 설명할 수가 없는 것이다.

어떤 현상이 나타났을 때 A가 그것의 원인인지를 살펴보려면, 다른 조건들은 모두 동일하지만 A라는 조건에서만 다른 두 집단을 비교해 보면 알 수 있다. 예컨대, 소개팅 후 연애로 이어지는 현상에 외모가 원인이 될 수 있는지를 살펴보려면, 사회적 지위, 성격 등이 모두 동일하지만 외모만 다른 두 집단(멋진 외모 대 부족한 외모)을 비교해서 소개팅 후 연애로 이어지는 비율에 차이가 있는지 살펴보면 될 것이다. 그렇다면 유전이 성격에 영향을 주는지 살펴보려면 다른 조건은 동일하지만 유전에 있어서 차이가 있는 두 집단을 비교하는 것이 필요할 것이다. 이때 유용하게 사용되는 연구방법이 쌍생아 연구이다.

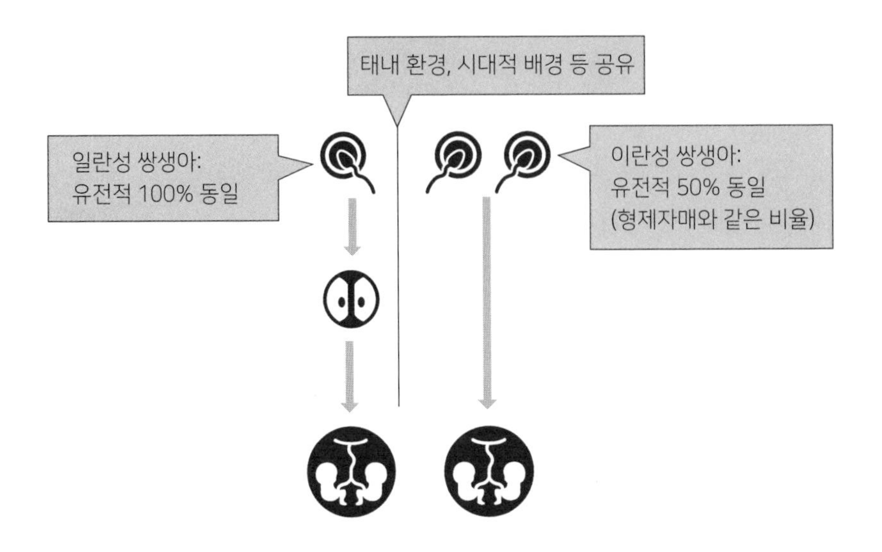


[그림 7-3] 일란성 쌍생아와 이란성 쌍생아

**쌍생아 연구**는 일란성 쌍생아와 이란성 쌍생아의 성격을 측정하여 각 쌍끼리 성격이 얼마나 유사한지를 살펴보는 방법이다. 일란성 쌍생아는 하나의 수정란이 두 개체로 분리된 것으로, 유전적으로는 100% 동일하다. 이와 달리 이란성 쌍생아는 2개의 독립적인 수정란이 쌍생아로 태어난 것으로, 유전적으로는 50% 동일하다(이는 생물학적인 형제자매와 같은 비율이다). 그러나 일란성 쌍생아와 이란성 쌍생아는 동일한 태내 환경을 공유했으며 동일한 부모가 제공하는 가정환경을 경험하고 동일한 시대적 배경을 공유한다. 말하자면 태내에서 어머니의 영양 상태며 심리적 상태를 함께 경험했을 것이고, 동일한 사회경제적 지위와 부모의 양육태도를 경험했을 것이다. 또한 의무교육 환경, 고입이나 대입을 치르는 방법, 또래 문화, 전쟁, IMF 사태 등의 시대적 배경을 공유하게 된다. 그런 점에서 일란성 쌍생아와 이란성 쌍생아는 유전적 유사성이라는 조건에서는 다르지만 다른 조건들은 비교적 동일하다고 볼 수 있다.

일란성 쌍생아와 이란성 쌍생아가 서로의 쌍둥이 형제와 얼마나 유사한지에 대해 보편적으로 알려진 바는 다음과 같다. 우선, 일반 능력의 측면에서 일란성 쌍생아가 $r$=.86의 상관을 보인 반면 이란성 쌍생아는 $r$=.62의 상관을 보였다. 서로 다른 두 사람 간의 심리적 특성이 $r$=.62의 상관을 보인다는 것은 거의 있을 수 없는 일이며, 유전적으로 50%이든 100%이든 공유한 사람들이기에 가능한 수치이다. 성격 측정치들에 대해서는 일란성 쌍생아는 $r$=.50, 이란성 쌍생아는 $r$=.28의 상관을 보였다. 즉, 유전적으로 일란성 쌍생아 형제들 사이의 성격이 이란성 쌍생아 형제들 사이의 성격보다 더 많이 닮았다는 것이다. 그런데 이상이나 흥미에 있어서는 일란성 쌍생아는 $r$=.37, 이란성 쌍생아는 $r$=.20의 상관을 보였다. 이는 성격에서 나타난 상관보다 전반적으로 낮은 상관계수이다.

이러한 수치들이 알려 주는 것은 다음과 같다. 우선, 유전은 다양한 특성에 영향을 미치는 것으로 보인다. 많은 측정치에서 일란성 쌍생아의 형제간 유사성이 이란성 쌍생아의 경우보다 더 높은 것으로 보고되었다. 즉, 유전적 유사성이 높을 때 특성들이 더 유사함을 알 수 있다. 또한 특성의 영역에 따라 유전이 영향을 미치는 정도가 다르다는 것이다. 일란성 쌍생아의 형제간 유사성은 일반 능력에서 가장 높았고, 성격특성이나 이상 및 흥미는 상대적으로 유사성이 낮게 나타났다. 이는 유전의 영향이 일반 능력에서는 매우 큰 반면 이상이나 흥미에서는 작음을 보여 준다.

일란성 쌍생아와 이란성 쌍생아의 비교 연구에서는 기본적으로 쌍생아들이 공유하는 환경 조건이 동일하다고 가정한다. 그런데 정말 그럴까? 태내 환경과 시대적 조건은 동일하다고 치더라도 세상은 쌍생아들을 완전히 동일하게 취급하지 않는다. 이란성 쌍생아라면 그들의 외모나 성격이 다를 것이고 성별이 다를 수도 있다. 일반적으로 부모를 포함한 세상은 아이들의 성격이나 외모, 성별에 따라 다른 반응을 보이며, 이것은 아이들에게는 다른 환경을 조성한다. 일란성 쌍생아의 경우는 이러한 환경의 차이가 덜하겠지만, 그들 사이에도 형과 아우라는 출생순위가 존재하고, 이러한 출생순위는 아이들에게 다른 환경을 제공한다. '5분 먼저 태어나도 형은 형'이라며 세상은 그 아이를 형으로 대한다.

그렇다면 일란성 쌍생아와 이란성 쌍생아를 비교하는 연구만으로는 유전의 영향을 말하기에는 부족하다. 성격에 대한 유전의 영향을 살펴보기 위해 A라는 조건만 다르고 다른 조건은 모두 같은 경우를 찾아볼 필요가 있다. 이번에는 환경 조건은 다르고 유전 조건이 동일한 경우를 살펴보자. 예컨대, 태어나서 곧바로 다른 곳으로 입양된 일란성 쌍생아의 경우라면, 유전적으로는 100% 동일하지만 환경적으로는 다르다. 이들 쌍생아 형제 사이에 유사성이 발견된다면 그것은 유전의 영향으로 보아도 될 것이다.

떨어져서 양육된 쌍생아 사이의 유사성을 살펴본 대규모 연구에서는 이들 사이의 높은 유사성을 보고하였다. 연구를 위해 수집된 정보에 의하면 이들은 키와 몸무게가 유사하고 신체 증상과 성격검사 결과도 유사하게 나타났다. 음주나 흡연 습관, 선호하는 음식 등에서도 유사성이 나타났고, 심지어 결혼 횟수나 자녀 수에 있어서도 유사한 것으로 나타났다. 서로 다른 환경에서 양육된 쌍생아들을 연구한 결과, 부샤르 등(Bouchard et al., 1990)은 지능의 70%, 성격의 50%가 유전의 영향이라고 보고하였다.

연구와 별개로, 생후 3개월 만에 각각 미국과 프랑스로 입양되었다가 페이스북을 통해 서로의 존재를 알게 된 한인 쌍둥이 자매들의 이야기가 〈트윈스터즈〉라는 영화로 소개되었다. 둘 다 유당불내증(lactose intolerance)을 갖고 있으며 그렇지만 치즈를 너무 좋아해서 고민이라고 말한다. 말하자면 서로 다른 환경에서 양육된 쌍생아는 신체 증상이나 음식 선호에서 유사성이 나타난다. 사람들은 자연스럽게 두 사람 사이의 유사성을 발견하려고 애쓰게 된다. 연구들을 토대로 하자면 두 사람의 지능은 70% 정도, 성격은 50% 정도 비슷할 것으로 예상된다. 그중 성격에 대해 이야기하자면, 그 50%의 성격이란 무엇일까? 다시 말하자면, 이들이 동일한 유전자 때문에 공유하게 된 성격은 어떤 것들일까?

[그림 7-4] 25년 만에 만난 〈트윈스터스〉의 주인공들

## 2) 유전되는 성격

환경의 영향을 받지 않은 날 때부터 타고난 성격을 기질이라고 한다. 즉, 유전자 때문에 갖게 되는 성격을 기질이라고 할 수 있다. 이 기질이 특정 환경을 만나서 이리저리 갈고 닦여서 현재 드러나게 된 특성을 성격이라 한다. 그러니 지금부터 할 이야기는 유전되는 성격, 즉 기질에 대한 이야기이다.

타고난 기질이라는 것이 정말 있을까? 사실 성격에 대한 환경의 영향이 큼을 강력하게 주장하는 사람들이라면 기질이라는 것은 그다지 중요하지 않고 어떤 환경이 제공되는지로 모든 성격을 설명할 수 있다고 말할 것이다. 그러나 우리 주위에서 가끔 접할 수 있는, 임신 중인 엄마의 뱃속의 아이를 생각해 보자. 실제로 엄마 뱃속에서 얌전히 노는 아이가 있는가 하면 태동을 심하게 하는 활동적인 아이도 있다. 뱃속에서 얌전히 있다가도 엄마가 배를 톡톡 두드리면 손인지 발인지 모를 것으로 툭툭 반응하는 아이가 있고, 반대로 활발히 놀다가 외부에서 자극이 오면 가만히 있는 아이도 있다. 아직 환경의 영향을 받지 않은 태아의 이러한 특성은 그 아이의 기질을 반영한 것으로 보아도 무방할 것이다.

기질에 해당하는 대표적인 특성으로 정서성과 사교성, 활동성이 있다. **정서성**은 정서적 경험에 대해 생리적으로 쉽게 각성되는 정도를 말한다. 슬픈 이야기를 듣거나 영화를 보면 어떤 사람은 가슴이 싸해지는 정도의 슬픔을 느끼는 데 반해 어떤 사람은 가슴이 찢어지는 슬픔을 느낀다. 화가 날 때도 조금 성가신 정도로 각성이 되는 사람과 뚜껑이 열릴 정도로 화가 치밀어 오르는 사람으로 나뉠 수 있다. 정서성에 대해서는 일반적으로 부정적 정서 경험에 대해 생리적으로 얼마나 쉽게 각성되는지로 설명을 하지만, 긍정적인 정서에 대해서도 쉽게 각성되는 정도가 기질적으로 차이가 있다고 보기도 한다. 여하튼 정서적인 자극에 대해서 작은 자극에도 쉽게 강하게 반응하는지 또는 웬만큼 큰 자극이 아니면 반응을 하지 않는지는 유전적으로 타고난다고 볼 수 있다.

**사교성**은 다른 사람과 상호작용을 추구하는 정도이다. 옆에 다른 사람이 있을 때 그 사람에게 관심을 갖고 이야기를 나누고 싶어 하는 정도는 사람마다 다르다. 함께 놀이방에 간 두 아이가 다투다가 엄마에게 호소하는 말을 들은 적이 있다. A는 B에 대해 "재는 자기가 하고 싶은 대로만 하려고 해." 하고 B는 A에 대해 "재는 같이 와서 나랑 안 놀아." 한다. A는 친구와 관계없이 놀잇감을 중심으로 놀이를 하려는 아이이고, B는 어떤 놀잇감으로 놀 것

[그림 7-5] 정서성, 사교성, 활동성은 타고난 기질로 알려져 있다

인지보다 친구와 상호작용하는 것을 즐기는 아이이다. 그러니 A는 B가 "우리 이거 하자."라고 제안하는 것이 자기 마음대로 하려는 것으로 보일 것이다. '하고 싶으면 혼자 하면 될 텐데'라고 생각하면서. B는 A가 자기에게 말도 없이 다른 놀잇감으로 옮겨 가는 것이 자기를 거부하는 것으로 느껴졌을 것이다. 이 둘은 기질적으로 사교성 측면에서 차이가 있는 것으로 이해할 수 있다.

**활동성**은 개인의 전반적인 에너지 수준이다. 우리 주위에는 동작이나 목소리가 크고 일단 움직이고 보는 사람이 있는가 하면 동작과 목소리도 작으면서 움직임이 거의 없는 사람이 있다. 어린 아기들이 모여 있는 곳에 가 보면 활기차게 파닥거리며 돌아다니는 아기가 있는가 하면 얌전히 앉아 있는 아기가 있다. 태아의 경우에도 끊임없이 움직이는 태아가 있는가 하면 얌전한 태아가 있다. 즉, 다양한 장면에서 표현되는 전반적인 에너지 수준은 타고난 성격, 기질인 것으로 보인다.

정서성과 사교성, 활동성이 기질에 해당한다는 말은 태어날 때부터 개인이 얼마나 정서적이고 사교적이고 활동적인지가 어느 정도 결정되어 있다는 것으로 이해할 수 있다. 그런데 '어느 정도'라고밖에 표현할 수 없는 것은 타고난 기질들이 어떤 환경에 노출되는지에 따라 더 강화가 되거나 소거가 될 수 있고, 따라서 어떤 사람의 현시점에서의 정서성, 사교성, 활동성 정도 역시 환경의 영향을 완전히 걸러서 고려할 수는 없기 때문이다. 사실 우리의 성격들 중 이것과 이것은 반드시 유전되고 저것과 저것은 반드시 환경에 의해 결정된다고 짚어 낼 수 있으면 상당히 편리할 것이다. 그러나 안타깝게도 학문적으로는 성격에 대해 그렇게 명확하게 구분하는 것이 불가능하며, 다행스럽게도 현실적으로는 그렇기 때문에 인간은 언제나 변화할 수 있는 새로운 기회를 갖는 것이다.

## 3. 유전이냐 환경이냐

우리 성격의 어느 부분이 얼마만큼 유전적으로 타고난 것인지를 알아보기 위해 다양한 시도가 있었고, 유전의 영향을 많이 받는 것으로 알려진 몇 가지 요소가 제안되기도 했다. 그러나 지금까지 살펴본 것처럼 성격이란 어떤 영역에서 몇 퍼센트가 유전의 영향이라고 단정 지어 말할 수 있는 성질의 것이 아니다. 그러니 이쯤에서 성격에 영향을 미치는 것이 유전이냐 환경이냐 하는 논의는 접어 두고, 성격에 영향을 미치는 유전과 환경의 관계를 살펴보는 것이 필요하겠다.

### 1) 환경에 대해 생각할 점

앞서 쌍생아 연구를 소개하면서 일란성 쌍생아는 태내 환경 및 가정적·시대적 환경을 공유하는 것으로 가정한다고 설명했다. 그렇다. '가정한다'는 말은 그렇지 않을 가능성도 있음을 염두에 둔 표현이다. 그리고 앞에서 설명한 것처럼 일란성 쌍생아라 하더라도 둘을 대하는 가족이나 사회의 태도는 다를 수 있다. 일란성 쌍생아를 예로 드는 이유는 같은 날, 같은 시간에 같은 신체적 조건으로 태어났음에도 불구하고 그들이 접하는 환경이 다를 수 있음을 강조하기 위해서이다. 일란성 쌍생아가 경험하는 환경이 다르다면 이란성 쌍생아이거나 일반 형제자매라면 같은 집에서 같은 부모 밑에서 자라더라도 그들이 경험하는 환경이 다른 것은 당연하다.

가정 내에서의 물리적 환경이 동일하더라도 그 속에서 개개인이 경험하는 환경은 다를 수 있다. 이처럼 한 개인이 주관적으로 경험하는 환경을 **심리적 환경**이라 한다. 일란성 쌍생아라 하더라도 첫째 아이로 태어난 아이는 첫째 취급을 받는다. 아들을 선호하는 집에서 태어난 딸은 같은 가정환경 내에서도 오빠나 남동생과는 다른 심리적 환경에 처하게 될 것이다. 같은 성별과 비슷한 연령대를 갖고 자라더라도 어린 시절에 심각한 질병을 앓았다면 그 아이는 부모로부터 더욱 허용적인 양육을 받았을 수 있다. 인간의 성격을 형성하는 데는 그 사람이 처했던 물리적 환경만큼이나 심리적 환경이 중요한 영향을 미친다. 사실 성격 형성에서 물리적 환경이 중요한 이유는 물리적 환경이 심리적 환경을 형성하는 데 일조하기 때문으로 보이며, 성격에 직접적으로 영향을 주는 것은 심리적 환경이라고 보아도 과언이 아니다.

그러니 흔히 말하는 것처럼 "같은 집에서 같은 부모 밑에서 자랐는데……."라는 말로 그 개개인이 접했던 환경이 동일할 것이라고 가정하는 것은 성격을 이해하는 데 큰 장애가 된다. 같은 가족 내에서도 각자가 경험하는 심리적 환경은 매우 상이하며, 개인의 성격에 대한 환경의 영향을 이해하기 위해서는 심리적 환경을 고려하는 것이 마땅할 것이다. 차두리 선수의 아들이 축구선수가 되기에 매우 좋은 물리적 환경을 타고난 것은 분명하지만, 그 아이가 경험하는 심리적 환경은 물리적 환경만으로 추측할 수는 없을 것이다. 만에 하나 뛰어난 축구선수인 할아버지와 아버지 앞에서 선수로서의 자신감을 잃는다면, 그 아이의 환경은 축구선수가 되기에 심리적으로는 좋은 환경이 아닐 수 있을 것이다.

그런데 동일한 물리적 환경에 처하더라도 그 환경을 심리적으로 어떻게 경험하는지에는 그 아이의 유전된 기질이 작용을 한다. 아이를 양육하는 어머니들의 이야기를 들어 보면, "큰애는 그러지 않았는데 작은애는 그렇다."라는 말들을 자주 듣게 된다. 예컨대, 큰아이는 기저귀가 젖어 있어도 생글생글 웃으며 잘 놀았는데 작은아이는 조금만 불편하면 마구 울어 댔다는 등의 이야기들을 종종 들을 수 있다. 두 아이를 대하는 어머니의 초기 양육태도가 동일했다고 가정한다면, 이런 일화들은 아이들마다 동일한 환경에 대해 심리적으로 경험하는 것이 다름을 시사한다. 똑같은 외부 환경에 대해 낮은 정서성을 타고난 아이는 별 불편함 없이 지나가지만 정서성이 높은 아이는 크게 불편함을 느낄 수 있다는 것이다.

### 2) 유전에 대해 생각할 점

일반적으로 우리는 '그건 유전이다'라고 하면 그 특성은 바뀔 수 없는 것이라고 간주하는 경향이 있다. 엄밀히 말하면 성격의 측면에서 100% 유전에 기인하는 것은 아직 발견된 바가 없고, 그렇다면 성격에 대해서는 '유전의 영향이 크다'라고 표현하는 것이 더 정확할 것이다.

그렇다고 해서 '유전의 영향이 크다'는 것이 그 특성이 불변한다는 것을 의미하는 것은 아니다. 타고난 특성, 즉 기질로 알려진 활동성의 예를 들어 보자. 사실 한 사람이 얼마나 활동적인지는 기질, 즉 유전자의 영향으로 알려져 있지만, 현재 드러나는 활동성 정도는 타고난 정도와 다를 수 있다. 예컨대, 기질적으로 높은 활동성을 타고난 사람이 있더라도 그 사람이 접하는 환경이 높은 활동성을 인정하거나 강화하지 않는 곳이라면, 현재 그 사람의 성격은 그리 활동적이지 않을 수 있다. 아이가 아버지의 높은 활동성을 유전적으로 이어받았지만 어머니는 너무나 활동적인 아이가 버겁고 그런 활동성을 반기지 않는다면, 그 아이는 타고난 기질보다 차분한 성격이 될 수 있다. 따라서 기질적으로 높은 활동성을 타고났다는 것은 활동성에 있어서 성격의 출발점을 말하는 것이지 현재의 성격을 보여 주는 것은 아니다.

말하자면 '어떤 어떤 특성은 유전된다'는 성격 요인들에 대해서 우리는 그러한 특성은 우리가 태어날 때 어느 정도의 수준으로 정해진다는 의미로 이해해야 할 것이다. 그리고 그러한 특성은 살면서 다소 변화하게 된다. 그런 점에서 어떤 특성이 유전된다는 것은 그 특성이 고정불변한다는 의미로 이해하기보다는 그 출발점이 유전되는 것으로 보는 것이 타당하다. 그리고 성격특성이 출발점에서 얼마나 멀리까지 변화하는지에는 환경이 작용한다는 것을 염두에 둘 필요가 있다.

## 3) 유전과 환경의 상호작용

앞서 성격에 대한 환경의 영향을 고려할 때 환경을 지각하는 유전자의 작용을 염두에 둘 필요가 있다고 언급했다. 또한 성격에 대한 유전의 영향을 고려할 때에는 성격특성이 출발점을 중심으로 얼마나 변화하는지에는 환경이 작용한다고 했다. 그렇다면 결국 성격에 대해서는 유전과 환경이 상호작용하는 것으로 이해해야 할 것이다. 이제 유전과 환경이 서로 어떻게 영향을 주고받는지 구체적으로 살펴보도록 하자.

### (1) 유전이 환경에 미치는 영향

유전이 환경에 미치는 영향을 살펴보면 다음과 같다. 첫째, 유전된 것으로 인해 특정 환경이 제공되어 성격을 형성하는 것으로 보인다. 말하자면, 어떤 특성이 유전되었다면 그 특성으로 인하여 주변 환경이 특정한 방식으로 반응하게 되고, 그러한 환경의 반응이 성격을 형성하는 데 일조한다. 앞서 이야기했던 입양된 쌍생아의 성격을 예로 들어 보자. 태어나서 곧장 입양되었던 일란성 쌍생아 사이에서는 직업, 선호하는 색상, 사진 포즈 등에서 많은 유사성이 발견되어 유전의 위대함을 입증하는 증거로 회자되었다. 그런데 이들의 성격적인 유사성이 반드시 유전된 것이라고 보기는 어렵다. 분명한 것은 이들이 동일한 외모를 타고났다는 것인데, 만일 이들이 작은 얼굴과 큰 키, 마른 몸이라는 외모를 공유한다면 이들은 주변 사람들로부터 외모에 대해 받는 반응이 비슷했을 것이다. 예상컨대, 이들은 어떤 옷이든 잘 어울렸을 것이고 옷을 잘 차려입는 것에서 즐거움을 느꼈을 가능성이 크다. 그렇다면 이들이 패션에 높은 관심을 갖는다는 공통된 특성이 있을 때, 이것을 유전된 특성이라고 보기는 어렵다. 그보다는 유전으로 인해 환경이 특정 방식으로 반응했기 때문에 형성된 특성이라고 보아야 할 것이다.

[그림 7-6] 유전된 특성은 환경의 반응을 유발하고, 환경의 반응은 성격 형성에 영향을 준다

유전된 특성이 환경으로 하여금 특정 반응을 유발하고, 환경의 반응이 성격 형성에 영향을 주는 또 다른 예로 기질을 들 수 있다. 높은 정서성은 특히 불쾌한 정서를 예민하게 느끼는 정도를 말한다. 높은 정서성과 높은 활동성을 유전적으로 타고난 아이는 불쾌한 정서를 예민하게 느낄 뿐 아니라 크게 표현한다. 예컨대, 조금만 불편해도 집이 떠나가도록 크게 울어 대는데, 이러한 유전적 특성은 양육자의 혼을 쏙 빼놓아 신경질적인 반응을 유발할 것이다. 반면에 불편한 자극에 둔감하며 활동적이지 않은 아이는 상대적으로 양육자를 편안하게 하고 안정되게 한다. 그리고 이러한 신경질적이거나 안정된 양육자(환경)의 반응은 아이의 성격 형성에 영향을 미친다. 결국 유전은 환경의 반응을 유발하고, 유발된 환경의 반응이 성격 형성에 영향을 준다고 볼 수 있다.

둘째, 우리는 유전적으로 끌리는 쪽으로 환경을 선택하며 선택된 환경이 성격 형성에 영향을 준다. 즉, 우리의 유전자는 환경의 반응을 끌어낼 뿐 아니라 환경을 선택하기도 한다. 활동성이 높은 사람은 쉬는 날이면 집 안에서 조용히 시간을 보내기보다는 밖으로 나가 운동을 할 것인데, 그 사람이 만약 사교성도 높다면 운동 모임을 조직하거나 모임에 참여할 것이다. 그 모임에서 만나는 사람들은 대체로 사교적이고 활동적인 사람들일 것이며, 이들은 새로운 운동법이나 놀이방법에 대해 이야기를 나누거나 왕성하게 일하는 삶에 대한 긍정적인 면들을 이야기할 것이다. 결국 우리는 유전적으로 선호하는 환경을 선택하고, 그 사람이 선택한 환경은 다시 그 사람의 성격 형성 및 유지에 영향을 준다.

### (2) 환경이 유전에 미치는 영향

심리적 장애 중 우울장애는 현대인들에게 매우 익숙하면서도 유병률이 높은 질병이다. 그리고 우울장애는 유전의 영향을 받는 것으로 알려져 있고 우울증 유전자를 규명하는 연구도 진행되고 있다. 그렇지만 앞서 언급한 것처럼 '유전의 영향을 받는다'는 것은 부모가 우울장애를 앓는다면 자녀도 우울장애를 앓는다는 것을 의미하지 않는다. 다만 어떤 특성이 유전된다고 하면 그 특성이 나타날 확률이 상대적으로 높다고 이해하는 것이 더 정확하다.

유전적으로 어떤 특성을 갖고 있을 때 그 특성이 드러날 환경까지 제공된다면 그 특성은 외현적으로 드러나게 된다. 우울장애의 예에서 만일 어떤 사람이 우울증 유전자를 가지고 있다고 하더라도 그 사람이 경험하는 세상이 안전하고 따뜻하고 성공적이라면 그 사람은 우울장애를 겪지 않고 삶을 살 수 있다. 그러니 특정 유전자를 갖고 있다는 것은 그 특성이 드러날 가능성을 갖고 있음을 의미한다. 그리고 그 특성을 드러나게 하는 것은 환경의 몫이다.

**[그림 7-7]** 환경은 유전자의 발현에 영향을 준다

외향적인 기질을 유전적으로 타고난 사람이 오랜 시간 정적인 환경에서 지낸다면 타고난 외향성이 드러나지 않을 수 있다. 타고난 외향성이 그대로 드러나기 위해서는 그 사람이 경험하는 환경이 외향성을 드러내기에 적절해야 할 것이다. 우울증 유전자가 작동해서 우울장애로 가기 위해서는 적절히 우울한 사건들을 겪어야 하는 것과 마찬가지이다. 비유하자면 성격에 있어서 유전자가 어떤 특성의 스위치라면 환경은 그 스위치를 켜는 역할을 한다. 환경은 유전자의 발현에 영향을 준다고 볼 수 있다.

## 4) 평가와 적용

### (1) 생물학적 요인으로 성격을 평가하는 것에 대하여

뇌가 인간의 인지, 정서, 행동과 어떻게 관련되는지 살펴보기 위해 뇌를 들여다보는 다양한 방법에 대해서는 이미 이 장의 앞부분에서 소개를 했다. 다시 정리하자면, 연구자들은 체내 신경전달물질을 관찰하기 위하여 혈액이나 소변, 타액, 뇌척수액을 분석한다. 컴퓨터 단층촬영(CT)이나 자기공명영상(MRI)을 사용하여 뇌의 구조를 살펴볼 수도 있다. 그리고 뇌의 활동을 살펴보기 위해서는 뇌전도(EEG), 양전자 방사 단층촬영(PET), 기능적 자기공명영상(fMRI) 등을 사용한다. 이 외에도 생물학적으로 타고난 기질을 자기보고식으로 측정할 수 있는 TCI(Temperament and Character Inventory)가 있는데, 이에 대해서는 제2장(특질로 성격 보기)에서 설명한 바 있다.

성격과 관련된 생물학적 요인을 측정하는 방법은 앞서 소개한 것으로 대신하고, 여기에서는 생물학적 요인을 성격과 연관 짓는 관점에 대해 생각해보자. 앞서 소개한 성격에 대한 다양한 관점, 즉 정신역동적 관점, 내적 경험을 토대로 한 관점, 사회인지적 관점, 행동주의적 관점은 각각의 관점에서 성격을 평가 또는 측정하는 방법들이 제시되어 있다. 엄밀히 말하자면, 성격에 대한 '평가'와 '측정'은 동일한 개념이 아니다. 평가가 개인의 성격에 대한 총체적이고 입체적인 설명이라면, 측정은 이러한 설명의 근거가 되는 점수화를 말한다. 앞서 소개한 관점들은 각각의 관점에서 성격 지표를 측정하고 동일한 관점에서 이 측정을 근거로 개인의 성격을 평가할 수 있다. 예컨대, 무의식적 동기의 정도를 측정하고, 이를 근거로 정신역동적 관점에서 성격을 묘사할 수 있다.

그런데 이 장에서 소개한 성격에 대한 생물학적 관점은 어떤 생물학적 측정치가 어떤 인지, 정서, 행동과 관련되는지를 살펴보는 데 주안점이 있으며, 생물학적 요인에 대한 측정 결과만으로 개인의 성격을 평가하려는 태도를 취하지는 않는다. 즉, 투사검사 결과 이러저러한 점이 발견되어 자기애적 성격으로 평가될 수는 있지만, 도파민 수치 측정 결과 높은 도파민 수치가 발견되어 기쁨이나 즐거움을 많이 느끼는 성격이라고 평가하지는 않는다. 여기에는 여러 가지 이유가 있겠지만, 생물학적 요인과 인간 행동의 관계에 대한 연구가 아직 풍부하게 축적되지 않은 것이 한 이유일 것이다. 또한 혈액검사나 fMRI 등을 사용하여 생물학적 요인을 측정하는 것은 앞서 소개한 인지, 정서, 행동을 측정하는 것에 비해 더 큰 비용이 요구된다. 따라서 생물학적 요인을 통해 성격을 평가하려는 시도는 경제적이지 않다. 아무튼 여러 가지 이유로 생물학적 요인을 측정하여 성격을 평가하려는 시도는 현재로서는 효율성이나 효과성 측면에서 바람직하지 않아 보인다.

일각에서 혈액형이나 지문 등으로 성격을 평가한다는 광고나 안내문들이 있기는 하지만, 과학으로서 성격심리학을 소개하는 이 책에서 언급할 내용은 아닌 것으로 판단된다. 이 장에서 소개한 성격과 관련된 생물학적 요인을 측정하는 방법들을 기억하고, 앞으로 과학적 연구들에서 이러한 측정치들이 성격의 어떤 측면과 관련된다고 보고하는지를 유심히 살펴보는 것이 성격에 대한 생물학적 관점을 이해하는 데 도움이 될 것이다.

### (2) 적용

일관된 행동 패턴을 생물학적 요인과 관련된 것으로 이해하는 관점은 약물을 사용하여 인지, 정서, 행동을 적절하게 교정하는 데 유용하다. 약물치료는 문제가 되는 행동과 관련된 물질의 양을 약물을 사용하여 늘리거나 줄이는 작용을 함으로써 문제 행동을 조절한다. 일례로 **주의력결핍 과잉행동장애**(Attention Deficit Hyperactivity Disorder: ADHD)의 경우, 체내 도파민과 노르에피네프린이 부족한 것이 원인 중 하나로 알려져 있다. 도파민은 쾌감과 관련된 신경전달물질로 알려져 있는데, 주의력을 관장하기도 한다. 노르에피네프린 역시 집중력을 증가시키는 역할을 한다. 따라서 ADHD 치료를 위한 약물 중 메틸페니데이트는 도파민과 노르에피네프린의 양을 증가시킴으로써 ADHD 증상을 완화시켜 준다.

또는 일상에서 개인의 성격을 이해하기 위해 그 사람이 성장한 환경과 함께 생물학적 부모의 기질을 참고할 수 있다. 이러한 관점은 아동·청소년의 성장을 돕는 상담자, 심리치료자, 교육자가 취할 수 있는 것이다. 비율적으로 우리는 생물학적 부모가 제공하는 환경에서 성장하는 경우가 대부분이다. 특히 경험의 양이 제한적인 아동·청소년은 부모의 기질과 가정의 환경이 미치는 영향이 매우 크다. 따라서 상담자, 심리치료자, 교육자 등이 아동·청소년의 부모에게 교육 및 자문을 제공할 때 자녀의 행동에 대한 이해를 돕기 위하여 환경과 유전의 상호작용 관점을 제시한다면 그들의 이해를 촉진할 수 있을 것이다.

# 활동 10 성격과 유전에 대한 고찰

성격과 유전에 대해 다음의 주제로 논의해 봅시다.

살면서 우리는 행복감을 경험할 때도 있고 그렇지 않을 때도 있다. 그런데 연구(De Neve, Christakis, Fowler, & Frey, 2012)에 의하면 우리에게는 행복 유전자가 있다. 5-HTTLPR이 유력한 후보인데, 이 유전자는 우울과 같은 정서적 문제와 관련되고, 세로토닌 수송 단백질로도 알려져 있다. 5-HTTLPR 유전자가 짧은 사람은 스트레스 상황에 대처하는 동안 우울에 빠져들 가능성이 높은 데 반해 이 유전자가 긴 사람들은 우울로부터 더 안전한 것으로 보고된다. 이러한 보고에 의하면 개인이 얼마만큼의 행복을 느낄 수 있는지는 그 사람의 유전자에 의해서 이미 정해져 있다는 것이다. 그리고 우리는 생득적으로 정해진 일정 수준의 행복을 기준으로 해서 후천적인 경험에 따라 행복감의 기복(fluctuation)을 경험한다는 것이다. 말하자면, 행복의 기저선은 유전자에 의해 정해져 있다는 것이다.
행복을 담당하는 유전자가 발견되었다는 것은 우리의 삶에 대해 생각해 보게 한다. 행복을 담당하는 유전자가 존재한다면, 우리가 행복해지기 위해 후천적으로 하는 많은 노력은 어떤 의미가 있을까? 예컨대, '웃으며 살자'라는 신념을 갖고 살거나 행복한 일을 하거나 상담 또는 심리치료를 통해 행복한 삶을 살기 위해 노력하거나 하는 것들은 우리의 삶을 얼마나 만족스럽게 할 수 있을까?

# 제 2 부

# 성격과 삶

제 8 장 자기
제 9 장 일과 사랑
제10장 성격을 통합적으로 이해하기

# 제8장 자기

심리학에서 자기(self)라는 용어만큼 광범위하게 사용되는 용어도 드물 것이다. 자기는 '자기 자신에 대한'이라는 의미로 사용되기도 하고(예: 자기개념, 자기존중감), '스스로'라는 의미로 사용되기도 한다(예: 자기조절, 자기감찰 등). 사실 현재까지도 자기가 무엇인지에 대해서는 많은 의견이 제시되고 있다. 혹자는 자기가 세포 및 신경 단위, 심리적 단위, 사회적 단위의 다체계적 개념이라고 설명한다. 적어도 합의된 바는 자기가 개체로서의 자기에 대한 인식을 포함하는 개념이며, 인간의 정신 체계의 가장 상위 개념으로 모든 정신 활동을 관장하는 기능을 갖는다는 것이다. 인간에게 자기가 있다는 것은 자신을 개별적인 존재로 인식하는 것을 가능하게 하며 이것은 다른 동물과 인간을 구별 짓는 중요한 요소이기도 하다. 인간은 자기를 지각하고 평가하고 통제할 수 있다.

개인이 자기를 어떻게 느끼고 자기의 능력을 어떻게 평가하며 어떻게 자기의 행동을 조절하는지는 그 사람의 행동에 일관성을 부여한다. 우리는 각각을 자존감, 자기효능감, 자기조절이라 칭한다. 아이언맨은 스스로를 백만

장자, 천재, 독지가라 칭하며 자기 존재나 능력에 대해 대체로 긍정적인 태도를 갖고 있다. 그렇지만 정서적으로 자극을 받은 상황에서 자신의 반응을 살피고 통제하는 능력은 부족하다. 아이언맨의 자존감은 높은 편이나 불안정하고, 특정 영역에서 효능감은 높으나 자기조절 능력은 부족한 것으로 판단된다. 그는 대체로 자신만만하고 당당하지만, 특정 상황에서는 위축되고 큰 실수를 한다. 헐크 역시 분노 상황에서 자신을 통제하는 능력이 크게 부족한데, 자신의 존재를 부정적으로 본다는 점에서 아이언맨과는 다르다. 헐크의 자존감은 낮고 안정적이지만, 과학이나 싸움 영역에서의 자기효능감은 높다. 그는 자신이 반드시 필요한 전쟁에는 참가하지만 언제나 팀을 떠날 생각을 한다. 캡틴 아메리카가 자신의 가치에 대해 갖는 태도는 조금 복잡하다. 도덕적 자기에 대해서는 긍정적이지만 냉동 상태에서 60년을 건너뛴 자신의 존재에 대해서는 회의적이다. 전투 영역에서의 자기효능감은 높고 자기조절 능력은 뛰어나다. 그는 도덕적 명분이 있는 싸움에서 늘 앞장서지만 일상생활에서는 앞에 나서지 않는 편이다.

자기에 대한 우리의 태도나 평가, 통제력은 우리를 다양한 상황에서 일관된 방식으로 행동하게 한다. 이 장에서는 개인의 행동을 예측 가능하도록 하는 자기와 관련된 대표적인 개념들을 살펴보도록 한다. 구체적으로는 자기존중감, 자기효능감 그리고 자기조절을 살펴볼 것이다. 이들은 각각 자기를 어떻게 느끼고, 평가하고, 관찰 및 통제하는지를 의미한다.

## 1. 자기존중감

**자기존중감**(self-esteem) 또는 자존감은 개인이 자기를 얼마나 가치 있다고 느끼는지를 가리키는 용어이며 자기가치감, 자기존중, 자아존중감 등이 유사한 용어로 사용된다. 제임스(James, 1983)는 자존감을 개인이 자신에게 중요한 삶의 영역들에서 성공을 하거나 실패를 하는 비율로 정의하였다. 이러한 관점에서라면 어벤져스 팀에게 나쁜 외계 무리들로부터 지구를 지키는 것이 중요한 영역이고, 이들이 싸움에서 성공하는 비율이 실패하는 비율보다 높다면 이들은 높은 자존감을 갖게 된다고 볼 수 있다. 자존감에 대한 이러한 관점은 자존감이 개인의 성공 또는 실패에 따라 다르게 경험된다는 특성을 보여 준다. 즉, 삶의 중요한 영역에서 성공 경험을 많이 하는 사람은 높은 자존감을 갖게 된다고 볼 수 있는데, 큰 실패 또는 반복적인 실패를 겪은 사람이 자신에 대해 가치가 없다고 느끼는 예들을 보면 이러한 관점은 타당한 것 같다.

이와 조금 다르게, 로젠버그(Rosenberg, 1965)는 자존감을 자신의 가치에 대한 전반적이고 일반적인 정서적 태도라고 정의했다. 즉, 어떤 사람이 자기를 떠올렸을 때 얼마나 긍정적인 정서가 경험되는지로 자존감을 정의하였다. 헐크는 과학자로서나 어벤져스 팀원으로서나 성공 경험이 축적된 인물이지만 스스로 인정하듯이 늘 화가 나 있고 자신을 부적절하다고 느끼는데, 이는 실패와 성공의 비율만으로 자존감을 가늠하는 것이 타당하지 않은 예가 된다. 자존감을 자신의 가치에 대한 긍정적인 정서로 정의한다면, 성공 경험이 많은 어벤져스 팀보다 오히려 특별한 성공 경험은 없지만 자신을 '행복한 눈사람'으로 칭하는 겨울왕국의 올라프가 자존감이 더 높을 것이다.

한편, 브랜든(Branden, 1969)은 자존감을 삶의 기본적인 문제들에 대처할 능력과 자신이 행복할 가치가 있는지에 대한 경험이라고 정의하였다. 이때 능력에 대한 태도는 어떤 사람이 자신의 삶에서 겪는 문제들을 이해하고 해결하는 능력이 얼마나 있다고 판단하는지를 뜻하며, 가치에 대한 태도는 그 사람이 스스로의 흥미와 욕구를 존중하면서 행복을 얻을 권리가 얼마나 있다고 판단하는지를 뜻한다. 브랜든의 관점에서는 자존감을 자기 능력에 대한 태도와 자기 가치에 대한 태도의 합으로 간주한다. 아이언맨과 헐크, 캡틴 아메리카 모두 자신의 능력에 대해서는 높게 평가할 것으로 보이지만 그들 자신이 인간으로서 행복을 추구할 권리가 얼마나 있는지에 대해 스스로 판단해 보라 한다면 아마도 서로 차이가 있을 것이다. 반면, 올라프에게 스스로 눈사람으로서 행복을 추구할 권리가 있다고 느끼냐고 묻는다면 자신있게 '그렇다'고 답하겠지만, 자신이 문제를 이해하고 해결하는 능력이 얼마나 있다고 판단하는지를 묻는다면 어떻게 답을 할지 의문이다. 따라서 가치와 능력에 대한 태도를 모두 고려한 브랜든의 정의는 자존감을 특정 영역에 국한된 태도가 아닌 자신의 삶의 전반적인 것들에 대한 태도로 이해하도록 한다. 이 관점을 토대로 [그림 8-2]는 자존감의 근거가 되는 두 영역을 제시하고 근거 영역에 따라 자존감을 구분하였다(Mruk, 2006). 자신의 능력과 가치감 영역 모두에서 자존감의 근거를 찾은 사람은 높은 자존감을 가지며 두 영역 모두에서 근거를 찾지 못하는 사람은 낮은 자존감을 갖는다.

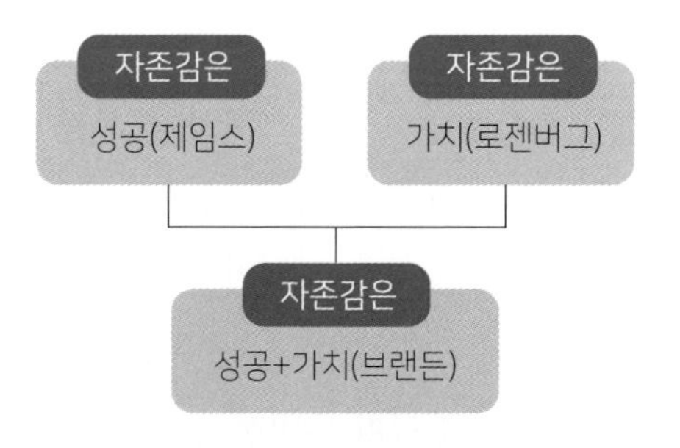


**[그림 8-1]** 무엇이 자존감일까?

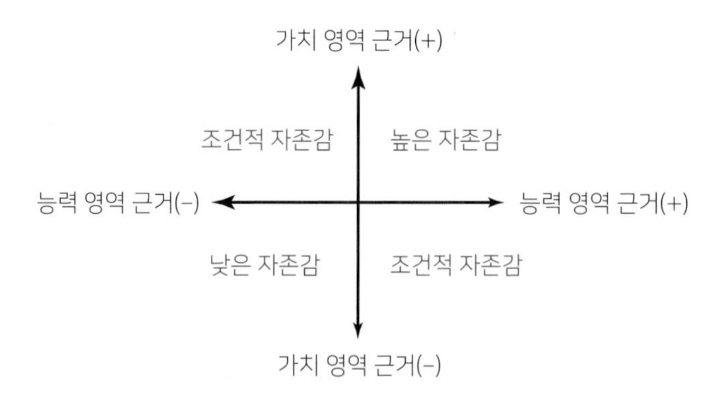


**[그림 8-2]** 근거 영역별 자존감을 축으로 한 자존감 유형

출처: Mruk (2006).

최근 이론들은 자존감을 크게 두 가지 관점에서 설명하고 있다. 그중 하나가 **사회적 지표이론**(sociometor theory)인데, 이는 자존감이 개인이 자신의 사회적 집단에서 어떤 위치에 있는지를 알려 주는 지표가 된다는 관점을 취한다(Leary & Downs, 1995). 사회적 존재인 우리는 일생 동안 사회에 소속되어 있기 위해 노력한다. 사람들에게 친절하게 대해서 사람들의 인정을 받는 것이 사회에 소속되고자 하는 노력이기도 하고, 내가 가진 능력을 발휘하여 사회에 필요한 존재임을 증명하려는 것 역시 사회에 소속되어 있으려는 노력의 일환이다. 그런데 사회적 지표이론에 의하면 사회에 소속되어 있으려는 이러한 노력이 실패하게 되면 자존감이 낮아지면서 그 사람에게 자신이 사회적으로 격리될 가능성이 있다는 경고가 울리게 된다. 즉, 자존감이 높거나 낮음은 어떤 사람이 사회에 안전하게 소속되어 있음을 알리거나 사회로부터 내쳐질 것임을 경고하는 척도가 된다는 것이다.

자존감을 설명하는 또 다른 관점은 **불안관리이론**(terror management theory: TMT)인데, 이는 자기를 긍정적으로 보는 태도가 삶의 무의미함이나 죽음에 대한 자각으로 인한 불안에서 자기를 보호하는 역할을 한다고 본다(Solomon, Greenberg, & Pyszczynski, 1991). 실존주의적 관점에서 개인의 삶은 특정한 목적이나 의미가 없으며 이러한 삶의 무의미성은 개인으로 하여금 실존적 불안을 경험하게 한다. 말하자면 인간이 이 세상에 태어나서 살아가는 것에는 애초에 어떤 심오하거나 거대한 의미가 있는 것이 아닌데, 인간으로 살아가면서 자신의 삶이 사실 별로 심오한 의미가 있는 것이 아니라는 사실은 그 사람을 실존적으로 불안하게 만든다. 이러한 삶의 무의미성은 허무주의와는 다른 것으로, 애초에 부여된 의미가 없으니 우리는 지금-여기에서의 삶에 충실하며 자신만의 삶의 의미를 찾으면 될 일이다. 이러한 실존주의의 관점에서 자존감이란 인간이 스스로를 가치 있는 존재로 봄으로써 무의미한 삶에 의미를 부여하여 실존적 불안을 경감시키는 역할을 한다. 우리는 자기에 대한 존중감을 경험하면서 실존적 무의미성에서 벗어나 자신의 삶을 의미 있는 것으로 경험할 수 있다.

결국 사회적 지표이론과 불안관리이론은 개인이 스스로를 긍정적인 존재로 보는 태도가 그 사람의 사회적 적응과 심리적 건강을 위해 중요한 요인임을 시사한다. 이처럼 자신을 얼마나 긍정적인 존재로 보는지는 다양한 상황에서 일관된 행동으로 나타난다. 그리고 자존감은 '높다' '낮다'를 포함하여 다양한 측면을 갖고 있는데, 이제 자존감을 조금 더 자세히 들여다보자.

### 1) 자존감 수준

심리학자들을 포함하여 대부분의 사람이 자존감을 생각할 때 가장 먼저 떠올리는 측면은 누군가의 자존감이 얼마나 높은지 또는 낮은지, 즉 수준(level)에 대한 측면이다. 일상 대화에서 자존감을 언급할 때 "걔는 자존감이 너무 높아." "나는 자존감이 낮은 편이야." 등과 같이 표현한다. 자존감은 심리학 연구 분야에서 아마 가장 많이 연구된 주제 중 하나일 것이다. 그리고 지난 수십 년간 연구들은 높은 자존감이 개인이 심리적으로 얼마나 잘 적응하고 있는지를 보여 주는 주요한 지표라고 보고해 왔다. 예를 들어, 자존감이 낮은 사람은 높은 우울을 경험하고 불안 수준도 높으며 삶의 만족도가 낮은 것으로 이론적으로나 경험적으로나 지속적으로 보고되어 왔다. 또한 자존감이 높은 사람은 주관적으로 평가하는 삶의 만족도도 높으며 학업수행도 좋다고 알려져 있다.

그러나 한편에서는 자존감이 높은 것이 그 사람이 잘 살아가는 것에 반드시 긍정적인 지표만 되는 것은 아니라고 제안한다. 예를 들어, 자존감이 높은 사람은 공격성도 높다는 보고가 있고, 자존감이 높은 사람은 자신에게 유리한 판타지를 발달시켜 오히려 자존감이 낮은 사람에 비해 업무수행을 더 잘 해내지 못하는 경향이 있다고도 보고되었다. 자존감이 높은 사람들이 보여 주는 부정적인 행동들을 보면, 자존감이 높은 것이 무조건적으로 바람직하다고 볼 수만은 없다는 생각을 하게 된다.

모든 것에 대한 인간의 태도가 그러하듯, 자기에 대한 태도 역시 외현적으

**[그림 8-3]** 높은 자존감은 항상 긍정적일까? 자존감과 자기애는 어떻게 다를까?

로 드러나는 태도와 암묵적으로 잘 드러나지 않는 태도로 나눌 수 있다. 인종차별에 대해 부정적이며 모든 인간은 피부색이나 출신 지역에 상관없이 동일하게 가치 있는 존재라고 말해 오던 사람이 자신의 자녀가 결혼할 사람을 소개받는 자리에서 제3세계에서 온 피부색이 검은 파트너를 만났을 때 가슴이 철렁하고 불쾌한 감정이 든다면, 그 사람의 외현적 태도와 암묵적 태도는 동일하지 않다고 볼 수 있다. 자기에 대한 태도, 즉 자존감을 보다 세밀하게 살펴보는 연구자들은 자존감 역시 **외현적 자존감**과 **암묵적 자존감**으로 구분하여 설명한다. 자기를 성공한 사업가이면서 여자들에게 인기가 많고 남도 돕는 멋진 사람으로 당당하게 묘사하는 아이언맨은 외현적 자존감이 높은 것이 분명하다. 그런데 다른 사람을 대하는 공격적인 태도와 방어적인 모습에서 그 사람의 암묵적 자존감은 높지 않을 수 있겠다는 생각이 들기도 한다.

높은 자존감은 우리가 살아가는 데 나타나는 다양한 긍정적인 행동과 관련이 되지만, 그 사람이 자기에 대해서 의식적으로 '말하는' 자존감과 자기도 모르게 행동으로 '나타나는' 자존감은 상이할 수 있을 것이다. 따라서 자존감 수준으로 누군가의 행동의 일관성을 예측하고자 할 때에는 보고된 자존감(외현적 자존감)과 관찰된 자존감(암묵적 자존감)을 모두 살펴봐야 할 것이다.

또한 자존감에 대한 이론들은 우리는 높은 자존감을 갖고 싶어 한다는 점을 일관되게 언급하고 있다. 이론에 따르면 우리가 자기에 대해 긍정적인 태도를 갖는 것은 우리를 실존적 불안으로부터 보호하며 사회에 포함되어 살아갈 수 있도록 한다. 따라서 개념적으로 높은 자존감은 그 자체로 자기를 보호하는 역할을 하는데, 그렇다면 자존감이 높은 사람은 굳이 타인을 공격함으로써 자기를 보호할 필요가 없을 것이다. 그럼에도 불구하고 높은 자존감이 높은 공격성과 관련이 있음을 시사하는 연구들이 보고되고 있다. 외현적 자존감과 암묵적 자존감을 모두 고려한 연구(김민정, 이기학, 2014)에서는 대학생을 대상으로 분노를 유발할 만한 가상의 상황을 제시하고 상황에 몰입하도록 하였다. 그리고 자신이 그 상황이라면 어떻게 행동할 것인지 자유롭게 기술하도록 하였는데, 이때 제시한 분노 상황은 큰 분노를 유발할 상황과 작은 분노를 유발할 상황으로 두 가지였다. 학생들을 외현적 자존감과 암묵적 자존감 각각의 고/저에 따라 네 집단으로 구분하고 학생들이 기술한 내용을 토대로 행동의 공격성을 측정하였다. 그 결과, 두 자존감이 모두 높은 집단은 높은 분노 상황에서는 가장 높은 공격성을 보였지만 낮은 분노 상황에서는 가장 낮은 공격성을 보였다. 즉, 높은 외현적/암묵적 자존감을 가진 개인은 분노할 만한 상황에서는 더욱 공격적이지만 사소한 상황에서는 반응하지 않는 것으로 나타났다. 결국 자존감이 높은 사람이 더 공격적일까 덜 공격적일까 하는 논란에서는 단순히 자존감이 높고 낮음뿐만 아니라 얼마나 공격할 만한 상황인지에 대해서도 고려해야 할 것이다.

### 2) 자존감 안정성

일상에서 자존감을 이야기할 때 "자존감이 높아."와 함께 많이 쓰이는 표현이 "그 말 듣고 나 자존감이 떨어졌어." 또는 "그 일 있고 나서 나 자존감이 올라갔어."와 같은 것일 것이다. 자존감이 단시간에 떨어지거나 높아질 수 있다는 것은 자존감을 특질 자존감과 상태 자존감으로 구분할 수 있다는 것을 의미한다. 비교적 오랜 시간 동안 크게 변화하지 않고 안정적으로 지속되는 자존감을 특질 자존감이라 한다면 매 순간에 경험하는 자존감을 상태 자존감이라 한다. 일반적으로 특질 자존감은 살아가면서 겪는 여러 경험과 상호작용하면서 아주 조금씩 수정되고 변화하기도 하지만, 그 변화의 폭이 크지 않거나 변화를 위한 시간이 매우 오래 걸린다. 말하자면 특질 자존감은 일생 동안 크게 변화하지 않는 것으로 생각할 수 있다. 이에 반해 상태 자존감은 살아가면서 겪는 시시각각의 경험에 따라 단시간에 변화한다는 특징이 있다. 그러니까 우리가 말하는 "자존감이 떨어졌어." 또는 "자존감이 올라갔어."는 주로 상태 자존감의 변화를 말하는 것이다.

이처럼 단기간에 자기가치감이 변화하는 것을 **자존감 불안정성**이라 한다. 어떤 사람들은 사소한 말이나 사건 하나하나를 겪을 때마다 자존감이 크게 올라가거나 내려가는데, 이들은 자존감 불안정성이 높은 것이다. 이와 달리 삶의 다양한 경험에도 불구하고 자존감이 그다지 변화하지 않는 사람들도 있는데, 이들은 자존감이 안정적이다. 일반적으로 자존감 수준은 높은 것을 바람직한 것으로 보는데, 자존감의 안정성은 높은 것이 개인의 안녕에 도움이 될까 아니면 낮은 것이 도움이 될까?

자존감 수준이 낮으면서 그 자존감의 일시적 변화폭이 크다면 그 사람은 신경증 경향이 많은 것으로 알려졌다. 이들은 전반적으로 자기에 대한 존중감이 낮은데, 살면서 다양한 자극을 만날 때마다 자기에 대한 태도가 긍정적이었다가 부정적인 식으로 크게 변화한다. 이들은 불안정한 정서와 대인관계 패턴을 보이는 부적응적인 특징을 보인다. 이와 달리 자존감 수준이 높으면서 일시적 변화폭이 크다면 자신이나 자신의 집단이 비판받을 때 타인을 무시하거나 공격적인 경향이 있다. 이들의 자존감은 전반적으로 높지만 변화폭이 크기 때문에 불안정하여 높은 자존감을 유지하기 위해서는 폭발적이거나 과도한 대처를 하게 된다.

매일의 자존감을 측정하면 [그림 8-4]와 같은 네 가지 유형으로 제시될 수 있을 것이다. 가로축은 자존감을 측정한 날을 나타내고 세로축은 측정된 자존감 수준을 나타낸다. 자존감 수준 측면에서는 사례 3보다 사례 2가 더 높

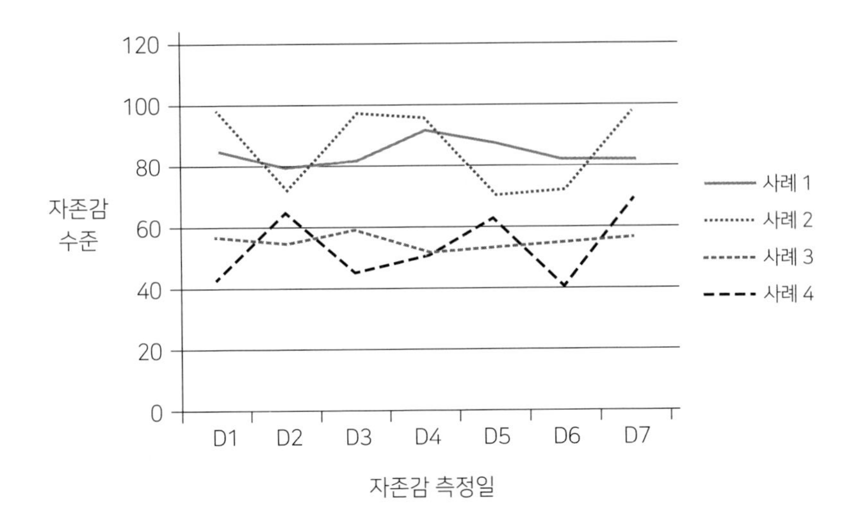


**[그림 8-4] 자존감의 변화**

자존감은 날마다 변화하기도 한다. 네 사례 중 어느 자존감이 건강한 자존감일까?

고 따라서 전반적인 적응 수준이 높을 것으로 예상되지만, 타인에 대한 부적절한 공격성과 같은 지표에서는 사례 2가 더 부적응적으로 평가된다. 결국 일반적으로 자존감은 높은 것이 바람직한 것으로 알려져 있지만, 안정성의 측면에서는 변화의 폭이 크지 않은, 즉 자존감 안정성이 높은 것이 그 사람의 안녕에 도움이 되는 것으로 보인다. 요약하면, 적응에 가장 바람직한 자존감은 높고 안정적인 자존감이라 할 수 있을 것이다.

## 3) 자존감 수반성

앞에서 자존감은 자신이 중요하게 여기는 삶의 영역에서의 성공과 실패의 비율이라고 보는 관점을 소개했다. 이 관점에서는 개인의 성공이 자존감의 근원이 된다고 본다. 즉, 성공이나 성취가 많은 사람은 자존감이 높다. 그런데 여기서 '자신이 중요하게 여기는 삶의 영역'에 주목해 보자. 사람들마다 자신이 중요하게 여기는 영역에는 차이가 있다. 어떤 사람에게는 학업적 성취가 중요한 영역이고 또 다른 사람에게는 도덕적 가치를 지키는 것이 중요한 영역이다. 또 누군가에게는 대인관계를 잘 하는 것이 중요하며, 다른 누군가에게는 훌륭한 외모를 갖는 것이 중요할 것이다. 그렇다면 사람에 따라 자존감의 근거가 되는 영역들이 다를 수 있다는 것인데, 이를 자존감 수반성 영역이라 한다.

**자존감 수반성**이라는 개념에 의하면 개인의 자존감은 특정 영역에 수반되어 있으며, 자존감이 수반된 영역에서의 성공 또는 실패가 자기가치감을 결정한다. 즉, 어떤 영역에 자존감이 수반되었다는 의미는 개인이 해당 영역에서 실패 또는 성공을 경험할 때 자존감의 변화가 나타난다는 것을 뜻한다. 도덕성이 높고 공부도 잘하며 대인관계도 훌륭한데 외모도 출중한 수정 씨는 고등학교 3학년 때 대학입시를 실패해서 자신이 원하는 대학에 진학하지 못했다. 아쉽지만 원하던 대학이 아닌 다른 대학에 들어갔다. 그렇지만 수정 씨는 금방 충격에서 벗어나 현실에 적응하고 몇 년 후 직장생활을 시작했다. 바쁜 생활로 외모 관리가 힘들어지면서 예전만큼 출중한 외모를 자랑하지 못하게 되었지만 그런 상황에 수정 씨는 크게 개의치 않고 농담으로 웃어넘겼다. 그런데 직장생활 중 피치 못할 사정으로 부도덕한 사건에 휘말리게 되었고, 그 과정에서 자신도 양심에 어긋나는 선택을 하게 되었다. 이 사건 이후로 수정 씨는 자신에 대해 부정적으로 느껴졌고 자신이 무가치한 사람으로까지 느껴졌다면, 수정 씨의 자존감은 도덕성 영역에 수반된 것으로 볼 수 있다.

자존감 수반성을 고려한다면 어떤 사람이 높은 자존감을 갖기 위해서는 두 가지 조건, 즉 자존감 수반성과 그 수반성을 충족시킬 수 있는 환경이 필요하다. 말하자면 어떤 사람이 높은 자존감을 갖기 위해서는 그 사람의 자존감이 특정 영역에 수반되어 있어야 하며, 해당 영역에서 성공을 경험할 수 있는 환경에 놓여야 한다. 백인이 우세한 대학에 재학 중인 아프리카계 학생들과 유럽계 학생들에 대한 연구(Crocker & Wolfe, 2001)에서 아프리카계 학생들은 타인의 인정, 학업, 외모에 수반된 경우에는 유럽계 학생들에 비하여 자존감이 낮은 경향이 있었다. 이는 타인의 인정이나 학업, 외모에 수반된 자존감을 가진 아프리카계 학생들이 백인이 우세한 대학에서 해당 영역에서 성공을 경험할 가능성이 현실적으로 낮기 때문이다. 이와 달리 자존감이 가족이나 종교, 도덕성에 수반된 아프리카계 학생들은 유럽계 학생들과의 자존감 수준 차이가 나타나지 않았다. 이는 가족과 종교, 도덕성 영역은 백인이 우세한 환경에서라도 아프리카계 학생들에게 별다른 실패 경험을 제공하지 않을 것이기 때문이다.

## 2. 자기효능감

**자기효능감**(self-efficacy)은 어떤 상황에서 자신이 유능할 수 있고 영향을 발휘할 수 있다는 기대나 신념이다. 대학 신입생 또는 직장 신입사원이 되어 낯선 사람들을 만나는 상황에서 경수 씨는 사람들에게 자신이 먼저 인사하고 사람들이 말을 걸어오면 호감을 사도록 대화를 이어 갈 수 있다고 생각한다. 그리고 자신의 이러한 행동이 낯선 사람들과 친해지는 결과로 이어질 것이라 기대한다. 경수 씨의 경우는 사회적 자기효능감이 높다고 할 수 있을 것이다. 이처럼 자기효능감은 개인이 어떤 행동을 할 필요가 있는 상황에 처했을 때 자신이 적절한 행동을 할 수 있을 것이라고 믿으며 그 행동이 원하는 결과를 얻도록 할 것이라고 기대하는 정도이다. 자기효능감은 특정 상황에서의 자신의 능력에 대한 기대나 신념이라는 점에서 자존감과 상관이 매우 높다. 우선 자신의 특정 능력에 대한 평가와 기대이므로 이 평가가 높은 것은 자신에 대해 긍정적인 태도, 즉 높은 자존감을 갖는 것과 관련이 있을 것이다. 그렇지만 개인의 능력에 대한 평가와 기대에 해당한다는 점에서 인지적 평가의 측면이 높고, 따라서 자신에 대한 전반적인 정서적 태도인 자존감과 동일한 개념은 아니다. 어벤져스 팀은 무력을 사용한 싸움 상황에서 적을 이길 수 있다는 신념, 즉 싸움에서의 자기효능감이 높지만 자신에 대해 긍정적으로 느끼는 정도인 자존감에서는 서로 다르다.

자기효능감은 두 부분으로 이루어지는데, 각각은 효능감 기대와 성과 기대이다. **효능감 기대**(efficacy expectations)는 자신이 어떠한 행동을 해낼 수 있다는 기대로, 상황에 필요한 행동을 자신이 성공적으로 수행할 수 있다는 기대에 해당한다. 그리고 **성과 기대**(outcome expectations)는 그 상황에서 자신이 한 행동이 특정한 결과를 유발할 것이라는 기대이다. 반두라(Bandura, 1977)는 두 부분의 관계를 [그림 8-5]와 같이 표현하였다. 앞의 예에서 경수 씨는 새로운 환경에서 낯선 사람에게 먼저 인사하고 즐거운 대화를 이어 가는 행동을 자신이 해낼 수 있다고 기대하는 효능감 기대가 높다. 그리고 경수 씨는 자신이 그러한 행동을 하는 것이 낯선 사람들과 친해지는 결과로 이어질 것이라는 성과 기대도 높다.

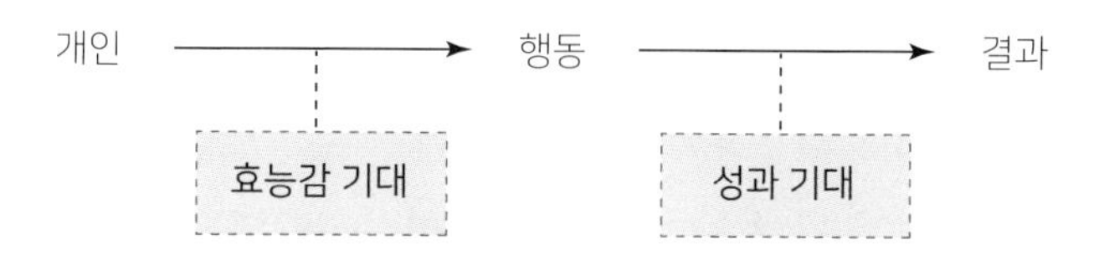


**[그림 8-5]** 효능감 기대와 성과 기대

출처: Bandura (1977).

그런데 우리의 자기효능감에서 더 중요한 역할을 하는 것은 성과 기대보다는 효능감 기대이다. 많은 경우 우리는 주어진 상황에서 어떤 행동을 하는 것이 적절한지 알고 있다. 예컨대, 우리는 낯선 사람들과 친해지고자 할 때에는 개방적인 태도로 인사하고 대화하는 것이 효과적이라는 점을 알고 있을 것이다. 그럼에도 불구하고 모두가 이런 행동을 하지는 않는 것은 낯선 사람들에 둘러싸인 상황에서 자신이 웃는 얼굴로 적극적으로 대화하는 것과 같은 개방적인 행동을 할 수 있다는 효능감 기대가 높지 않기 때문이다.

자기효능감은 우리 행동에 일관성을 부여한다. 그래서 어떤 사람의 자기효능감을 이해한다면 그 사람이 어떠한 상황에서 어떻게 행동할지 예측할

[그림 8-6] 자기효능감으로 특정 영역에서 그 사람이 어떻게 행동할지 예측할 수 있다

수 있다. 자기효능감은 우리가 어떤 상황에 얼마나 참여하고자 동기화되는지 또는 어떤 상황을 얼마나 피하고자 하는지를 예측할 수 있게 한다.

자기효능감을 설명할 때 '어떤 상황에서' 또는 '어떤 경우에'와 같은 수식어가 붙는 것은 자기효능감이 영역별로 존재할 수 있음을 의미한다. 자신이 일반적인 상황 대부분에서 적절하게 행동하고 바람직한 결과를 얻을 수 있다고 기대하고 믿는 것을 일반적 자기효능감이라고 한다면, 각각의 특수한 상황에서의 자신에 대한 이러한 기대와 신념은 사회적 자기효능감, 학업적 자기효능감 등의 용어로 세분화된다. 또는 보다 세부적으로 수학 자기효능감, 교사 자기효능감 등과 같이 과제나 역할에 따른 자기효능감으로 설명할 수 있다. 즉, 자신에 대한 전반적인 효능감도 존재하지만 특수한 영역에서의 자기유능감에 대한 지각과 결과 기대도 존재한다. 그리고 그 사람이 어떤 상황에서 어떻게 행동할지는 해당 영역에서의 자기효능감에 따라 달라질 것이다. 사회적 자기효능감이 높지만 신체적 자기효능감이 낮은 경수 씨는 낯선 사람들과 금방 친밀해지지만 그들이 함께 축구를 하자고 제안한다면 한사코 거절하고 피하려는 행동을 할 것으로 예상할 수 있다.

자기효능감이 어떻게 형성되는지에 대해 반두라는 네 가지 배경을 소개한다. 각자 자신이 수행을 잘 할 것이라 예상되는 상황 또는 영역을 떠올려 보자. 어떻게 해서 그런 생각(잘 할 것이라는 생각)을 갖게 되었는지를 떠올려 본다면, 가장 먼저 떠오르는 배경은 아마 직접적인 경험일 것이다. 즉, 해당 영역에서 반복적으로 성공한 경험이 있다면 높은 자기효능감을 갖게 될 것이며 반대로 성공 경험이 없다면 자기효능감이 낮을 것이다. 아마 경수 씨는 살아오면서 사람들에게 개방적으로 다가가고 친밀해진 경험이 축적되었을 것이다.

자기효능감의 또 다른 배경으로는 간접적인 경험이 있다. 성공적인 결과를 얻은 누군가를 관찰함으로써 '나도 저렇게 하면 되겠다'는 기대와 신념이 생긴다면 간접 경험으로 자기효능감이 높아지는 경우에 해당할 것이다. 어쩌면 경수 씨는 청소년기에 사교적이고 인기 있는 반 친구를 관찰하면서 '저렇게 하면 친구를 많이 사귈 수 있구나. 나도 할 수 있겠다' 하는 간접 경험을 했을 것이다. 역경을 딛고 성공한 사람들의 이야기를 접하면서 우리가 삶의 희망을 얻는 것은 간접 경험을 통한 자기효능감 향상의 예가 된다.

사회적 설득 역시 자기효능감을 발달시킬 수 있다. 다른 사람들이 우리에게 해 주는 말은 힘이 있다. 우리는 친구, 선생님, 부모님, 애인 등으로부터 우리의 유능감에 대한 피드백을 받는데, 이러한 반응들은 우리의 자기효능감을 형성하는 데 유용하다. 새로운 학교나 직장에 처음 들어가면서 긴장하는 경수 씨에게 친구들이 "너는 금방 적응할 거야. 모르는 건 물어보면 돼."라고 말해 준다면 경수 씨의 자기효능감은 더욱 높아질 것이다. 그리고 누군가가 경수 씨에게 "너는 마음만 먹으면 금방 배우니까 축구도 잘 할 수 있어."라고 말해 준다면 신체적 자기효능감이 높아지는 데 도움이 될 것이다.

마지막으로, 신체적 · 정서적 상태가 자기효능감의 배경이 될 수 있다. 다양한 상황에서 우리의 신체적 또는 정서적 반응이 나타나는데, 이러한 반응이 긍정적이라면 그 상황에서의 자기효능감이 높은 경우이며 부정적이라면 그 상황에서의 자기효능감은 낮은 경우라고 볼 수 있다. 낯선 사람들 사이에서 적응해야 하는 상황을 떠올리면 심박수가 높아지고 마음이 답답해지는 경험을 한다면 사회적 상황에서의 자기효능감이 낮을 가능성이 있다. 또는 축구를 같이 하자고 했을 때 기분이 들뜨고 기대가 된다면 신체적 자기효능감이 높을 것이다. 우리는 긍정적인 신체적 · 정서적 반응을 유발하는 상황에 대해서는 유능감을 갖지만 부정적 반응을 유발하는 상황은 피하려 한다.

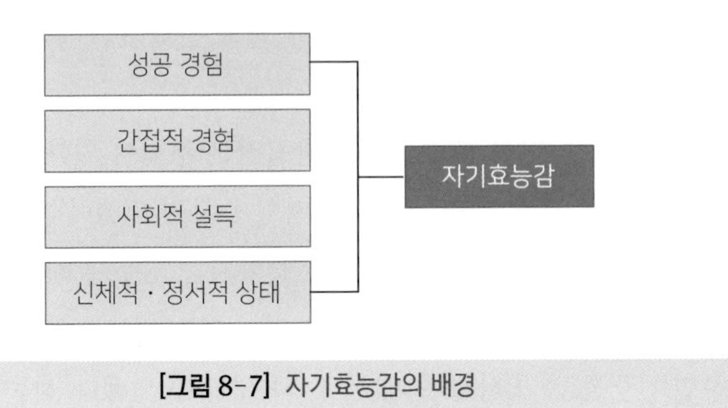


**[그림 8-7]** 자기효능감의 배경

즉, 여러 상황에서 경험하는 신체적 · 정서적 반응은 우리가 자기효능감을 경험하는 배경이 된다.

## 3. 자기조절

인간은 동물과 달리 본능이나 자극에 대한 조건적/무조건적 반응을 넘어선 행동을 할 수 있다. 우리는 자신의 목표에 일치하는 상태가 되기 위해 의식적으로 또는 무의식적으로 노력하며 자신의 내적 상태나 외적 행동을 통제할 수 있는데, 이를 **자기조절**(self-regulation)이라 한다. 중간고사 기간이 되면 따사로운 봄바람, 선선한 가을바람을 만끽하고 싶고 문득 옛 친구 안부가 유난히 궁금해지지만 묵묵히 자리를 잡고 시험 준비를 하는 것은 내가 목표하는 것을 성취하기 위해 즐거움에 대한 욕구를 통제하고 책에 집중하는 상태로 행동을 조절한다. 그리고 건강을 위해 또는 외모를 위해 험난한 식이요법을 하거나 공격적인 충동을 느끼지만 파괴적으로 행동화하지 않고 바람직한 행동으로 전환하기도 한다. 이처럼 자기조절을 통해 인간은 자신의 행동에 대한 선택권이 넓어진다.

자기조절이 이루어지기 위해서는 네 가지 요소가 필요하다(Baumeister, Schmeichel, & Vohs, 2007). 우선 바람직한 행동의 기준이 필요한데, 이는 자신이 조절을 통해 얻고자 하는 목표가 있을 때 자기조절이 가능함을 의미한다. 또한 그 기준에 도달하기 위한 동기가 필요하다. 중간고사에서 만점을 받고자 하는 기준이 설정되었다면 그것을 달성하려는 동기가 있을 때 자기조절이 더 원활하게 이루어질 것이다. 기준에 어긋나는 상황과 생각을 모니터링하는 것도 자기조절에 필요한 요소이다. 만점을 받고자 하는 기준과 비교할 때 봄바람을 만끽하며 사교 활동에 몰입하는 것이 그 기준에 어긋난다는 것을 자각하고 지켜보는 것이 필요하다. 마지막으로, 자기통제를 위한 내적인 의지가 필요하다. 자신이 세운 목표를 위해 자기를 통제하는 것을 시도하고 지속하려는 의지가 자기조절을 가능하게 한다. 이러한 요소들 중 일부만이 매우 높고 나머지가 부족하더라도 자기조절이 가능하겠지만 전부 갖추어진다면 자기조절이 수월할 것이다. 이러한 관점에서 본다면 자기조절은 자기를 관찰하고 통제하는 과정이면서 능력이다.

자기조절은 우리가 자발적으로 특정한 행동을 하고자 할 때 그 힘이 강력하다. 자기조절에 대한 **자기결정이론**(self-determination theory; Ryan & Deci, 2000)에서는 우리는 기본적인 심리적 욕구가 충족되었을 때 자기를 성장시키는 방향으로 스스로 행동을 선택한다고 설명한다. 인간 행동에 대한 인본주의적 관점에서 인간은 자기실현 경향성을 타고난 존재이다. 우리는 살아 있고 끊임없이 변화하는 유기체로서 자신에게 긍정적인 것을 추구하고 선택할 능력을 생득적으로 가진다. 우리가 어떤 행동을 하는 데는 다양한 이유가 있겠지만, 그중에는 자신의 흥미나 스스로 선택한 가치를 실현하려는 목적이 이유가 될 수 있다. 만약 당신이 '좋아서' 또는 '그게 옳다고 스스로 판단해서' 하는 일이 있다면 이 상황에 해당할 것이다. 자신의 흥미나 가치가 어떤 행동의 이유라서 행동을 조절하는 것을 우리는 '자율적'이라고 하는데, 자기결정이론의 관점에서는 이를 자기조절이라 한다. 반면 우리가 어떤 행동을 하는 다른 이유로는 타인의 압력을 내재화하거나 타인의 직접적인 압력을 받아서인데, 이러한 힘이 우리의 행동을 조절한다면 그 행동은 자율적이라기보다 통제된 것으로 보며, 이때의 상태는 자기조절이라 할 수 없다. '하

[그림 8-8] 기본심리욕구가 충족되면 자기조절로 이어진다

라니까' 하는 일에는 자기조절이 어렵다.

자기를 성장시키는 방향으로 행동을 조절하기 위해 충족되어야 할 기본적인 심리적 욕구는 자율성(autonomy), 유능성(competence), 관계성(relatedness)이다. 이 욕구들은 다양한 문화나 집단, 개인에게서 공통적으로 발견되는 심리적 욕구들이다. 그중 자율성 욕구는 우리가 외부의 압박이나 강요를 받지 않고 자신이 행동을 스스로 선택할 수 있는 상태이기를 바라는 욕구이다. 우리는 남들이 하거나 하지 않도록 시키는 무엇인가를 한다는 느낌보다 스스로 선택한 일을 한다는 느낌을 갖고 싶어 한다. 무언가를 하려고 마음을 먹었다가도 "꼭 해야 해."라는 말을 들으면 하기 싫어졌던 경험이 있을 것이다. 자율성의 욕구가 충족되지 않는다면 성장을 향한 자기조절은 어려워진다.

다음으로 유능성 욕구는 능력 있는 존재가 되고 능력을 향상시키고자 하는 욕구이다. 이를 위해서는 너무 어렵거나 너무 쉽지 않은 과제를 해내는 경험이 필요하다. 자신의 능력을 발휘하고 능력이 향상되는 경험은 그 자체로 유기체에게 긍정적인 경험이 된다. 중간고사 준비를 하면서 유독 시험 준비에 몰두하기 어려운 때가 있었다면, 어쩌면 그 과목 또는 범위가 이해하기 어려운 내용으로 가득 차 있었을 가능성이 있다. 너무 어렵거나 너무 쉬운 수업은 유능성 욕구를 충족시키기 어렵다.

마지막으로 관계성 욕구는 주변 사람들과 의미 있는 관계를 맺고자 하는 욕구이다. 우리는 다른 사람의 관심과 보살핌을 받고자 하고 타인에게 관심과 보살핌을 주고자 하는, 즉 타인과 연결되어 있으려는 욕구가 있다. 중간고사 준비 기간에 들뜨는 마음을 추스르며 도서관에 앉아 있을 수 있는 것은 함께 그 시련을 견디는 친구가 있을 때 더 가능하다. 또는 나의 보고서나 수업 태도에 대해 긍정적으로 반응을 해 주었던 그 과목의 지도교수가 당신을 그 시련에서 더 견딜 수 있도록 하기도 한다. 유능성의 욕구가 충족된다면 자기조절에 한 발 더 가까워진다.

자율성과 유능성, 관계성 욕구가 충족되면 우리는 심리적으로 안녕한 상태가 되고 이는 성장을 향한 행동을 하려는 자기조절의 토대가 된다. 내 삶을 스스로 선택하면서 내가 하는 일에서 유능감을 느끼고 의미 있는 관계를 맺고 있다면 우리는 그 자체로 행복을 경험하기도 하지만, 이러한 만족감을 토대로 나의 흥미와 가치에 부합하는 행동을 자율적으로 선택하고 몰입하는 자기조절 상태가 된다.

## 활동 11 나의 자존감 이해하기

1. 다음 문항을 읽고 각 문장에 대해서 자신이 얼마나 동의하는지 혹은 동의하지 않는지의 정도를 표시해 주십시오. 만약 각 문장에서 기술하는 상황을 경험하지 못했다면, 만약 이러한 상황이 생기면 어떻게 느낄지를 생각하여 표시해 주십시오.[1]

| 문항 | 전혀 동의하지 않음 | 동의하지 않음 | 별로 동의하지 않음 | 중립적 | 약간 동의함 | 동의함 | 매우 동의함 |
|---|---|---|---|---|---|---|---|
| 1. 내가 매력적이라고 생각할 때, 나 자신에 대해 좋은 느낌을 갖는다. | 1 | 2 | 3 | 4 | 5 | 6 | 7 |
| 2. 나의 자기가치감은 신의 사랑에 근거한다. | 1 | 2 | 3 | 4 | 5 | 6 | 7 |
| 3. 어떤 과제나 기술 면에서 내가 다른 사람보다 더 잘했을 때 보람을 느낀다. | 1 | 2 | 3 | 4 | 5 | 6 | 7 |
| 4. 나의 자존감은 내 몸이 어떤 식으로 보이는지에 대해 내가 어떻게 느끼는지와 관련이 없다. | 1 | 2 | 3 | 4 | 5 | 6 | 7 |
| 5. 내가 잘못이라고 알고 있는 일을 하는 것은 내가 내 자신을 존중하는 것을 잃게 만든다. | 1 | 2 | 3 | 4 | 5 | 6 | 7 |
| 6. 나는 다른 사람이 나에 대해 부정적인 의견을 갖고 있다 해도 신경 쓰지 않는다. | 1 | 2 | 3 | 4 | 5 | 6 | 7 |
| 7. 우리 가족들이 나를 사랑함을 아는 것은 내 자신에 대해 좋은 느낌을 갖게 만든다. | 1 | 2 | 3 | 4 | 5 | 6 | 7 |

1) 한국 대학생의 자기가치감 수반성 측정 도구
출처: 이수란(2008).

| | | | | | | | |
|---|---|---|---|---|---|---|---|
| 8. 나는 신의 사랑을 받고 있을 때 내가 가치 있다고 느낀다. | 1 | 2 | 3 | 4 | 5 | 6 | 7 |
| 9. 나는 다른 사람이 나를 존중하지 않으면 나 자신을 존중할 수 없다. | 1 | 2 | 3 | 4 | 5 | 6 | 7 |
| 10. 나의 자기가치감은 우리 가족들과 나의 관계의 질에 영향을 받지 않는다. | 1 | 2 | 3 | 4 | 5 | 6 | 7 |
| 11. 내가 나의 도덕적 규칙을 따를 때마다 나의 자기가치감이 상승된다. | 1 | 2 | 3 | 4 | 5 | 6 | 7 |
| 12. 어떤 과제에서 내가 다른 사람들보다 더 낫다는 것을 아는 것은 내 자존감을 높인다. | 1 | 2 | 3 | 4 | 5 | 6 | 7 |
| 13. 나 자신에 대한 나의 의견은 내가 학교에서 얼마나 잘 하는가와 연결되어 있지 않다. | 1 | 2 | 3 | 4 | 5 | 6 | 7 |
| 14. 내가 도덕적 규범에 따라 살지 않는다면 나는 스스로를 존중할 수 없을 것이다. | 1 | 2 | 3 | 4 | 5 | 6 | 7 |
| 15. 나는 다른 사람이 나에 대해 뭐라고 생각하는지 신경 쓰지 않는다. | 1 | 2 | 3 | 4 | 5 | 6 | 7 |
| 16. 나의 가족들이 나를 자랑스러워할 때, 나의 자기가치감은 증가한다. | 1 | 2 | 3 | 4 | 5 | 6 | 7 |
| 17. 나의 자존감은 내가 내 얼굴과 생김새가 얼마나 매력적이라고 느끼는지에 따라 영향을 받는다. | 1 | 2 | 3 | 4 | 5 | 6 | 7 |
| 18. 내가 신의 사랑을 받지 못한다면 내 자존감은 상처받을 것이다. | 1 | 2 | 3 | 4 | 5 | 6 | 7 |
| 19. 학교에서 잘 하는 것은 나에게 자기존중감을 준다. | 1 | 2 | 3 | 4 | 5 | 6 | 7 |
| 20. 다른 사람보다 잘 하는 것은 나에게 자기존중감을 가져다준다. | 1 | 2 | 3 | 4 | 5 | 6 | 7 |
| 21. 나의 자기가치감은 내가 잘생기지(예쁘지) 않다고 생각할 때마다 상처를 받는다. | 1 | 2 | 3 | 4 | 5 | 6 | 7 |
| 22. 내가 학문적으로 잘 하고 있다는 것을 알 때 스스로에 대해 더 좋은 느낌을 갖는다. | 1 | 2 | 3 | 4 | 5 | 6 | 7 |
| 23. 다른 사람이 나에 대해 뭐라고 생각하는지는 내가 나 자신에 대해 생각하는 것에 아무 영향을 미치지 않는다. | 1 | 2 | 3 | 4 | 5 | 6 | 7 |

| | | | | | | | |
|---|---|---|---|---|---|---|---|
| 24. 나의 가족들로부터 사랑받는다고 느끼지 못할 때, 나의 자존감은 내려간다. | 1 | 2 | 3 | 4 | 5 | 6 | 7 |
| 25. 나의 자기가치감은 다른 사람들과의 경쟁에서 내가 얼마나 잘 하는가에 영향을 받는다. | 1 | 2 | 3 | 4 | 5 | 6 | 7 |
| 26. 나의 자존감은 신이 나를 사랑한다고 느낄 때 높아진다. | 1 | 2 | 3 | 4 | 5 | 6 | 7 |
| 27. 나의 자존감은 나의 학업 성적에 영향을 받는다. | 1 | 2 | 3 | 4 | 5 | 6 | 7 |
| 28. 내가 비윤리적인 일을 한다면 나의 자존감은 상처받을 것이다. | 1 | 2 | 3 | 4 | 5 | 6 | 7 |
| 29. 나를 돌봐 주는 가족이 있다는 것은 나의 자기가치감에 중요하다. | 1 | 2 | 3 | 4 | 5 | 6 | 7 |
| 30. 나의 자존감은 내가 매력적이라고 느끼는지 여부에 달려 있지 않다. | 1 | 2 | 3 | 4 | 5 | 6 | 7 |
| 31. 내가 신을 따르지 않는다고 생각할 때 나는 나 자신에 대해 나쁜 느낌을 갖는다. | 1 | 2 | 3 | 4 | 5 | 6 | 7 |
| 32. 나의 자기가치감은 다른 사람들과 경쟁을 하는 과제에서 내가 얼마나 잘 하는가에 의해 영향을 받는다. | 1 | 2 | 3 | 4 | 5 | 6 | 7 |
| 33. 나의 학업 성적이 부족할 때마다 내 자신에 대해 나쁜 느낌을 갖는다. | 1 | 2 | 3 | 4 | 5 | 6 | 7 |
| 34. 나의 자존감은 내가 도덕적/윤리적 규칙을 따르는지 여부에 달려 있다. | 1 | 2 | 3 | 4 | 5 | 6 | 7 |
| 35. 나의 자존감은 다른 사람이 나에 대해 갖고 있는 의견에 달려 있다. | 1 | 2 | 3 | 4 | 5 | 6 | 7 |

2. 체크한 내용을 토대로 채점해 봅시다.

1) 역채점 문항: 4, 6, 10, 13, 15, 23, 30(1은 7, 2는 6, 3은 5, 5는 3, 6은 2, 7은 1로 점수를 변환하기)

2) 우월성 영역 수반 점수=(3+12+19+20+22+25+27+32)/9

외모 영역 수반 점수=(1+4+17+21+30)/5

신의 사랑 영역 수반 점수=(2+8+18+26+31)/5

도덕성 영역 수반 점수=(5+11+14+28+34)/5

타인의 승인 영역 수반 점수=(6+15+23+35)/4

가족의 지지 영역 수반 점수=(7+16+24+29)/4

3. 다음 질문에 대해 생각해 봅시다.

1) 나의 자존감은 어느 영역에 수반되어 있나요? 이 척도에 구분되지 않은 영역 중에 내 자존감이 수반되어 있다면, 그 영역은 무엇일까요?

2) 내가 살아온 환경은 그 영역에서 내가 성공을 경험하기에 유리한 환경이었나요?

3) 연구(Crocker & Wolfe, 2001)에 의하면 어떤 사람이 높은 자존감을 갖기 위해서는 두 가지 조건, 즉 자존감 수반성과 그 수반성을 충족시킬 수 있는 환경이 필요합니다. 자신의 경우에 비추어 본다면, 내 자존감이 수반된 영역과 그 영역에서의 성공 경험이 나의 자존감 수준을 설명하나요?

제9장

# 일과 사랑

인간의 삶은 크게는 일과 사랑이라는 두 요소로 이루어져 있으며, 우리의 일과 사랑이 다양한 형태로 구현되는 것은 우리의 성격이 그만큼 다양하기 때문이다. 이 장에서는 진로선택과 직업만족 및 직업성취로 대표되는 일 그리고 대인관계와 연애관계로 대표되는 사랑을 주제로 성격과의 관련성을 알아보고자 한다. 성격이 어떻게 일과 사랑을 다채롭게 하는지 살펴보자.

## 1. 성격과 일

### 1) 성격과 진로선택

성격이 어떻게 진로선택과 관련되는지 살펴보자. **사회인지진로이론**(social cognitive career theory: SCCT; Lent, Brown, & Hackett, 1994)은 어떤 요인들이 진로에서의 흥미, 선택, 성공에 어떻게 관여하는지를 통합적으로 설명하는

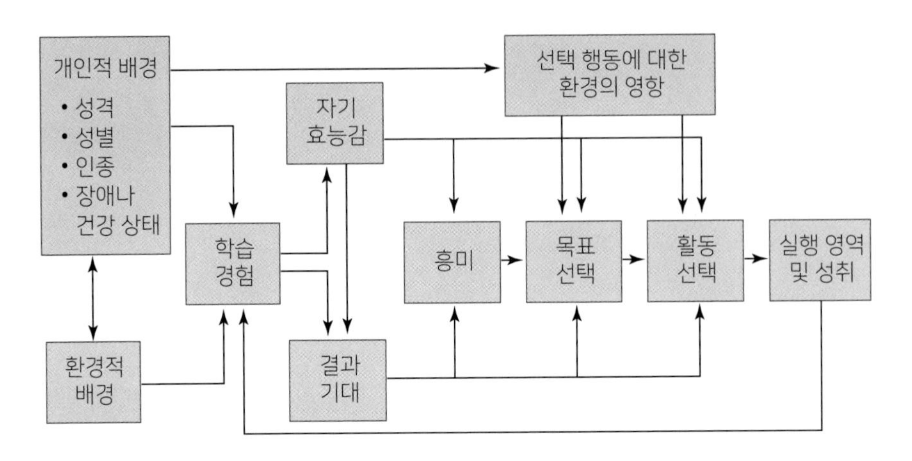


**[그림 9-1] 진로와 관련한 흥미와 선택이 어떻게 발달하는지에 대한 SCCT의 설명**

이론이다. SCCT에서 제시하는 요인들에는 환경적 요인과 개인의 신체적 특성 및 심리적 특성이 있다. 이 이론에 의하면 우리가 어떤 공부나 일에 관심을 갖게 되는지, 어떤 공부나 일을 선택하는지 그리고 그 공부나 일에서 얼마나 성취를 하는지에 개인의 성격특성이 관여한다.

자기효능감과 결과 기대 그리고 개인적 목표는 SCCT의 기본적인 단위이다. 우선 자기효능감을 살펴보면, 앞서 살펴본 것처럼 자기효능감은 특정 행동이나 일련의 활동을 할 자신의 능력에 대한 개인적인 신념이다. 우리는 적절한 기술과 환경적 지지가 있는 한 자기효능감이 높은 일에 대해 흥미를 갖고, 그 일을 추구하며, 실제로 잘 수행하게도 된다. 즉, 자기효능감은 진로 흥미와 선택, 성취에 중요한 요인이다. 결과 기대란 '내가 이 일을 하면 어떻게 될까?'와 같이 특정 행동을 한 결과에 대한 신념이다. 결과 기대 역시 우리가 관여하는 활동에서 어떤 결정을 하고 얼마나 노력하고 인내하는지에 영향을 준다. 자기효능감과 결과 기대는 이전의 학습 경험에 의해 형성되는데, 개인의 학습 경험은 기질, 성별, 건강 상태 등 개인적 요인과 환경의 영향으로 이루어진다. 예컨대, 10세 여자아이 세라는 기질적으로 자기를 표현하는 것을 좋아하고 그림 그리기에 어려움이 없는 신체적 건강 상태를 갖고 있다. 여자라는 성별은 어린 시절 대부분의 시간을 그림을 그리며 보내는 것에 대해 문제가 되지 않을 조건이었다(일반적으로 여자아이에게 기대하는 성역할에 부합했다는 뜻이다). 세라가 속한 환경은 세라가 그림을 그리는 것에 대해 호의적이고, 세라는 자신의 그림에 대해 긍정적인 피드백을 많이 받았다. 세라의 개인적 요인과 환경은 세라가 그림을 그리는 것에 대해 긍정적인 경험을 하는 데 영향을 주었고, 그 결과 미술에 대한 세라의 자기효능감과 결과 기대는 높게 형성되었다.

목표는 특정 활동에 관여하려는 또는 일정한 수준의 성취를 하려는 개인의 의도이다. SCCT에 의하면 우리가 어떤 목표를 설정하는지는 자기효능감과 결과 기대에 달려 있다. 그리고 개인적인 목표에서의 성공이나 실패는 학습 경험이 되어 자기효능감이나 결과 기대를 다시 형성하는 데 영향을 준다. 세라는 미술과 관련한 영역에 흥미를 갖고 있으며, 진로를 선택하는 단계에서도 다른 요인이 관여하지 않는 미술과 관련한 진로를 목표로 할 것으로 예상된다. 이때의 목표란 그 영역의 활동을 하고자 하며 해당 활동을 성공적으로 하고자 하는 것을 모두 포함한다.

우리가 어떤 학업이나 일에 흥미를 갖게 되는지는 학습 경험에 의한 자기효능감과 결과 기대에 달려 있다. 학교나 가정, 사회 등에서 다양한 활동을 하면서 우리는 그 활동에서의 자신의 능력에 대한 피드백을 받거나 해당 활동을 하는 것에 대한 강화나 처벌을 받는다. 이러한 학습 경험으로 우리는 자신이 그것을 하는 데 유능하다고 판단되는 것 그리고 좋은 결과를 가져올 것으로 기대되는 것에 대해 흥미를 갖는다. 세라가 그림에 대해 긍정적인 피드백을 받은 학습 경험은 자기효능감과 결과 기대를 거쳐 미술에 대한 흥미를 높였다.

어떤 진로를 선택하는지 역시 자기효능감과 결과 기대의 영향을 받는데, 진로를 선택하는 데 있어서는 선택과 근접한 환경의 영향을 받게 된다. 진로를 선택하는 동안 환경은 우리가 흥미를 둔 영역을 선택하는 데 지지적이거나 방해가 되는 경험을 제공한다. 예컨대, 가족의 반대나 경제적 어려움 또는 교육 기회의 부족 등은 흥미를 둔 진로를 선택하는 데 방해물로 작용한다. 우리에게 해당 진로를 선택할 기회가 얼마나 있는지 역시 환경의 영향을 받는다. 그때 우리는 자기효능감과 결과 기대, 흥미 그리고 환경의 영향을 고려하고 타협하여 진로를 선택한다. 세라가 미술에 흥미를 갖고 있더라도 진학할 수 있는 미대가 없다거나 가족이 미술을 전공으로 선택하는 것에 대해서는 반대하는 태도를 보인다면 진로선택에 있어서는 타협이 필요하게 될 것이다.

진로에서 얼마나 잘 수행하는지는 수행 목표의 영향을 받는다. 진로에서 목표란 일정한 수준의 성취를 이루려는 그 사람의 의도를 포함하는데, 목표가 높은 사람은 자신의 일에 지속적으로 집중하고 높은 성취를 이루게 된다. 진로에서 개인의 목표는 자기효능감이나 결과 기대의 영향을 받고 이 자기효능감과 결과 기대가 이전 자신의 수행 경험의 영향을 받는다는 점에서, 진로에서의 성취는 개인의 실제 능력의 영향을 받는 것으로도 볼 수 있다. 세라에게 미대 진학뿐만이 아니라 미술의 거장이 되고자 하는 목표가 있다면 더욱 인내하고 집중하여 높은 성취를 이룰 가능성이 높아진다. 그리고 권위 있는 미술대회에서 높은 상을 받는 것과 같은 성공을 경험한다면 이것은 또 다른 학습 경험이 되어 세라의 자기효능감과 결과 기대는 더욱 높아질 것이다.

### 2) 성격과 직업만족

어떤 일을 하는지만큼 중요한 것이 개인이 자신의 일에서 얼마나 만족감을 느끼는지이다. **직업만족** 또는 **직무만족**이란 우리가 자신의 직무 및 직무 경험에 대해 주관적으로 평가한 결과로 개인이 경험하는 긍정적 정서를 말한다. 교사인 종철 씨는 자신의 직무가 사회적으로 가치가 있는 일이며 안정적이고 시간적으로도 여유가 있다고 평가하며 자신의 직업에 대해 긍정적으로 느낀다. 또 다른 교사인 현수 씨는 자신의 직무에 대해 교권 저하로 교육자로서의 자괴감을 자주 느끼게 하고 업무시간 동안 잠시도 쉴 틈이 없다고 평가하며 자신의 직업에서의 만족감을 크게 느끼지 못한다. 각자가 자신의 직무 경험에 대해 평가하고 주관적으로 느끼는 감정은 상이할 수 있는데, 이러한 차이는 어디서 오는 것일까?

이 장에서는 일과 성격을 살펴보고 있지만, 직업만족에 영향을 주는 것이 성격뿐이라고 할 수는 없다. 사실 우리가 일에서 얼마나 만족감을 경험하는지에는 직무 환경, 조직의 특성, 직업에서의 대인관계 등도 영향을 준다. 근무시간이 얼마나 되고 점심시간이나 휴식시간은 얼마나 자유로운지, 물리적 공간은 얼마나 쾌적하며 그중 개인 공간은 얼마나 되는지, 조직 내 의사결정자는 누구인지, 개인의 자율성은 얼마나 보장되는지, 대화는 조직 위계에 따라 일방적인지 또는 상호적인지 등은 직업에 대한 만족도에 영향을 줄 수 있다. 또한 직업을 통해 만나게 되는 사람들이나 함께 일하는 사람들과의 관계가 만족스러운지 역시 직업만족도에 영향을 준다. 병원 근무자 495명을 대상으로 직무특성, 직장 내 의사소통 만족도, 직무만족도 등을 조사하고 분석한 연구(김서영, 이규영, 2013)에서는 자신의 과업의 중요성이 클수록, 업무에서 자율성이 클수록 그리고 상사와의 의사소통이 만족스러울수록 직업에서 만족감을 느끼는 것으로 나타났다. 직무나 조직의 특성, 직업에서의 대인관계가 개인의 직업만족에 중요한 요인임을 알 수 있다.

개인의 성격 역시 직업만족에 영향을 미친다. 성격 요인들 중에서도 일반적으로 외향성과 성실성이 높은 사람은 직업만족도 역시 높은 것으로 알려져 있으며, 이러한 관련성은 다양한 직종에 걸쳐서 일관되게 보고되었다. 이에 반해 신경성이 높은 사람은 직업에 대해 만족하지 못하는 것으로 보고된다. 경험에 대한 개방성과 우호성은 직업만족과 관련이 있는 것으로 보고되는 연구와 관련이 없는 것으로 보고되는 연구들이 혼재되어 있다. 따라서 두 요인은 직무 및 조직 특성, 대인관계 등 또 다른 변인에 따라 관계가 달라질 수 있을 것이다.

개인의 특성이 직업에서의 만족에 영향을 주는 주요인 요인임을 설명하는 모델은 **핵심자기평가 모델**(Judge, Locke, & Durham, 1997)이다. 핵심자기평가

(core self-evaluation)란 한 개인이 자신에 대해 내리는 총체적인 평가를 말하는데, 이 모델에서는 자기에 대한 평가가 직업만족에 영향을 준다고 설명한다. 핵심자기평가는 자기존중감, 자기효능감, 지각된 통제력, 정서적 안정성으로 구성된다. 각각은 자기를 얼마나 가치 있다고 느끼는지, 전반적인 과제에 있어서 자기가 얼마나 잘 해낼 수 있다고 믿는지, 자신이 스스로를 얼마나 통제할 수 있다고 믿는지 그리고 정서적으로 얼마나 안정되어 있는지를 의미한다. 이 모델에 따르면 종철 씨가 교사라는 직업에 대해 만족하는 것은 종철 씨의 핵심자기평가가 높기 때문이며 현수 씨의 직업만족도가 낮은 것은 현수 씨의 핵심자기평가가 낮기 때문일 수 있다.

그런데 직업에 대해 만족하는 것이 오롯이 개인의 특성 때문이라고 보는 것은 앞서 언급한 직무특성이나 조직특성 등의 영향을 간과하는 관점이다. 이것은 우리가 직업에 대해 만족하지 않는 것은 온전히 우리의 성격 때문이라고 하는 것과 마찬가지의 설명이다. 직업만족에 대한 핵심자기평가 모델에서는 핵심자기평가가 직업만족에 영향을 주는 과정을 직무특성에 대한 지각과 직무복잡성이 매개한다고 설명한다. 지각된 직무특성은 개인이 주관적으로 자신의 직무가 어떤 특성을 가진 것이라고 지각하는지를 의미하고, 직무복잡성은 직무의 객관적인 난이도를 뜻한다. 말하자면 핵심자기평가는 직무만족에 직접적으로 영향을 주지만, 자신의 직무특성을 어떻게 지각하는지에 영향을 줌으로써 직업에 대한 만족도에 간접적으로 영향을 준다. 자기에 대한 평가가 높은 종철 씨는 교사라는 직업이 자율성과 능동성이 보장되며 사회적으로 인정받고 중요한 직업이라고 지각한다. 그리고 교사 직무특성에 대한 이러한 지각은 종철 씨가 직업에 대해 높은 만족감을 느끼게 한다. 핵심자기평가는 직무복잡성에도 영향을 주어서 직업만족도를 높이기도 한다. 핵심자기평가가 높은 종철 씨는 부장교사가 되거나 연구과제를 맡는 등 객관적으로 난이도가 높은 도전적인 과제를 선택하는 경향이 있는데, 이처럼 도전적인 과제를 함으로써 자신의 직무를 긍정적으로 평가하게 되어 만족도가 높아진다.

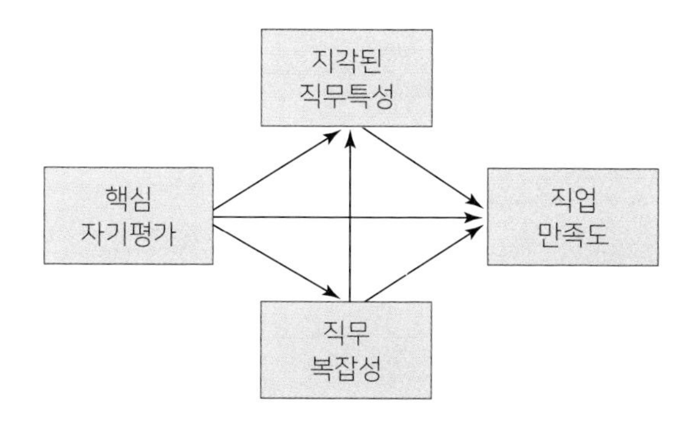


**[그림 9-2] 핵심자기평가는 직업만족도에 직접적 영향도 주지만 지각된 직무특성과 직무복잡성을 통해 간접적 영향을 주기도 한다**

한국 대학생을 대상으로 한 연구(안진아, 이지연, 2016)에서는 핵심자기평가가 높으면 일 희망과 일 자유의지가 높다고 보고하였다. 즉, 높은 핵심자기평가는 일에 대한 희망을 높이고, 어떠한 어려움이 있더라도 구애받지 않고 본인이 원하는 진로결정을 할 수 있다는 능력에 대한 지각도 높인다. 군 교육기관의 피교육생을 대상으로 한 연구(정용석, 고현석, 2015)에서는 피교육생 309명의 핵심자기평가를 측정하고 1년 후에 조직 지원에 대한 인식과 조직생활 만족을 측정하였다. 통계적 분석 결과, 핵심자기평가는 조직 지원을 높게 인식하는 데 영향을 주어 조직생활에 대한 만족도를 높이는 것으로 나타났다. 이러한 결과는 자신에 대한 총체적인 평가가 긍정적일수록 조직이 자신에게 많은 지원을 하는 것으로 지각하고 이에 따라 조직생활을 만족스러워하는 것으로 해석할 수 있다. 동일한 기관 내의 피교육생을 대상으로 한 이 연구에서는 자기에 대한 핵심적인 평가가 동일한 조직에 대해서도 다르게 지각하는 데 영향을 주기도 하는 것으로 나타났다. 이러한 지각은 조직에 대한 만족감에 영향을 줌을 시사한다.

결국 개인이 직업에서 얼마나 만족하는지는 개인의 성격특성이나 자기에 대한 평가가 영향을 미치는 것으로 이해할 수 있다. 그렇지만 개인의 특성이 직업만족에 영향을 주는 과정에서 직무의 특성에 대한 지각이나 직무의 객관적 난이도도 역할을 했는데, 이는 개인의 특성만이 직업만족을 설명하는 유일한 요인은 아니라는 것을 의미한다. 개인이 맡은 직무의 특성을 변화시킴으로써 직업에서의 만족도 역시 바뀔 수 있을 것이다.

### 3) 성격과 직무수행

어떤 사람이 일을 잘할까? 일을 잘한다는 것은 일에서 좋은 결과를 가져온다는 것을 의미하기도 하지만 좋은 수행을 한다는 것을 의미하기도 한다. 직업에서의 좋은 결과, 즉 성공에는 개인의 좋은 수행뿐만 아니라 능력, 타인, 운 등의 다양한 요인이 영향을 미친다. 즉, 좋은 수행이 반드시 좋은 결과와 같은 의미는 아니다. 하지만 좋은 수행은 좋은 결과를 예측하는 중요한 요인이며, 좋은 수행은 성격과 관련된다.

개인이 자신의 직무를 수행하는 정도를 **직무수행**이라 한다. 성격 5요인 중에서 직무수행이나 직업에서의 성공을 가장 잘 예측하는 요인으로 알려진 요인은 성실성이다. 성실성이 높은 사람은 과제에 대해 체계적이고 질서정연하게 접근하고, 목표를 설정하고 이를 향해 차근차근 삶을 꾸려 간다. 이들은 일이나 학업의 측면에서도 규칙적이고 지속적인 태도를 보이며 그 결과 자신의 직무에서 좋은 수행을 나타낸다. 이것이 성실성이 높은 사람들에 대한 일반적이고 예측이며 실제로 연구들은 성실성과 직무수행이 정적상관을 보인다고 보고한다(Thoresen, Bradley, Bliese, & Thoresen, 2004). 국내 연구(유태용, 이채령, 2016)에서는 성실성이 높을수록 능동적으로 자신의 업무 목표를 설정하고 목표 달성을 위해 동기부여를 하여 자신의 직무를 변화시키게 되고, 이것이 직무수행을 높이는 것으로 나타나기도 했다. 즉, 높은 성실성은 직간접적으로 직무수행에 긍정적인 영향을 미치는 것으로 보인다.

그런데 성실성은 높으면 높을수록 직무수행에 도움이 될까? 성실성이 직무수행을 잘하는 것에 대해 도움이 된다는 과거 연구들과 직관적인 판단과 달리 최근 국내 연구(최정락, 유태용, 2012)는 적절한 정도의 성실성이 직무수

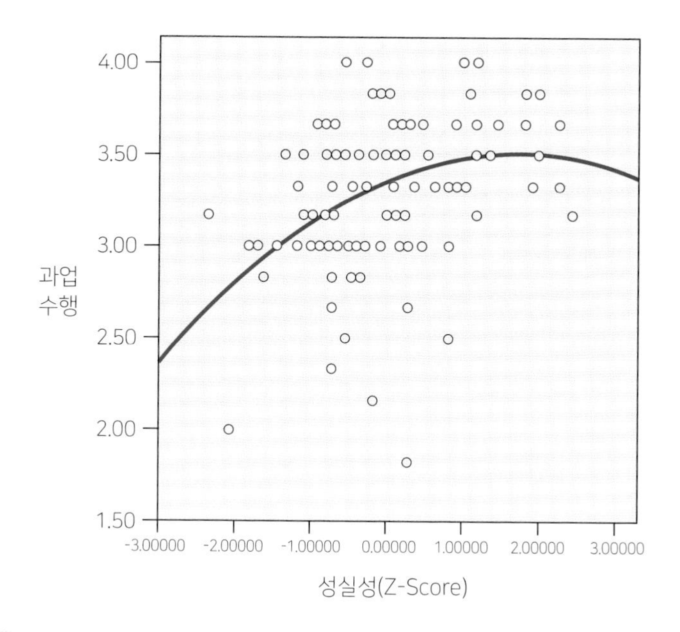


**[그림 9-3]** 성실성과 과업수행의 비선형적 관계

행에 도움이 된다고 보고하였다. 우리나라 직장인 211명의 응답을 분석한 결과, 성실성과 과업수행의 관계는 역 U형으로([그림 9-3] 참조), 일정 수준 이상의 성실성은 과업수행을 더 이상 증가시키지 않고 오히려 다소 감소시키는 것으로 나타났다. 무조건적인 성실이 능사는 아닌 듯하다.

개방성과 외향성 역시 직무수행과 관련이 있는 것으로 알려져 있다. 외향성이 높은 사람은 타인과 관계를 잘 형성하고 활력이 있다. 일반적으로 외향성은 주로 대인관계 영역에서의 만족감과 관련이 있는 것으로 보고되는데, 직무 영역에서 역시 높은 외향성이 높은 직무수행과 상관이 있는 것으로 보고된다(Thoresen et al., 2004). 한편, 개방성이 높은 사람은 새로운 경험을 반기고 호기심이 많다. 개방성은 스트레스 상황에 잘 대처하는 것과 관련이 있고, 새로운 과업 상황에서 수행을 더 잘 하는 것으로 보고된다(Thoresen et al., 2004).

외향성과 개방성은 특히 변화하는 직업적 상황에 적응하는 것과 관련된다. 외향성이 높은 사람은 조직이 변화하는 상황에서 변화에 대해 더 긍정적인 태도를 보이고, 개방성이 높은 사람은 변화에 유연하다. 국내 연구(손향신, 유태용, 2011)에서는 실제로 변화를 겪었거나 연구 당시 변화를 추진하고 있는 조직에 근무하던 직장인 200명을 대상으로 외향성 및 개방성과 적응수행의 관계를 살펴보았다. 그 결과, 외향성 및 개방성이 높을수록 변화하는 환경 속에서 개인이 효과적으로 적응하는 적응수행이 높은 것으로 나타났다.

## 2. 성격과 사랑

### 1) 성격과 대인관계

다른 사람들과 어떻게 관계를 맺는지도 성격의 영향을 많이 받는다. 그중 대인관계를 설명하는 데 자주 언급되는 성격 변인은 **애착**이다. 앞에서 설명한 것처럼 낯선 상황에서 보이는 아이들의 행동을 통해 불안-회피 애착(insecure-avoidant attachment), 불안-양가 애착(insecure-ambivalent attachment), 안정 애착(securely attachment)이라는 세 가지 애착유형이 발견되었다. 이후 계속된 낯선 상황 실험에서 또 다른 애착유형인 혼란 애착(disorganized attachment)이 발견되었다. 자기중심적이고 두려움이 큰 주 양육자의 자녀에게서 발견되는 유형인데, 이 아이들은 양육자에게 어떻게 반응해야 할지 혼란스러워하며 양육자에게 다가가는 것을 어려워한다. 이처럼 세 가지 또는 네 가지 유형의 아동기 애착은 성인기까지 이어지기도 하지만 그 비율은 약 70~75%로, 아동기 애착이 반드시 성인기 애착으로 이어진다고 보기는 어렵다. 그러니 아동기 애착의 연장인지 혹은 이후 삶에서 형성된 것인지는 명확하지 않지만 성인기에도 애착 대상에 대한 특정한 행동 패턴이 나타나는데, 이를 성인 애착이라 한다.

성인 애착면접(Adult Attachment Interview: AAI; Main, Kaplan, & Cassidy,

1985)을 사용하여 성인에게 어린 시절 자신의 부모와 상호작용한 방식에 대해 회상하도록 한 결과, 성인의 경우에도 유사한 형태의 애착들이 발견되었다. 즉, 성인들 역시 세 가지('안정/자율' 유형, '무시' 유형, '몰입' 유형) 또는 네 가지(추가적으로 발견된 '미해결' 유형) 유형의 애착이 발견되었으며 각 유형은 아동기 애착과 유사한 특징들을 보였다. 안정/자율 유형은 안정 애착과, 무시 유형은 불안-회피 애착과, 그리고 몰입 유형은 불안-양가 애착과 관련이 있고, 미해결 유형은 혼란 애착과 관련이 있는 것으로 보고된다. 애착이 인간 행동에 중요한 요인이라는 점에서 연구자들은 애착을 유형화하려는 시도를 해 왔고, 연구자 또는 연구에 따라 세 가지 또는 네 가지 유형의 애착이 제기되었다. 일례로, 낯선 상황 실험이나 AAI를 사용한 연구는 애착을 세 가지 또는 네 가지 유형으로 소개하고, 이 장의 뒷부분에서 언급할 성인 애착 분류(Bartholomew & Horowiz, 1991)는 네 가지 유형의 성인 애착을 소개하고 있다. 애착의 유형이 몇 가지인지에 대한 논의와 별개로, 중요한 것은 성인기의 애착이 대인관계에 중요한 예측요인임은 분명하다.

〈표 9-1〉 성인 애착면접의 문항 내용

| 번호 | 문항 |
|---|---|
| 1 | 가족과 관련된 이야기를 좀 해 주십시오. 어디에 살았는지, 이사한 경험이 많았는지, 부모님께서는 무슨 일을 하셨는지와 같은 것들에 대해서 이야기를 하려고 합니다. |
| 2 | 기억해 낼 수 있는 가장 어린 시절을 회상해 보시기 바랍니다. 그 시절에 당신의 부모님과의 관계를 한번 그려 보십시오. |
| 3 | 기억해 낼 수 있는 가장 어린 시절(5~12세)로 돌아가서, 당신의 어머니와 당신과의 관계를 표현해 줄 수 있는 5개의 형용사나 단어를 제시해 주시기 바랍니다. |
| 4 | 아버지에 대해서도 똑같은 질문과 과정을 반복한다. |
| 5 | 부모님 중 누구와 더 가까웠었습니까? 그 이유는 무엇인가요? 다른 쪽 부모와 덜 가까웠다고 느낀다면 그 이유는 무엇일까요? |

| | |
|---|---|
| 6 | 어릴 때, 화가 나거나 속상한 일이 있으면 어떻게 했었습니까?<br>(a) 정서적으로 화가 나거나 속상했을 때? (b) 신체적으로 다쳤을 때? (c) 몸이 아팠을 때? |
| 7 | 부모님과 처음으로 일정 기간 떨어졌던 경험에 대해서 이야기해 봅시다. 맨 처음 떨어졌을 때가 언제입니까? |
| 8 | 어린 시절에 부모로부터 심하게 내쳐진 것 같은 경우나 부모가 안 돌봐 줬다고 느낀 적이 있습니까? |
| 8a | 어릴 때 무엇인가 때문에 두려워하거나 걱정해 본 기억이 있습니까? |
| 9 | 어릴 때 부모가 심하게 겁을 줬던 경험이 있습니까?<br>가족 내에서 어떤 학대 행위가 일어난 적은 없는지 질문한다. |
| 10 | 전반적으로 당신 부모와의 경험이 지금 당신의 성격에 어떤 영향을 주었다고 생각합니까? 어린 시절의 어떤 경험이 당신의 발달과정에 나쁜 영향을 미친 적이 있다고 생각합니까? |
| 11 | 어린 시절에 당신의 부모들이 왜 그렇게 행동했다고 생각합니까? |
| 12 | 어릴 때 부모처럼 가까웠던 다른 어른이 있습니까? 혹은 부모님 같지는 않더라도 특별히 중요한 어른이 있습니까? |
| 13 | 어릴 때 부모나 다른 친한 사람을 잃은 적이 있습니까? 그러한 상황을 한번 이야기해 주십시오. |
| 13a | 어릴 때 그 외에 다른 소중한 사람을 잃었던 적이 있습니까? |
| 13b | 성인이 되어서 가까운 사람을 잃었던 적이 있습니까? |
| 14 | 그 외에 충격적이라고 할 만한 사건이 있었는지 이야기해 주십시오. |
| 15 | 아동기부터 성인기가 되는 동안에 부모와의 관계가 변화했다고 생각하십니까? |
| 16 | 성인으로서 지금 당신의 부모와의 관계는 어떤 것입니까? |
| 17 | 현재 자신의 아동과 떨어진다면 어떻게 느낄 것 같습니까? |
| 18 | 지금으로부터 20년이 흘렀다고 가정하고 아이가 어떻게 되었으면 좋을지 세 가지 소원을 말해 보십시오. 당신이 지금 아동에게 바라는 미래는 어떤 것일까요? |
| 19 | 어릴 때 경험을 통해서 배운 것이 있다면 어떤 것일까요? |
| 20 | 당신의 아동이 당신에게 양육되면서 어떤 것들을 배우길 바라십니까? |

애착이 성인의 대인관계에 어떻게 영향을 미치는지에 대한 연구들이 있다. 일터에서의 대인관계에 대한 연구(Hazan & Shaver, 1990)에서는 안정 애착유형의 사람들은 일을 할 때 동료들로부터 거절당하는 것에 대한 두려움이 낮은 것으로 보고하였다. 이들은 업무보다 대인관계를 더 중요하게 여기지만 업무에 대한 집중도도 높았다. 이와 달리 불안-양가 애착유형의 사람들은 타인과 함께 일하는 것을 선호하지만 일을 하는 과정에서 자신이 타인으로부터 오해를 받거나 합당한 인정을 받지 못한다고 느끼는 것으로 나타났다. 이들은 타인의 인정을 받는 것이 일에서의 주요 동기가 되며, 좋은 성과를 내지 못해 타인의 인정을 받지 못하는 것을 두려워한다. 불안-회피 애착유형의 사람들은 일에 파묻힘으로써 타인과의 친밀한 관계를 회피하는 양상을 보이는 것으로 보고되었다. 이들은 타인과 함께 일하기보다 혼자 일을 하는 것을 선호하고, 대인관계를 맺지 않는 것에 대해 일을 핑계로 삼는다.

우리나라 전국의 20~30대 성인 1,051명을 대상으로 실시한 연구(이서현, 양은주, 권정혜, 2013)에서는 애착이 자기개방 및 관계의 질과 관계가 있는 것으로 나타났다. 애착 회피 성향이 강할수록 자기개방을 덜 하고 애착 불안(양가감정)이 강할수록 자기개방을 더 하는 것으로 보고되었으며, 자기개방을 많이 할수록 대인관계의 질은 높았다. 말하자면 회피 애착은 자기개방을 하지 않게 하여 관계의 질을 나빠지게 하였고, 이와 달리 불안 애착은 그 자체로는 관계의 질을 낮추지만 자기개방을 하게 함으로써 관계의 질을 높이는 작용도 하는 것으로 나타났다.

대인관계의 질은 성격 5요인으로도 설명할 수 있다. 우호성은 대인관계의 질을 높이는 대표적인 특질로 알려져 있다. 우호성이 높은 사람들은 따뜻하고 부드러우며 타인에게 협력한다. 이들은 일반적인 대인관계에서 만족도가 높으며 결혼관계에서 안정감도 높다. 이와 달리 신경성은 관계의 질을 떨어뜨리는 대표적인 특질로 알려져 있다. 신경성이 높은 사람은 우울, 불안, 분노와 같은 부정적 정서를 많이 느끼는데, 이들은 타인과의 관계를 지속하는 것이 어렵고 타인의 행동에 대해 부정적으로 해석하는 경향이 높으며 관계에서 만족감을 경험하지 못한다. 외향성과 개방성, 성실성은 대인관계의 질에 긍정적 영향과 부정적 영향을 모두 미치는 요인이다. 이들 특질은 대인관계의 유형에 따라 관계의 질을 높이거나 낮추기도 한다. 외향성은 타인과의 관계를 추구하는 성향으로, 외향성이 높은 사람들은 사교적이고 활동 수준이 높으며 긍정적인 정서를 많이 경험한다. 이들은 폭넓은 인간관계를 형성하고 친밀감을 쉽게 형성한다는 긍정적인 측면이 있지만, 불안정한 결혼생활이나 이혼 등과 관련이 있는 것으로도 보고된다. 개방성은 새로운 경험에 대해 개방적이며 호기심이 많은 특질인데, 개방성이 높은 사람들은 결혼생활이나 관계의 지속이 불안정한 반면 부부 사이에서 부정적인 상호작용을 덜 하는 것으로 나타나기도 하였다. 성실성은 계획적이고 책임감이 강하며 질서정연한 특질인데, 성실성이 높은 사람들은 대인관계의 지속기간이 길고 관계의 안정성이 높다. 그러나 성실성이 높은 남성의 경우 열정적인 형태의 사랑은 덜한 것으로 보고된다.

### 2) 성격과 연애

연인관계의 사랑에 대한 이론 중 대표적인 것이 **스턴버그**(Sternberg, 1986)가 제시한 **사랑의 삼각형 이론**이다. 스턴버그는 연인관계의 사랑이 친밀감, 열정, 헌신의 세 요소로 구성되고 각 요소가 어떻게 조합되는지에 따라 다양한 형태의 사랑으로 구분된다고 하였다([그림 9-4] 참조). 즉, 좋아함(친밀감), 열정적 사랑(열정), 비어 있는 사랑(헌신), 낭만적 사랑(친밀감과 열정), 불완전한 사랑(열정과 헌신), 동료적 사랑(친밀감과 헌신), 완전한 사랑(친밀감, 열정, 헌신)과 같은 다양한 형태의 사랑이 나타날 수 있다. 스턴버그가 제시한 사랑의 세 요소는 각각 고대 그리스 시대에 사랑의 유형으로 제시한 에로스(열정), 아가페(헌신), 필리아(친밀감)와 연결되는 것이라 할 수 있다.

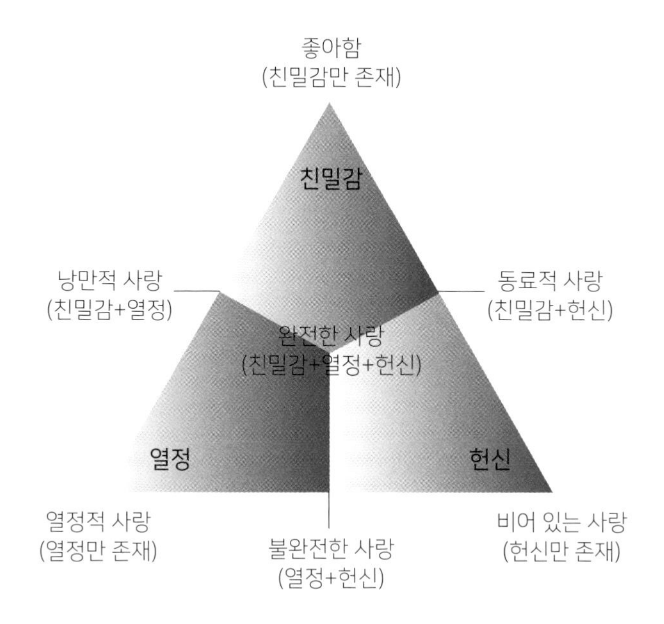


**[그림 9-4] 스턴버그의 사랑의 삼각형**

이처럼 연애는 다양한 형태로 이루어질 수 있다. 연인관계는 대인관계의 일종이지만 일반적인 대인관계보다 더욱 친밀하고, 제3자가 개입되지 않는 일대일의 폐쇄적인 관계라는 점에서 대인관계와는 두드러진 차이점을 갖는다. 친밀하고 폐쇄적인 관계는 연인관계 당사자들이 자기를 적절히 유지하면서도 타인과 가까워지는 기술을 가져야만 하는 필요성을 부여한다. 우리는 연애관계를 통해 자기 자신을 속속들이 들여다보게 되고 자신과 타인의 경계를 지각하고 건강한 경계를 확립하는 기회를 갖게 된다.

성인이 타인과의 관계 속에서 자기를 지각하고 타인에 대한 태도를 갖는 것 역시 애착이라는 용어로 설명할 수 있다. 앞서 살펴본 것처럼, 유아는 양육자와의 관계에서 애착을 형성하고 다양한 대상과 관계를 맺으면서 친구, 애인 등의 다양한 애착 대상을 갖게 된다. **성인 애착**은 자신과 타인에 대한 긍정적 태도와 부정적 태도를 기준으로 네 가지 유형으로 분류된다 (Bartholomew & Horowiz, 1991). 각각은 안정형(자기긍정, 타인긍정), 몰두형

(자기부정, 타인긍정), 거부형(자기긍정, 타인부정), 두려움형(자기부정, 타인부정)이다. 안정형은 자신과 타인에 대해 모두 긍정적인 표상을 가지므로 다른 사람에게 다가갈 때 자신감이 있다. 몰두형은 자기에 대해서는 부정적인 표상을 갖지만 타인에 대해서는 긍정적인 표상을 갖는다. 이 유형의 사람들은 타인에게 집착하는 형태로 관계를 맺는다. 거부형은 자기에 대한 긍정적 표상과 함께 타인에 대한 부정적 표상을 가지는데, 이로 인해 타인과의 친밀한 관계를 불편하게 여기고 지나친 독립성을 추구한다. 마지막으로, 두려움형은 자기와 타인 모두에 대해 부정적인 표상을 갖는다. 이 유형의 사람들은 다른 사람과 가까워지기를 원하는 동시에 가까운 관계에 대해 두려움을 느낀다.

이들 애착유형은 일반적인 대인관계뿐만 아니라 연인관계 양상을 설명하는 데 유용하다. 안정형 연인은 자신의 연인에게 적절하게 의존하고 적절하게 독립적일 수 있다. 이들은 연인을 신뢰하고 사소한 갈등에 과도하게 반응하지 않으며, 자신의 연인을 안전기지로 지각하여 다른 삶의 영역에 적극적으로 몰입할 수 있다. 이와 달리 몰두형 연인은 연애관계에서 높은 불안을 경험하고 연인에게 과도하게 집착하는 양상을 보인다. 이들은 자신이 거부당하는 것에 대해 과하게 민감하다. 독립적인 거부형 연인은 연인관계에서도 서로 집착하지 않고 거리를 두는 관계를 원한다. 이들은 밀착된 관계에 대해 불편해하고 회피한다. 마지막으로, 두려움형 연인은 자신이 좋은 연인이 되지 못한다고 생각하면서 동시에 자신의 연인 역시 신뢰하지 못한다. 157명의 대학생을 대상으로 한 국내 연구(김광은, 이위갑, 2005)에서는 네 가지 유형의 성인 애착이 이성관계에서 보이는 애착 요인이나 이성관계에서의 만족도와 어떠한 관계가 있는지 살펴보았다. 그 결과, 성인 애착이 안정형 애착으로 분류된 사람들은 이성관계에서 보이는 애착 중 회피와 불안 요인 모두에서 가장 낮은 점수를 보였고, 두려움형 애착으로 분류된 사람들은 회피 요인에서, 몰두형 애착은 불안 요인에서 높은 점수를 보였다([그림 9-5] 참조). 또한 성인 애착이 몰두형 애착과 두려움형 애착으로 분류된 사람들은

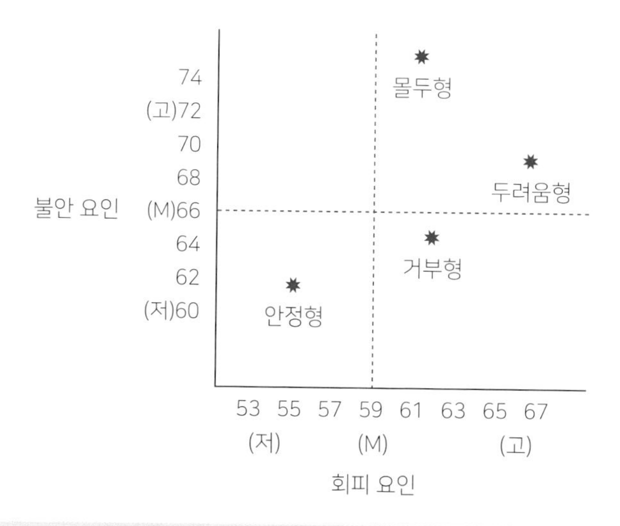


**[그림 9-5] 성인 애착유형과 이성관계 애착**

각 축은 이성관계 애착의 회피 요인과 불안 요인이다.

전반적으로 이성관계에 불만족하는 것으로 나타났고, 몰두형 애착으로 분류된 사람들은 정서적 의사소통에 대한 불만족 정도가 높은 것으로 나타났다.

널리 사용되는 세 유형의 애착(안정 애착, 불안-양가 애착, 불안-회피 애착) 역시 성인기의 연애 관련 행동을 설명하는 데 많이 사용된다. 그래서 시중에 사용되는 연애 유형 테스트는 애착유형을 근거로 우리의 연애 유형을 분류하는 것들이 많다. 불안-회피 애착양식을 가진 성인은 로맨틱한 관계에 대해 냉소적이고 지속하기 어렵다고 믿는다. 친밀한 관계를 두려워하고 냉담한 경향이 있으며 배우자를 정서적으로 지지하지 못한다. 불안-양가 애착양식을 가진 성인은 로맨틱한 관계를 빈번하게 맺지만 오래 지속시키기 어렵다. 배우자를 만족시키기 위해 자신이 변화하려 하고 배우자와 떨어져 있는 것에 큰 스트레스를 경험한다. 안정 애착양식을 가진 성인은 긍정적인 연애 관계를 맺고 그 관계를 지속시킬 수 있다. 이들은 배우자와 떨어져 있을 때 크게 불안하지 않고 배우자가 원할 때 정서적으로 지지해 줄 수 있다.

연애 행동에 대해서는 선천적 기질보다 후천적 학습이 더 중요한 요인으로 알려져 있다. 양육자와의 관계 경험은 성인의 연애 경험에 영향을 준다. 미혼여성을 대상으로 질적 사례연구(조아라, 오제은, 2014)를 실시한 결과, 어린 시절 아버지와의 관계 경험은 미혼여성의 기억에 남아 성인기에 연인과의 관계를 어떻게 형성하는지에 영향을 주는 것으로 나타났다. 즉, 초기 양육자와 정서적 친밀감을 충분히 경험하지 못하면 이러한 경험이 상처 또는 미해결 과제로 남아 성인기의 연애관계에 영향을 주는 것으로 이해할 수 있다.

# 활동 12 나의 대인관계양식 알아보기

1. 다음 형용사가 자신을 얼마나 설명하는지 체크하세요.[1)]

| 문항 | 전혀 아니다 | 아닌 편이다 | 그런 편이다 | 매우 그렇다 |
|---|---|---|---|---|
| 1. 자신만만하다 | 1 | 2 | 3 | 4 |
| 2. 당당하다 | 1 | 2 | 3 | 4 |
| 3. 주장적이다 | 1 | 2 | 3 | 4 |
| 4. 추진력 있다 | 1 | 2 | 3 | 4 |
| 5. 자기확신이 있다 | 1 | 2 | 3 | 4 |
| 6. 비판적이다 | 1 | 2 | 3 | 4 |
| 7. 당돌하다 | 1 | 2 | 3 | 4 |
| 8. 통제적이다 | 1 | 2 | 3 | 4 |
| 9. 자기중심적이다 | 1 | 2 | 3 | 4 |
| 10. 오만하다 | 1 | 2 | 3 | 4 |
| 11. 불평이 많다 | 1 | 2 | 3 | 4 |
| 12. 퉁명스럽다 | 1 | 2 | 3 | 4 |
| 13. 냉소적이다 | 1 | 2 | 3 | 4 |
| 14. 배타적이다 | 1 | 2 | 3 | 4 |
| 15. 의심이 많다 | 1 | 2 | 3 | 4 |
| 16. 비사교적이다 | 1 | 2 | 3 | 4 |
| 17. 대인관계에서 불안하다 | 1 | 2 | 3 | 4 |

1) 한국판 대인관계 형용사 척도
출처: 정남운(2004).

| | | | | |
|---|---|---|---|---|
| 18. 고립되다 | 1 | 2 | 3 | 4 |
| 19. 회피적이다 | 1 | 2 | 3 | 4 |
| 20. 무미건조하다 | 1 | 2 | 3 | 4 |
| 21. 수동적이다 | 1 | 2 | 3 | 4 |
| 22. 비주장적이다 | 1 | 2 | 3 | 4 |
| 23. 자신 없다 | 1 | 2 | 3 | 4 |
| 24. 소심하다 | 1 | 2 | 3 | 4 |
| 25. 유약하다 | 1 | 2 | 3 | 4 |
| 26. 순박하다 | 1 | 2 | 3 | 4 |
| 27. 양보하다 | 1 | 2 | 3 | 4 |
| 28. 순진하다 | 1 | 2 | 3 | 4 |
| 29. 타인중심적이다 | 1 | 2 | 3 | 4 |
| 30. 고분고분하다 | 1 | 2 | 3 | 4 |
| 31. 정답다 | 1 | 2 | 3 | 4 |
| 32. 친근하다 | 1 | 2 | 3 | 4 |
| 33. 친절하다 | 1 | 2 | 3 | 4 |
| 34. 아량이 넓다 | 1 | 2 | 3 | 4 |
| 35. 인정이 많다 | 1 | 2 | 3 | 4 |
| 36. 생기 있다 | 1 | 2 | 3 | 4 |
| 37. 쾌활하다 | 1 | 2 | 3 | 4 |
| 38. 사교적이다 | 1 | 2 | 3 | 4 |
| 39. 발랄하다 | 1 | 2 | 3 | 4 |
| 40. 외향적이다 | 1 | 2 | 3 | 4 |

2. 각 특성별로 점수를 계산하세요. 각 특성별로 5~20점 사이의 점수가 산출됩니다.

1) 자기확신/주장: 1~5번 총합 (　　)점
2) 비판/통제: 6~10번 총합 (　　)점
3) 냉담/배타성: 11~15번 총합 (　　)점
4) 회피/고립: 16~20번 총합 (　　)점
5) 비주장/소심: 21~25번 총합 (　　)점
6) 순응/양보: 26~30번 총합 (　　)점
7) 온화/친절: 31~35번 총합 (　　)점
8) 사교성/쾌활: 36~40번 총합 (　　)점

3. 다음 그래프 위에 각 특성별로 자신의 점수를 표시하고, 자신에게 높게 나타나는 특성은 어떤 것들이 있는지 살펴보세요.

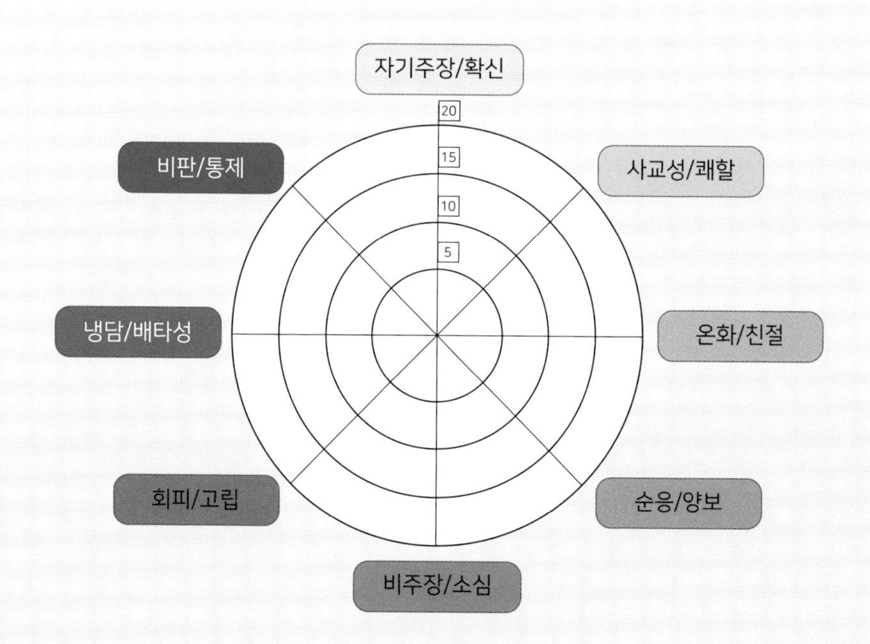

4. 생각해 볼 문제

1) 검사에서 도출된 자신의 대인관계양식은 자신의 일상생활에서 어떤 모습으로 나타나나요?

2) 다양한 대인관계 장면에서 이러한 특성들은 일관되게 나타나나요, 아니면 대상이나 상황에 따라 다르게 나타나나요?

3) 자신의 대인관계양식은 자신의 주 양육자와의 관계와 얼마나 유사하거나 얼마나 다른가요?

제10장

# 성격을 통합적으로 이해하기

지금까지 우리는 성격을 바라보는 다양한 관점을 살펴보고 성격이 우리 삶과 어떻게 관련되어 있는지를 짚어 보았다. 이 장에서 우리는 앞서 살펴본 다양한 관점이 개인차를 어떻게 다각도로 설명할 수 있는지에 대해 생각해 볼 것이다.

앞서 설명한 것처럼, 성격은 개인을 지속적이고 일관된 방식으로 행동하게 한다. 우리는 개인이 지속적이고 일관된 행동 방식을 보이는 것의 원인으로 성별을 꼽는 경우가 많다. 예컨대, 좋건 싫건 '여자들은……' '남자라서……'와 같이 성별과 행동 패턴을 연결 짓는 표현들을 접하곤 한다. 이 장에서는 다양한 관점이 성별과 성격의 관계를 어떻게 설명하는지 살펴보고자 한다. 여성 또는 남성 이 외에도 다양한 성정체성이 존재하지만, 이 장의 목적에 부합하는 축적된 연구를 소개하기 위해 아쉽지만 그 밖의 다양한 성정체성에 대한 설명은 생략하도록 한다.

더하여 이 장에서는 성격심리학의 관점들이 행복과 성격의 관계에 대해서는 어떻게 설명하는지를 살펴본다. 흔히 삶의 목적을 '행복'이라고 답하는데,

그렇다면 우리의 성격은 행복과 어떻게 관련되는 것일까?

## 1. 성별과 성격

성별에 따라 성격 5요인에 차이가 있을까? 전 세계의 50개 문화권에서 성격 5요인을 측정하고 성별에 따라 비교한 연구(McCrae & Terracciano, 2005)를 살펴보자. 이 연구에서는 NEO-PI-R을 이용한 자기보고식 검사와 관찰자가 평정한 결과를 토대로 남성과 여성의 성격 5요인을 측정하고 그 차이를 검증하였다(〈표 10-1〉 참조). 이 표에서 양수는 여성이 더 높은 점수인 경우, 음수는 남성이 더 높은 점수인 경우이다. 관찰자가 평정한 점수는 5요인 모두 여성이 더 높은 점수로 나타났고[ds=0.49(N), 0.15(E), 0.07(O), 0.32(A), 0.14(C)], 특히 신경성과 우호성에서 여성이 두드러지게 높은 점수를 보였다. 또한 자기보고식 평정과 관찰자 평정에서 유사한 패턴으로 나타났다.

그런데 충동성(N5)에 대한 평정에서는 자기보고식 평정에서는 여성이 더 높은 점수를 보였지만 관찰자 평정에서는 남성이 더 높은 점수를 보여 차이가 나타났다. 솔직성(A2)에 대해서 두 방식의 평정 모두 여성이 더 높은 점수를 보였지만, 자기보고식 평정에서 큰 점수 차를 보인 반면 관찰자 평정에서는 그보다 작은 점수 차를 보였다. 또한 질서(C2)에서도 여성이 높은 점수를 보였지만 관찰자 평정에서 점수 차가 더 크게 나타났다. 이러한 차이는 개인이 자신의 행동을 평가하는 것은 타인이 평가하는 것과 동일하지 않을 수 있음을 시사한다. 또한 이 결과는 성격 5요인에 있어서 성차가 있음을 보여 주지만, 이러한 차이가 어디에서 온 것인지에 대해서는 설명하지 못한다.

〈표 10-1〉 NEO-PI-R을 이용한 남녀의 자기보고, 관찰자 평정 점수 차이

| NEO-PI-R 요인 | 자기보고 | | 관찰자 평정 | |
|---|---|---|---|---|
| | 대학생 | 성인 | 대학생 | 성인 |
| N: 신경성 | | | | |
| N1: 불안성 | .32*** | .43*** | .42*** | .54*** |
| N2: 분노를 수반하는 적대감 | .16*** | .19*** | .15*** | -.02 |
| N3: 우울 | .17** | .29*** | .19*** | .29*** |
| N4: 자의식 | .22*** | .23*** | .28*** | .31*** |
| N5: 충동성 | .16** | .11* | -.01 | -.11*** |
| N6: 상처받기 쉬움 | .28*** | .36*** | .29*** | .34*** |
| E: 외향성 | | | | |
| E1: 따뜻함 | .24*** | .23*** | .11*** | .29*** |
| E2: 사교성 | .20*** | .14*** | .15*** | .26*** |
| E3: 주장성 | -.10* | -.27*** | -.07* | -.24*** |
| E4: 활동 수준 | .04 | .11* | .07* | .16*** |
| E5: 흥분 추구 | -.18*** | -.38*** | -.17*** | -.25*** |
| E6: 긍정적 정서 | .27*** | .16*** | .17*** | .26*** |
| O: 개방성 | | | | |
| O1: 공상 | .12** | .06 | .06* | .10*** |
| O2: 미적 감수성 | .40*** | .35*** | .26*** | .31*** |
| O3: 감정 | .33*** | .31*** | .26*** | .42*** |
| O4: 행위 | .11** | .17** | .07* | .21*** |
| O5: 아이디어 | -.17*** | -.16* | -.19*** | -.31*** |
| O6: 가치 | .15** | .01 | -.02 | .09*** |
| A: 우호성 | | | | |
| A1: 신뢰성 | .10* | .17*** | .08** | .16*** |
| A2: 솔직성 | .34*** | .32*** | .09** | .17*** |

| | | | | |
|---|---|---|---|---|
| A3: 이타성 | .25*** | .25*** | .10*** | .33*** |
| A4: 순응성 | .03 | .17*** | .01 | .17*** |
| A5: 겸손 | .22*** | .22*** | .19*** | .26*** |
| A6: 온유함 | .26*** | .28*** | .19*** | .39*** |
| C: 성실성 | | | | |
| C1: 유능함 | -.09 | -.10 | -.03 | -.17*** |
| C2: 질서 | .09 | .10** | .19*** | .24*** |
| C3: 의무감 | .18*** | .13* | .13*** | .09*** |
| C4: 성취 노력 | .06 | -.04 | .14*** | -.12*** |
| C5: 자제심 | .09* | .04 | .14*** | .05* |
| C6: 신중함 | -.04 | -.06 | .10*** | -.02 |

*$p<.05$, **$p<.01$, ***$p<.001$

출처: McCrae & Terracciano (2005).

## 1) 생물학적 관점에서 성차 설명하기

일반적으로 알려진 이야기부터 시작하자. 여성과 남성은 뇌 구조에 차이가 있다. 미국의 한 연구(Ingalhalikar et al., 2014)에서는 8~22세 남녀 949명의 뇌 영상을 분석하였다. 뇌 영상을 통해 대뇌 연결 구조를 살펴본 결과에 따르면, 남성의 경우는 좌우 뇌 반구 내부에서의 연결이 강한 반면 여성의 경우는 좌우 뇌 반구 사이의 연결이 강하였다([그림 10-1] 참조). 이와 달리 소뇌에서는 남성의 경우 좌우 반구 사이의 연결이 발달한 반면 여성의 경우 좌우 반구 내의 연결이 활발했다.

이 연구에서는 남성의 뇌가 대뇌 반구 내부의 연결이 강하고 소뇌 반구 사이의 연결이 강하다는 것에 대해 남성이 공간 처리와 운동, 감각운동 속도에서 더 수행이 좋은 것과 관련된다고 설명하였다. 이와 달리 여성의 뇌가 대뇌 반구 사이의 연결이 강하고 소뇌 반구 내부의 연결이 강하다는 것은 여성

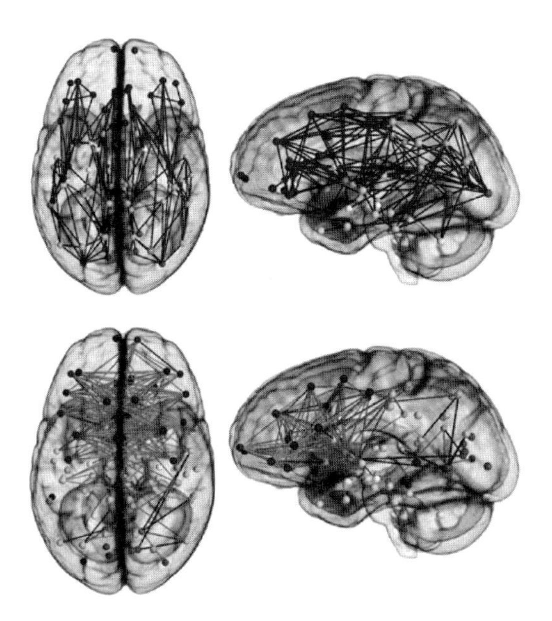

**[그림 10-1] 남녀의 뇌 연결 구조 차이**

남자의 대뇌(위)에서는 앞뒤 쪽의 연결 및 뇌반구 내의 연결이, 여자의 대뇌(아래)에서는 좌우 뇌반구 간의 연결이 두드러진다.
출처: Ingalhalikar et al. (2014).

이 기억, 사회성, 직관에서 수행이 더 좋은 것과 관련된다고 설명하였다. 즉, 남녀의 뇌는 연결 구조에서 차이가 있으며, 이러한 생물학적 차이 때문에 남녀의 사고방식은 다를 수밖에 없다는 것이다.

남녀의 뇌 연결 구조가 상이하다는 결과는 남녀는 뇌 구조에서부터 차이가 있다는 오래된 통념과 일맥상통한다. 대중 심리학에서는 남녀의 뇌가 차이가 있다는 것을 정설로 간주하는 경향이 있고, 남성의 뇌와 여성의 뇌에 대한 흥미로운 그림들이 대중의 호기심을 자극한다. 인터넷에서는 남성의 뇌 구조와 여성의 뇌 구조를 비교한 그림을 본 적이 있을 것이다. 우리는 이런 그림을 보고 그럴듯하다며 고개를 끄덕이기도 한다. 이것은 두 성별은 신경생물학적으로 차이가 있다는 것에 대한 수긍이기도 할 것이다. 정말 여성과 남성은 신경생물학적 차원에서 차이가 있는 것일까?

또 다른 연구(Joel et al., 2015)에서는 여성의 뇌와 남성의 뇌가 이분법적으로 구분되는 것은 아니라고 보고하였다. 이 연구에서는 인간의 뇌를 116개 영역으로 나누고 여성 169명, 남성 112명의 뇌 영상 데이터에서 각 영역의 부피를 측정하였다. 그리고 영역 중 남녀 간 차이가 가장 크게 나타나는 10개 영역을 찾아내었다. 다시 말해, 남녀 뇌에서 회백질 부피의 차이가 가장 큰 10개 영역을 밝힌 것이다. 이어서 각 영역에서 남성 극단, 여성 극단, 중간의 세 범위로 구분하였다. 예컨대, 1번 영역이 남성이 평균적으로 부피가 더 큰 영역이라면, 남성에서 그 영역 부피가 상위 33%에 해당하는 범위가 '남성 극단' 범위가 된다. 그리고 1번 영역에서 여성에서 그 영역 부피가 하위 33%에 속하는 범위는 '여성 극단' 범위가 된다. 그리고 두 범위 사이는 '중간' 범위가 된다.

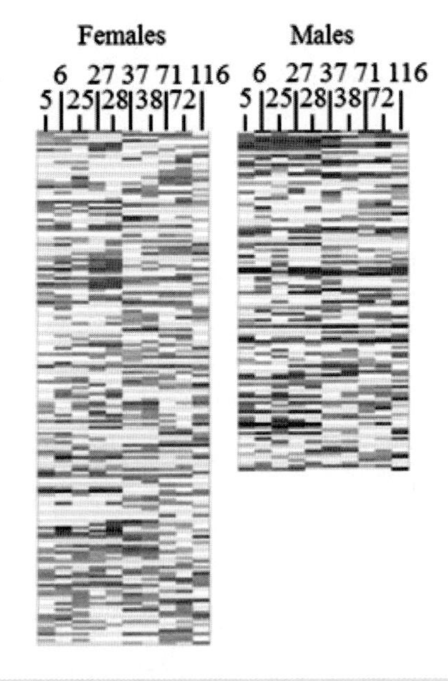


**[그림 10-2]** 여성과 남성의 뇌는 얼마나 완벽하게 여성적 또는 남성적인가

각 영역에서 남성 극단-여성 극단의 정도 차이를 보여 준다. 왼쪽은 여성 피험자이고 오른쪽은 남성 피험자이다. 각 가로줄은 단일 피험자의 뇌, 각 세로줄은 단일 영역이다. 여성 극단은 옅은 회색이고, 남성 극단은 짙은 회색이며, 사이는 흰색이고, 숫자는 영역 번호이다.
출처: Joel et al. (2015).

다음으로 각 개인마다 10개 영역이 세 범위 중 어디에 속하는지 살펴보았다. 만약 알려진 대로 여성의 뇌 또는 남성의 뇌가 존재하고 어떤 사람의 뇌가 여성의 뇌 또는 남성의 뇌라고 명명되려면, 최소한 그 사람의 뇌는 자신의 생물학적 성별의 극단 범위에 속하는 영역이 절반 이상은 되어야 한다는 것이 이 연구의 가설이다. 그렇지만 연구 결과에서 자신의 생물학적 성별에 명확하게 부합하는 뇌를 가진 피험자는 6%에 불과했다. 그리고 뇌 영상 자료만으로 남성인지 여성인지 알 수 없는 경우도 35%에 해당했다. 대부분의 경우 영역에 따라 남녀의 특성이 혼재되어 있는 것으로 나타났다. 이 연구에서는 이러한 결과를 모자이크 구조라고 설명하였다.

여성과 남성이 신경생물학적 차원에서 차이가 있는지에 대한 논의는 다시 원점으로 돌아왔다. 조엘 등(Joel et al., 2015)의 연구에 대해서는 이후 학자들 사이에 격렬한 논쟁 또는 논의가 있었고, 동일한 자료에 대해서도 서로 다른 방법으로 분석이 이루어지면서 각자의 주장을 뒷받침하는 근거가 되기도 하였다. 그러니까 사실상 여성과 남성의 뇌는 각 성별의 고유한 특징이라고 할 수 있는 구조를 띠고 있는 영역이 존재하는 것으로 보인다. 예컨대, 대뇌와 소뇌의 좌우 반구 연결 구조는 성차가 있는 것으로 보고되었다(Ingalhalikar et al., 2014). 그렇지만 그 영역에서의 특정한(각 성별의 특징을 반영하는) 구조가 여성 또는 남성 개개인에게서 모두 또는 상당히 높은 비율로 일관되게 발견되는 것은 아닌 것으로 판단된다(Joel et al., 2015). 비교해서 말하자면, 여성 또는 남성의 성기는 출생부터 성별을 구분하는 가시적 기준이 되는데, 이 기준은 여성 또는 남성 개개인에게서 상당히 높은 비율로 일관되게 발견된다. 그래서 비교적 자신 있게 '여성과 남성은 성기의 모양에서 차이가 있다'고 말할 수 있을 것이다(사실 성기를 기준으로 성별을 양분하는 것 역시 성별을 지나치게 단순화하는 기준이기는 하다). 그렇지만 뇌 구조의 경우는 각 성별을 대표하는 뇌 구조라는 것을 찾아내기가 쉽지 않다. 게다가 연구들이 보고하는 뇌 구조의 차이는 '현재' 개개인이 갖고 있는 신경생물학적 차이이다. 뇌신경은 경험에 의해 연결망을 재구성하기도 한다. 그러니 이 차이들이 타고난 것인지, 아니면 여성 또는 남성으로 살아오면서 해 온 경험의 차이 때문에 발생한 것인지는 명확하지 않다.

## 2) 경험의 관점에서 성차 설명하기

성별은 개인이 세상에 태어나기도 전에 그 개인에 대해 알게 되는 첫 번째 정보이다. 뿐만 아니라 타인에 대해 지각할 때 가장 먼저 파악하게 되는 정보이기도 하다. 누군가를 범주화하는 순간, 우리는 그 사람에 대한 인상이나 기대를 자동적으로 형성하게 된다. 성별에 따른 분류도 마찬가지여서, 우리는 성별에 따라 개인에게 특정한 특성을 기대하게 된다.

실제로 연구들은 여러 수치를 통해 성차를 증명한다. 일반적으로 남성은 여성보다 공간 능력과 감각운동 능력이 높은 것으로 알려져 있다. 모든 수치가 그렇지는 않지만, 많은 검사 결과가 남성 집단의 공간 능력 점수가 여성 집단의 점수보다 높음을 보고하고 있다. 한 연구(Feng, Spence, & Pratt, 2007)에서 이러한 차이에 대해 흥미로운 해석을 내놓았다. 앞서 언급한 것처럼 일반적으로 공간 능력은 남성이 여성보다 높은 것으로 알려져 있는데, 이 연구에서 남녀 피험자에게 액션 비디오 게임을 10시간 동안 하도록 지시하였다. 그 결과, 공간 능력에서 남녀 차가 사라졌고, 공간 능력의 고차 과정인 심적 회전 능력에서 남녀 차가 현저하게 줄었다. 이러한 차이는 다른 게임을 하도록 지시한 대조군에서는 발견되지 않았다. 말하자면, 남성이 액션 비디오 게임과 같이 공간 능력 향상에 유리한 경험을 많이 하고, 이것이 남성이 높은 공간 능력을 갖는 데 영향을 주는 것으로 해석할 수 있다.

흔히 남성이 수학이나 공학에 적합하다고들 한다. 수학, 공학 분야에서는 높은 차원의 공간 능력이 필요하다는 점에서 이 연구는 남성이 높은 공간 능력을 가졌다는 사실은 남성이 해당 분야에 진입할 수 있도록 장벽을 낮추거나 해당 분야에 관심을 갖도록 한다고 제언하였다. 조금 과장을 하자면, 액션 게임 하기와 같은 경험을 많이 하면 성별과 상관없이 수학자나 공학자가 될 수 있다는 것으로 요약할 수 있겠다. 성별에 따른 관심이나 능력의 차이는 사실상 경험의 차이 때문이라는 것이다.

액션 게임의 경험을 많이 하면 '성별과 상관없이' 수학자나 공학자가 될 수 있지만, 현실은 아직도 수학이나 공학 분야를 선택하는 여성이 많지 않다. 왜일까? 첫째, 성별에 따라 사회가 제공하는 경험 자체에 차이가 있기 때문이라고 설명할 수 있다. 대형 장난감 가게인 토이저러스에 가면 남아용 장난감 코너와 여아용 장난감 코너가 구분되어 있다. 액션 비디오 게임은 당연히 남아용 장난감 코너에 자리 잡고 있고, 여자아이에게 줄 선물을 고르러 간 부모나 이모, 삼촌, 할머니, 할아버지들은 그 옆의 여아용 장난감 코너로 직진하게 된다. 결국 여자아이는 액션 게임의 경험을 할 기회가 줄어들고, 공간 능력을 향상시킬 기회가 줄어들며, 수학자나 공학자가 될 가능성이 줄어든다. 만약 특정한 성별에 적절한 장난감이 있다는 개념을 거부하는 이모가 여자아이에게 액션 게임을 선물했다면 어떨까? 운 좋게도 그 여자아이에게 마찬가지로 액션 게임을 접해 보았고 즐기는 동성 친구가 있다면 그 게임을 오랫동안 경험할 수 있겠지만, 많은 동성 친구가 인형을 보살피는 놀이에 익숙해져 있는 상황이라면 그 아이 역시 액션 게임보다는 인형을 찾아들고 친구와 어울리게 될 것이다. 둘째, 개인이 어떤 경험을 할 것인지를 스스로 선택하는 데 있어서 이미 성별에 따른 선호에 차이가 있기 때문이라고도 설명할 수 있다. 한 연구(Hassett, Siebert, & Wallen, 2008)에서는 영장류 암컷과 수컷의 놀이를 관찰하고 어린 영장류에게서 인간 어린아이의 장난감 선호와 유사한 패턴이 나타나는지 살펴보았다. 그 결과, 어린 수컷 영장류는 천으로 만든 인형보다 바퀴가 달린 장난감을 더 오래 가지고 논다는 것을 발견하였다. 어린 암컷은 두 종류의 장난감을 모두 가지고 놀았다. 이 연구에서는 유인원이 성별에 따른 특정 유형의 장난감을 선호하는 것은 사회화의 결과가 아닌 생득적인 현상이며, 인간 어린아이가 장난감을 선택하는 것도 마찬가지라고 제언하였다. 즉, 액션 게임을 경험하고자 선택하는 것은 생물학적 성별에 따라 선호의 차이가 존재하기 때문이라는 것이다.

### 3) 성차에 대한 통합적 이해

어떤 장난감을 선택할지가 생물학적으로 결정지어진 것인지 또는 사회화의 결과인지에 대한 논의는 지금도 계속되고 있다. 연구자들(Todd et al., 2017)은 1~8세 유아·아동의 장난감 선택에 대한 16개의 선행 연구를 메타분석하였다. 예상대로 남아는 남성적 장난감을 선호하고 여아는 여성적 장난감을 선호하는 것으로 나타났고, 이러한 결과는 다양한 변인(관찰 당시 성인이 있었는지, 중성적 장난감이 있었는지 등)을 통제했을 때에도 동일했다. 그런데 연구들을 더 면밀히 살펴보았더니 남자아이들은 연령이 증가할수록 더 남성적 장난감을 선호하였고, 가정에서 관찰했을 때보다 연구실에서 관찰했을 때 남성적 장난감을 더 많이 갖고 노는 것으로 나타났다. 또한 연구가 이루어진 시기를 고려하였을 때, 더 이전에 이루어진 연구일수록 여자아이들이 여성적 장난감을 선호하고 남자아이들은 남성적 장난감을 선호하는 정도가 더 높은 것으로 나타났다.

앞서 영장류를 관찰한 연구(Hassett et al., 2008)의 보고와 같이 장난감을 선택하는 것에 성차가 나타나는 현상은 사회화의 영향이 없을 때에도 가능할

[그림 10-3] 성별에 따라 선호하는 장난감이 다르다는 것은 사실일까 아닐까? 사실이라면 왜 그럴까?

수 있다. 그렇지만 아동에 대한 연구에서 맥락과 연구 시기에 따라 경향성의 정도가 다르게 나타난다는 것은 장난감 선호의 성차가 사회화의 영향을 받았을 가능성을 시사한다. 요약하자면, 성별에 따른 생물학적 차이는 후천적 경험의 차이를 가져오고, 후천적 경험의 차이는 생물학적 차이를 강화하는 것으로 보인다. 앞서 언급한 것처럼 많은 검사 결과에서 남성이 여성보다 공간 능력이 더 높음을 보고하고 있다. 이러한 차이는 어쩌면 있었을지도 모르는 생득적인 차이에 명확한 후천적 경험의 차이가 더해져서 생긴 것이다. 그리고 이러한 보고들로 인해 남성이 공간 능력이 더 높은 것이 당연시되고, 여성이 이 영역에서 높은 능력을 보이는 것은 상당히 힘겨운 일이라는 암묵적 합의가 이루어진다. 이것이 특정한 성별이 특정 영역으로 진출하는 것에서 장벽을 높이는 현상으로 작용할 수 있다.

어떤 장난감을 가지고 놀 것인지보다 더 보편적이고 장기적으로 우리의 삶과 관련되는 특성을 살펴보자. 자존감은 우리의 다양한 행동과 밀접하게 관련된 것으로 유명한 심리학적 변인이다. 우울, 불안, 학업성취, 주관적 행복감 등과 같은 무수한 심리적 변인이 자존감과 정적 또는 부적 상관이 있는 것으로 지속적으로 보고되어 왔다. 그런데 최근 한 연구(Bleidorn et al., 2016)에서는 남성이 여성보다 자존감이 높게 나타난다고 보고하였고, 이러한 성차는 연구에 포함된 48개국 모두에서 동일하게 나타났다. 즉, 다양한 국가에서 자존감은 일관되게 남성이 여성보다 높게 나타난 것이다. 또한 이 연구에서는 대부분의 나라에서 연령이 증가할수록 자존감이 높아지는 것으로 나타났다. 성별과 연령에 따라 자존감의 변화가 일정한 패턴을 보인 것이다.

이 연구에서는 다양한 국가에서 자존감이 성별과 연령에 따라 유사한 양상을 보인다는 점에 대하여 호르몬 변화 등과 같은 인간의 보편적인 생물학적 메커니즘의 영향이거나 남녀의 성역할과 같은 보편적인 문화적 메커니즘의 영향일 수 있다고 제언하였다. 자기에 대한 긍정적인 태도를 갖는 데 더 유리한 생물학적 배경이 있는 것일까? 흥미로운 것은 부유하고 평등주의적인 선진국에서 성별에 따른 자존감의 차이가 더 크게 나타났다는 것이다. 예

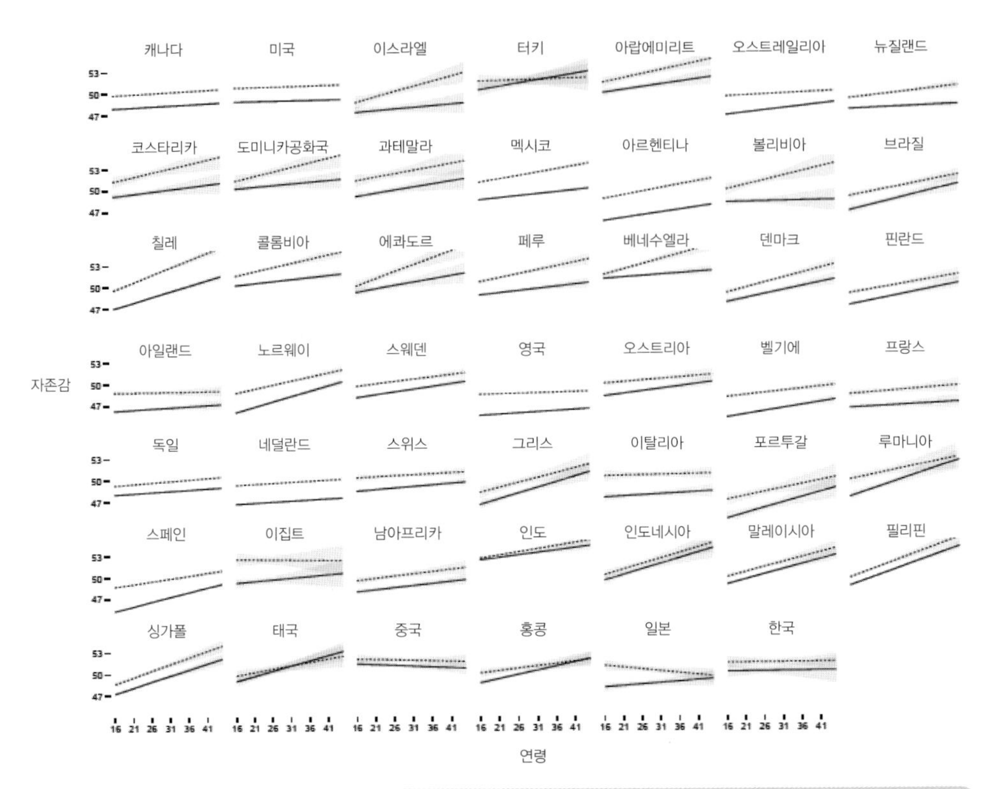


**[그림 10-4] 48개국의 성별과 연령에 따른 자존감**

실선은 여성, 점선은 남성을 나타낸다.

출처: Bleidorn et al. (2016).

컨대, 태국, 인도네시아, 인도 등의 국가에 비해 영국, 네덜란드 등의 국가에서 남성의 자존감이 여성의 자존감보다 더 큰 폭으로 높은 것으로 나타났다. 이러한 현상은 자존감의 형성에 사회문화적 요인이 작용할 가능성을 시사한다. 즉, 자존감이라는 인간 행동에 성차가 발견되지만 이것은 인간이 갖고 있는 보편적인 생물학적 요인에 따른 것일 수도 있고 개인이 속한 사회에서의 경험에 따른 것일 수도 있을 것이다.

## 2. 행복과 성격

내가 어떠한 마음일 때 '나는 지금 행복하다'라고 말할 수 있을까? 어떤 연구자들은 **행복**이란 **주관적 안녕감**이라고 설명한다. 이는 개인이 자신의 삶에 만족하고 긍정적 정서를 많이, 부정적 정서는 적게 경험하면서 주관적으로 안녕하다고 느끼면 그것이 행복이라는 관점이다. 또 다른 연구자들은 행복이란 **심리적 안녕감**이라고 설명한다. 이는 개인이 자율성을 갖고 긍정적 대인관계를 맺으며 개인적 성장을 경험하는 것과 같이 심리적으로 건강하게 기능하며 자기실현에 가까운 질 높은 삶을 사는 것이 행복이라는 관점이다. 연구들은 주관적 안녕감 또는 심리적 안녕감이라는 용어를 사용해서 행복을 연구한다. 이 절에서는 성격과 행복 관련 연구들을 살펴보자.

### 1) 성격과 행복

어떤 사람이 행복할까? 우리는 직관적으로 낙관적인 성격이 행복과 관련이 있을 것이라고 떠올린다. 실제로 많은 연구에서 행복과 낙관성은 정적상관이 있는 것으로 보고되었다. 그렇지만 상관분석만으로는 낙관적인 사람이 행복한 것인지, 행복한 사람이 낙관적인 것인지를 설명할 수 없다. 개인이 행복한 상태일 때에는 삶에 대해 낙관적인 태도를 갖게 될 가능성도 있기 때문이다. 낙관성과 행복의 인과관계를 살펴보기 위해 국내 연구(최종안, 이민하, 권유리, 최인철, 최은수, 2016)에서는 대학생 270명을 대상으로 매년 낙관성과 주관적 안녕감을 측정하였다. 3회에 걸쳐 측정한 자료를 분석한 결과, 이전 시점의 낙관성은 이후 시점의 행복을 예측하였지만 이전 시점의 행복은 이후 시점의 낙관성을 예측하지 못하는 것으로 나타났다. 이 결과는 우리의 직관대로, 낙관적인 성격이 행복을 가져오는 것으로 해석할 수 있겠다.

이 외에도 성격 5요인이 청소년의 주관적 안녕감과 어떤 관계가 있는지를 살펴본 연구(모화숙, 박미라, 하대현, 2013)에서는 외향성이 높을수록, 신경성이 낮을수록, 성실성이 높을수록 주관적 안녕감이 큰 것으로 나타났다. 그리고 주관적 안녕감을 예측하는 정도는 외향성이 가장 컸으며, 그다음으로 신경성, 성실성 순서였다. 외향성이 높을수록 행복할 가능성이 높고, 신경성이 낮고 성실성이 높을수록 행복할 가능성이 높다는 뜻이다.

특정한 성격을 가진 사람들이 행복할 가능성이 높을 뿐 행복이 성격에 영향을 줄 수는 없는 것일까? **긍정적 정서의 확장축적이론**(broaden-and-build theory of positive emotions; Fredrickson, 2001)에 의하면, 우리가 긍정적인 정서를 경험할 때 사고의 폭이 확장되고 주의력이 향상되어 우리의 개인적 자원이 더욱 늘어난다. 말하자면 마음이 따뜻하고 평안할 때 좋은 아이디어가 떠오르고 신체적 건강도 찾아온다는 것으로, 긍정적 정서가 신체적 · 지적 자원 형성에 영향을 준다는 설명이다. 이 이론에 따르면 행복이 성격에 영향을 줄 가능성도 있는 것 같다. 한 연구(신민희, 구재선, 2010)에서는 실험을 통해 행복과 창의력의 관계를 살펴보았다. 대학생 피험자에게 약 8분가량의 동영상(긍정적 정서를 유발하는 동영상, 부정적 정서를 유발하는 동영상)을 보여주고 창의력을 측정하는 검사를 실시하였다. 그 결과, 사전검사에서는 두 집단 간 창의성의 차이가 없었으나 동영상을 본 후의 창의력 점수는 긍정적 정서를 유발하는 동영상을 본 집단에서 유의미하게 더 높은 것으로 나타났다. 이 연구에서 동영상을 이용하여 긍정적 정서를 유발한 것은 일시적으로 행복한 상태를 조성한 것이다. 같은 연구에서 장기적인 행복을 보여 주는 지표인 주관적 안녕감, 심리적 안녕감, 낙관주의, 스트레스와 창의력의 상관을 분석했을 때에도 전반적으로 행복 수준이 높을수록 창의력이 높은 것으로 나타났다. 결국 행복한 사람이 더 창의적이라고 할 수 있겠다.

### 2) 유전자와 성격과 행복

이런 연구들을 보면서 자신이 낙관적이지 않거나 내향적이라고 생각하는 사람들은 더 불행하게 느껴질 수 있겠다. '역시 나는 행복해지기 힘든 것일까?' 하고 생각할 수 있다. 게다가 행복한 사람이 더 창의적이기까지 하다니 특정 성격이 행복으로 이어지고 행복이 또 다른 자원으로 이어진다는 연구들은 행복하지 않은 사람들에게는 더욱 절망적인 이야기로 들린다. 이왕 이야기하는 김에 조금 더 막막해지는 이야기를 해 보자. 어떤 연구들은 개인이 행복을 느끼며 살 가능성이 유전적으로 갖추어져 있다고 제안한다. 쌍생아를 대상으로 한 연구(De Neve, 2011)에서는 세로토닌 전달체 유전자인 5-HTTLPR 유전자의 긴 형질이 많을수록 주관적으로 삶에 대한 만족감을 높게 보고하는 것으로 나타났다. 즉, 5-HTTLPR 유전자 형질에 따라 행복을 느끼는 정도가 다른 것으로 이해할 수 있다. 우리는 행복이 삶에서 경험하는 외적인 상황이나 조건들과 관련이 있을 것으로 생각할 수도 있는데, 이 연구에 따르면 환경적인 요인이 주관적인 삶의 만족도를 3% 이내로 설명하는 것에 비해 5-HTTLPR 유전자가 삶의 만족도를 설명하는 정도는 33%로 상당히 높았다. 현재까지 다양한 연구에서 5-HTTLPR 유전자 형질과 행복, 우울증, 스트레스 등의 관련성을 보고하고 있다. 더 나아가서는 이 유전자가 낙관성, 신경성과 같은 성격특성과도 관련이 있다는 보고들도 이루어지고 있다. 앞서 살펴본 대로 이러한 특성들은 행복과 관련된 변인들이다. 그러니 앞으로 지속적인 연구가 축적되어야 명확한 관련성이 밝혀질 수 있겠지만, 유전자의 형태에 따라 우리가 경험하는 행복의 빈도나 강도가 다른 것은 사실인 듯하다. 그렇다고 행복해질 길이 없는 것은 아니다.

### 3) 문화와 성격과 행복

행복은 개인이 속한 사회문화의 영향도 받는다. 연구나 보고서에서는 지속적으로 한국인의 행복지수가 그다지 높지 않다고 보고하고 있는데 그 이유가 무엇일까? 한 가지 가능한 설명은 한국 문화가 개인이 행복하기에 그다지 도움이 되지 않을 수 있다는 것이다. 일반적으로 문화권은 크게 개인주의 문화권과 **집단주의** 문화권으로 구분된다. 개인주의 문화 또는 개인주의적 가치관은 '나'를 중심으로 하는 가치 성향을 말한다(Triandis, 1995). 이 문화권에서는 개체 중심적 인간관을 갖고 있으며, 자율성과 자기주장을 강조하는 특징을 갖는다. 이에 반해 집단주의 문화 및 가치관은 '우리'를 중심으로 하는 가치 성향을 말한다(Triandis, 1995). 집단주의 문화는 관계 중심적 인간관을 갖고 있으며, 조화와 자기억제를 통한 협동을 중시한다. 이러한 문화차는 개인이 자신을 지각하는 데에도 반영되어, 소속 욕구가 강한 집단주의 문화권에서는 개인의 내적 경험보다 외적 준거가 자신을 평가하는 데 중요한 지표가 될 수 있을 것이다.

한 연구(구재선, 서은국, 2015)에서는 한국이 속한 집단주의 문화라는 맥락이 한국인의 행복에 영향을 미칠 가능성에 주목하였다. 구체적으로는 한국의 대학생이 미국의 대학생보다 불행한 이유를 연구하였다. 첫 번째 연구에서 한국의 대학 신입생과 미국의 대학 신입생을 대상으로 조사하고 자료를

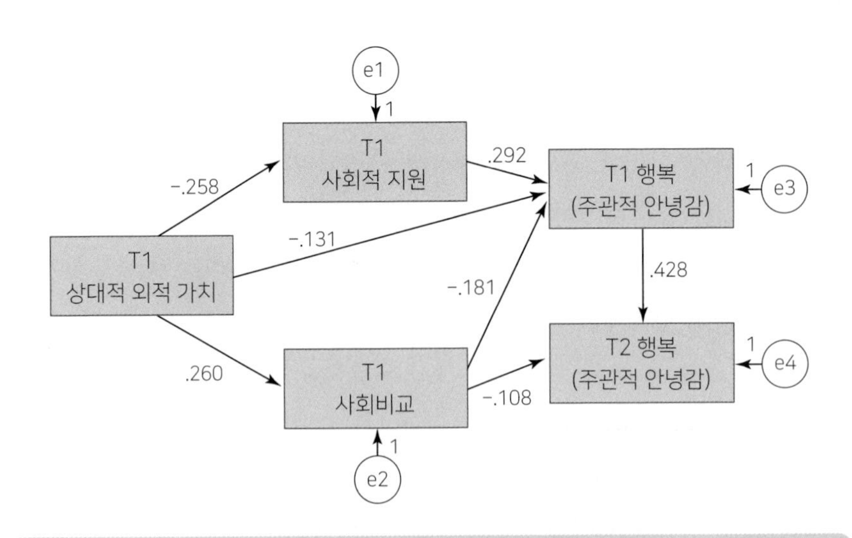


**[그림 10-5] 상대적 외적 가치, 사회적 지원, 사회비교, 주관적 안녕감의 관계에 대한 종단연구 최종모형**

T1은 1차 측정, T2는 2차 측정을 나타낸다.

출처: 구재선, 서은국(2015).

분석한 결과, 한국의 대학 신입생들은 미국의 대학 신입생들보다 내재적 가치에 비해 돈, 외모, 타인의 인정과 같은 외재적 가치를 더 중요하게 여기는 경향('상대적 외적 가치' 변인)이 높았다. 또한 이러한 경향은 직접적으로 행복을 낮추거나 자신을 남과 비교('사회비교' 변인)하게 만듦으로써 행복을 낮추고, 가족이나 친구와 도움을 주고받는 정도('사회적 지원' 변인)를 낮춤으로써 행복을 낮추기도 하였다. 두 번째 연구에서는 동일한 한국의 대학생들을 대상으로 1년 후 2차 설문을 실시하고 행복을 예측하는 모형을 검증하였다. 그 결과는 [그림 10-5]와 같이 1년 전에 외재적 가치를 중요하게 여기는 경향이 높았던 것이 직간접적으로 1년 전 행복을 낮추는 역할을 했고, 1년 전의 행복이 그 1년 후의 행복을 예측하는 것으로 나타났다. 즉, 외재적 가치를 중요하게 여기는 가치관이 현재와 향후의 행복에 영향을 미치는 것이다. 그리고 이러한 가치관에는 우리가 속한 사회 · 문화의 영향이 있을 것으로 추측된다.

### 4) 성격 변화와 행복

이제 큰일이다. 만약 당신(또는 우리)이 집단주의 문화에서 살고 있는 한국인이라면 이미 많이 행복해지기는 어려운 것일까? 게다가 성격이 비관적이고 내향적이라면 불행은 벗어날 수 없는 것일까? 우리 힘으로 행복이 변화할 가능성이 있는지를 살펴보자.

우선, 외적 조건의 변화 없이 성격의 변화에 따라 행복의 정도가 변화할 수 있을까? 다행스러운 것은 심리학에서 주목하는 어떠한 변인도 우리의 행복을 100% 설명하지 못한다는 것이다. 예를 들어, 5-HTTLPR 유전자의 긴 형질이 적다면 긍정적인 정서를 경험할 가능성이 낮다고 했는데, 그 영향력이 무려 33%에 해당한다(De Neve, 2011). 같은 연구에서 나머지 67% 중에서 외적 조건이 행복의 3%를 설명하는 것으로 보고하였는데, 그렇다면 행복의 64%는 또 다른 개인 내적 변인에 의해 설명된다고 볼 수 있다. 낙관성, 완벽주의, 외향성 등 어떤 개인 내적 변인들이 행복을 설명할지에 대해서는 현재도 연구들이 지속되고 있다. 이들 중 어떤 변인들은 후천적 경험과 학습을 통해 변화될 수 있다.

앞서 예를 들었던 또 다른 연구(구재선, 서은국, 2015)를 보자. 집단주의 문화에서 비롯된 외적 가치를 중요하게 여기는 문화적 태도가 우리의 주관적 안녕감을 낮출 수 있다고 했다. 집단주의 문화는 조화로운 사회를 구성하고 서로가 연결감을 갖고 생활할 수 있도록 하는 장점을 갖고 있지만, 개인의 행복에 대한 연구에서는 행복의 장애물로 간주되는 경향이 있다. 여기서 주목할 것은 외적 가치를 중요하게 여기는 태도가 주관적 안녕감을 직접적으로 낮추거나 또는 친구나 가족과 주고받는 사회적 지원을 낮추고 사회적 비교를 높임으로써 주관적 안녕감을 낮춘다는 것이다([그림 10-5] 참조). 그러니 집단주의 문화 속에서 개인이 행복하기 위해서는 여러 가지 방법이 있다. 첫째, 외적 가치보다 자신의 내적 가치의 중요성에 주목하는 방법이 있다. 만일 그것이 어렵다면, 둘째, 친구나 가족과 사회적 지원을 주고받도록 행동적인 변화를 주는 방법이 있다. 그것도 여의치 않으면, 셋째, 다른 사람과의 비교를 멈추면 될 것이다. 그러니까 우리의 성격 요인들은 서로 인과관계를 맺으며 연결되어 있는데, 만약 우리가 행복 수준을 높이고자 한다면 그 인과의 연결망 중 어느 한 요인을 변화시키면 된다는 것이다.

결국 성격의 변화로 행복의 정도를 변화시킬 수 있다. 유전자나 사회 · 문화의 영향으로 결정된 부분 이 외에도 행복에 영향을 주는 요인들은 무수하게 있고, 우리는 이러한 요인들을 변화시킴으로써 행복을 증대시킬 수 있다. 그리고 행복은 단일한 심리적 요인의 직접적인 효과로만 설명할 수는 없기 때문에 개인의 행복과 관련된 요소들 중 필요하고 변화가 가능한 요인을 변화시키는 것으로 행복을 증대시킬 수 있다. 예컨대, 외향성이 행복에 영향을 미치는 것은 외향성이 높은 것이 사회적인 관계를 형성할 수 있도록 하고 이러한 풍요로운 사회적 관계가 행복으로 이어지기 때문이다(Lee, Dean, & Jung, 2008). 그러니 비록 외향성이 낮은 개인이라 하더라도 자신만의 방법으로 만족스러운 관계를 형성한다면 이 역시 행복을 증대시키는 방법이 될 것이다. 우리는 심리상담을 통해서 새로운 행동을 학습하기도 하고, 삶의 경험을 통해 기존의 자신의 행동과는 다른 행동을 해 볼 지혜를 얻기도 한다. 이러한 행동의 변화가 곧 성격의 변화이며, 바람직한 방향으로 성격이 변화함으로써 행복에 가까워지게 된다.

## 활동 13 학습 다지기

이 책의 마지막 장을 마무리하며 첫 장에서 제안한 학습목표를 질문의 형태로 다시 제시합니다. 그 학습목표가 얼마나 달성되었는지 확인해 봅시다.

빈 공간에 자신이 떠올릴 수 있는 답을 적어도 좋고, 질문에 대한 답을 이 교재 어디에서 찾을 수 있는지 적어도 좋습니다. 또는 제시된 질문에 대한 답을 찾기 위해 앞으로 어떤 자료를 찾아보거나 활동을 하면 적절할지 적어 보는 것도 좋습니다.

1. 성격이란 무엇일까요?

2. 성격을 설명하는 다양한 관점에는 무엇이 있고, 각 관점의 특징은 무엇일까요?

3. 성격이 개인의 삶에 어떻게 영향을 미칠까요?

4. 나는 어떤 성격일까요? 나의 성격은 다양한 측면에서 어떻게 설명할 수 있을까요?

5. 성격심리학 연구는 어떻게 유용하고 어떤 한계가 있을까요?

6. 제1장에서 작성했던 나만의 학습목표에 대한 답은 무엇인가요?

7. 성격심리학을 학습하면서 느낀 점이나 깨달은 점이 있다면 무엇인가요?

# 활동 설명

## 활동 1 성격심리학 학습목표 명료화하기

이 활동의 목적은 ① 성격심리학이 무엇인지를 잘 이해했는지를 확인하고, ② 이 책에 대한 흥미와 몰입을 유발하는 것이다. '1. 당신은 성격에 대해 어떤 점이 궁금한가요? 당신 자신에 대해 또는 다른 사람에 대해 성격 측면에서 궁금한 점이 있다면 무엇인가요?'에 답을 함으로써 성격에 대한 학습자의 관심 영역을 확인한다. '2. 제1장을 학습한 지금, 성격심리학을 공부하면 어떤 것을 할 수(또는 알 수) 있게 될 것이라고 기대하나요?'에 답을 함으로써 제1장의 내용을 얼마나 이해했는지 확인한다. 성격심리학이 무엇이며 이를 학습함으로써 얻게 되는 지식이나 능력에 대해 이해하고 있는지를 알 수 있다. '3. 이제 나만의 성격심리학 학습의 목표를 정해 봅시다.'에 답을 하면서 이후 학습에 대한 동기를 부여한다. 학습이 끝난 후 각자 설정한 학습목표가 달성되었는지 확인해 보는 것도 의의가 있다.

## 활동 2 특질 용어로 성격 표현하기

이 활동의 목적은 개인의 다양한 행동 표집에서 그 사람의 특질을 발견하여 특질 용어로 묘사함으로써 ① 성격에 대한 특질 관점을 적용해 보고, 성격을 묘사하기 위해 가능한 한 적은 수의 특질 용어를 사용함으로써 ② 인간의 다양한 행동들을 포괄할 수 있으면서 많은 정보를 담고 있는 그리고 간략하게 사용할 수 있는 특질 용어들이 무엇인지 찾는 것을 시도해 보는 것이다. 제시된 가상의 사례에서 성격을 묘사하는 데 사용할 수 있는 특질 용어들을 머리에 떠오르는 대로 큰 타원에 나열하고,

큰 타원의 목록을 모두 혹은 대부분 포함할 수 있는 소수의 용어를 작은 원에 적어 보도록 한다. 그리고 개인별 혹은 그룹별로 몇 개의 어떤 용어를 사용하면 사례의 성격을 간략하면서 정보가 풍부하게 묘사할 수 있을지 논의해 보도록 한다.

〈예시〉

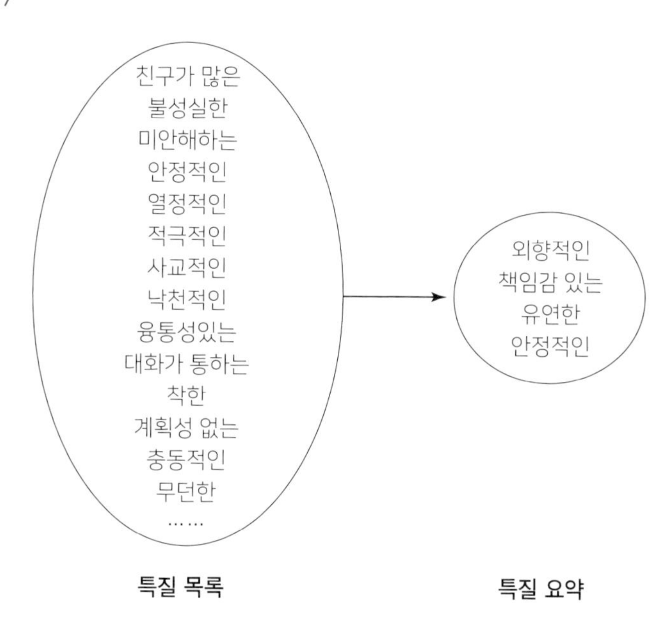


## 활동 3 상황과 특질의 상호작용

이 활동은 앞 장의 활동에 이어서 개인의 특질이 상황에 따라 어떻게 상이하게 나타날 수 있는지를 경험해 보는 것이 목적이다. 동일하게 제시된 행동 표집에서 이번에는 상황에 따라 다르게 드러나는 특질에 주목한다.

'1. 행동 목록을 보고 성호 씨의 성격을 묘사하는 데 사용 가능한 특질 목록을 나열하세요.'는 앞에서 진행한 활동에서의 특질 목록과 거의 동일할 것이다. '2. 일관되지 않거나 상반된 것으로 보이는 특질들이 있다면 각각 어떤 상황에서 그것이 나타나는지 분류하세요.'의 경우, 일관되지 않은 것으로 보이는 특질들이 각 상황별로 어떻게 유사하게 나타나는지를 확인하는 작업이다. 주의할 점은 여기서 '상황'은 객관적인 상황이라기보다는 그 개인에게 주관적으로 '어떤 의미가 있는 상황'이라는 점이다. 예컨대, 성호 씨는 '중요하지 않다고 지각되는 상황'에서는 느슨하고 무계획적이지만 '자신에게 책임이 주어진 상황'에서는 성실한 태도를 보인다. '3. 성호 씨의 성격을 특질 용어를 사용하여 다음과 같은 형식으로 기술해 보세요.'에서는 취합된 정보를 통합적으로 기술하게 된다. 이는 개인의 성격을 특질 용어로 기술하는 일반적인 양식이 된다.

추가적으로, 학습자가 이해하고 싶은 타인의 성격을 동일한 방식으로 기술하는 연습도 가능하다. 우선, 그 사람의 성격을 판단하는 근거가 될 수 있는 행동 목록을 몇 가지 나열하고, 3번 문항에서 제시된 형식으로 기술한다. 소집단으로 자신이 기술한 그 사람의 성격과 근거 목록을 나눈다. 집단원들은 행동 목록을 근거로 그 사람의 성격에 대한 다른 해석을 제공해 본다. (주의할 점은 집단원들은 알 수 없는 사람을 대상으로 해야 하고 또한 학습자 자신이 상처를 입을 수 있거나 학습자와 정서적으로 밀접해서 활동 과정에서 상처를 입을 수 있는 대상은 선택하지 말아야 한다는 것이다.)

## 활동 4 단어연상검사

융의 단어연상검사를 활용한 활동이다. 이 활동의 목적은 ① 자극에 대해 자동적(무의식적) 반응이 이루어지는 것을 직접 경험하고, ② 이 검사 과정에서 나타나는 피검자의 반응은 무엇이 반영된 것인지 생각해 보고 검사에 실제로 응답할 때 영향을 미치는 요소는 무엇인지 논의하는 것이다. 집단별로 다음의 내용을 논의할 수 있지만, 이 활동의 핵심은 둘째에 있다.

첫째, 응답 내용이나 응답시간을 고려할 때 피검자에게 어떤 무의식적 특징이 있을 것으로 추측되는지 논의할 수 있다. 물론 이 활동은 가설을 설정하는 것일 뿐이며, 피검자의 무의식을 깊게 이해하기 위해서는 전문가의 정확한 평가가 필요함을 명심할 필요가 있다.

둘째, 피검자가 답을 할 때 영향을 준 요소는 무엇일지 논의해 볼 수 있다. 일반적으로 투사검사는 피검자의 무의식이 반영된다고 가정하지만, 실제 검사에서는 다양한 요인이 반응에 영향을 미친다. 예컨대, 최근에 있었던 경험, 바로 앞 피검자의 응답 내용, 검사자와의 관계나 검사 환경(검사자나 검사 환경이 평가적이라고 지각되는 경우 방어적인 태도로 반응) 등이 있다. 따라서 실제 검사는 숙련된 검사자에 의해 이루어져야 한다. 이러한 점을 경험을 통해 확인할 수 있도록 논의를 진행하는 것이 필요하다.

## 활동 5 투사검사를 응용한 자기이해

무의식적 대인관계양식을 탐색하는 데 유용한 투사검사인 TAT를 변형한 활동이다. 모든 그림에는 사람이 등장하는데, 그림에 자신의 내면을 투사하여 등장인물의 정서나 상황을 주관적으로 이해한다. 그림을 보고 자유롭게 기술한 내용들에서 사람들을 인식하는 무의식적인 패턴을 발견해 보도록 한다. 응답 내용을 통해 학습자들이 사람들과 그들의 관계를 어떻게 자동적으로 지각하고 어떻게 기대 및 예측하는지를 살펴볼 수 있다.

4개의 그림에 대해 떠오르는 대로 적어 보고, 주인공과 환경, 스토리의 흐름에서 공통적으로 나타나는 패턴이 있는지 정리해 본다. 그리고 정리한 내용이 자기 자신과 타인, 세상에 대해 갖고 있는 자신의 태도와 관련이 있는지 떠올려 본다.

참고로 [그림 A]는 밀레(Millet)의 〈수확하는 사람들의 식사〉, [그림 B]는 세잔(Cézanne)의 〈카드놀이 하는 사람들〉, [그림 D]는 르누아르(Renoir)의 〈보트놀이하는 사람들〉이다.

## 활동 6 역할 구성개념 목록 검사

켈리의 역할 구성개념 목록 검사를 활용한 활동이다. 이 활동을 통해 자신이 사람들을 어떤 주관적인 관점으로 지각하는지를 확인하도록 한다.

〈예시 1〉

1. 어머니, 아버지, 동생, 룸메이트, 학과 동기, 학과 선후배

2.

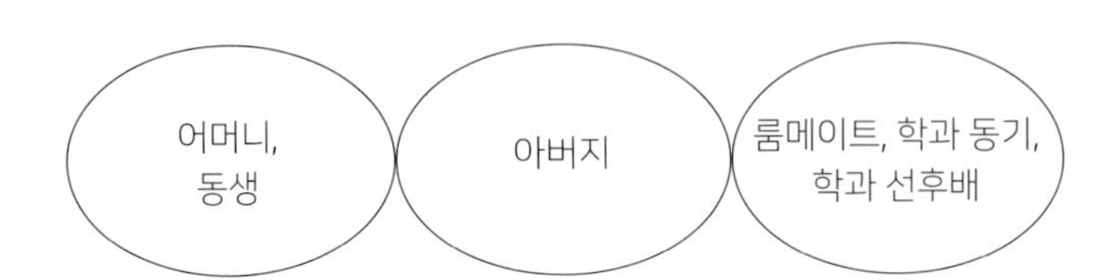


3.

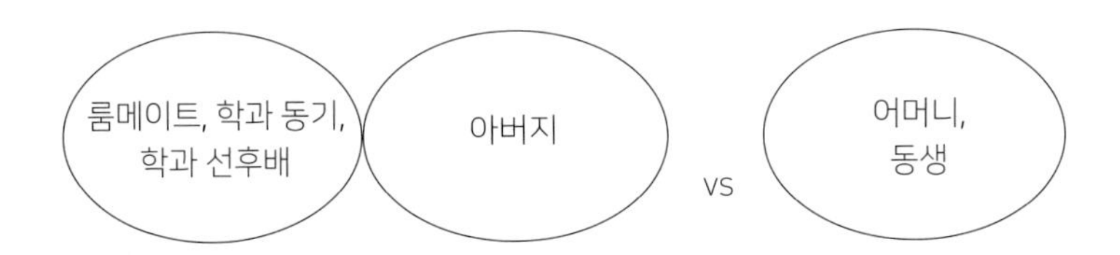


4.

| 유사한 집단의 특징 | 다른 집단의 특징 |
|---|---|
| 성취 지향적인<br>경쟁적인<br>열정적인<br>차가운 | 느긋한<br>따뜻한<br>관계 중심적인<br>게으른 |

5. 나는 사람들에 대해 경쟁적 · 열정적 · 성취 지향적이고 차가운 특징을 유사한 개념으로 지각하는 것 같다. 그리고 사람들의 느긋하고 게으른, 관계 중심적이고 따뜻한 특징을 이에 반대되는 개념으로 지각하는 것 같다.

〈예시 2〉

1. 가족, 고향 친구, 직장동료, 대학 친구, 애인

2.

3.

4.

| 유사한 집단의 특징 | 다른 집단의 특징 |
|---|---|
| 여러 사람과 맺는 관계<br>유동적인<br>불안정한 | 늘 내 옆에 있는<br>일대일의 관계<br>폐쇄적인 관계 |

5. 나는 사람들에 대해 늘 내 옆에 있거나 나와 일대일의 폐쇄적인 관계를 맺는 것을 유사한 개념으로 지각하는 것 같다. 그리고 그 사람들과 나와의 관계가 여러 사람과 맺는 관계이거나 유동적이고 불안정한 관계라는 특징을 이에 반대되는 개념으로 지각하는 것 같다.

## 활동 7 행동주의적 관점의 성격 변화를 위한 계획

성격에 대한 행동적 관점을 학습하고 자신에게 적용해 볼 수 있는 활동이다. 우선 체계적 둔감화 기법에 대한 이해가 이루어진 후에 학습자 자신에게 적용함으로써 이해를 공고히 한다. 그다음에 강화를 이용한 행동 변화 계획을 자신에게 적용해 본다.

활동과 더불어 이러한 시도가 성격의 변화로 이어질 수 있음을 논의하는 것도 성격에 대한 이해를 넓힐 수 있다. 또한 계획을 수립하는 과정에서 떠오르는 궁금증이나 비판적 생각도 나눌 수 있다.

## 활동 8 ABCDE 연습하기

인지행동치료의 ABCDE 기법을 활용한 활동이다. 상황(A)에 대한 부적응적인 정보처리(B)가 부적응적인 정서적 · 행동적 결과(C)를 유발한다는 ABC이론에 부적응적 신념(B)을 적응적인 대안적 신념으로 논박(D)함으로써 새로운 적응적인 결과(E)가 나타나는 과정을 더하였다. 인지적 처리가 상황과 결과를 매개하는 과정을 확인하고, 도움이 되는 결과를 위해 정보처리 과정에 개입하는 것의 유용성을 경험할 수 있는 활동이다. 다음 예시를 참고하자.

| A | B | C |
|---|---|---|
| 보고서에 대한 평가에서 F를 받았다. | 교수님이 나를 싫어해서 점수를 나쁘게 주셨다. → | 화가 나고 슬프다. |
| | 나는 역시 글쓰는 재주가 없다. → | 낙담한다. |
| | D | E |
| | 시험을 잘 보면 된다. | 괜찮다. |

신념이 너무 강하다면 자신의 부적응적 신념을 스스로 논박하는 것이 어려운 경우도 있다. 그럴 때에는 다른 사람이 D에 들어갈 내용을 찾아 주는 것도 도움이 된다. 집단으로 활동한다면, D를 찾는 것에 어려움을 겪는 경우 왜 그럴지 논의해 보는 것도 도움이 된다. B에 해당하는 신념이 자신의 핵심적인 신념과 연결된 신념이라면 D를 찾는 것이 어렵거나 D를 찾더라도 와닿지 않아서 E가 잘 나타나지 않을 수 있다.

## 활동 9 설명양식 짚어 보기

학습자가 자신의 설명양식을 탐색해 보고, 그 설명양식을 갖고 있는 것이 행동과 어떻게 연관되는지를 생각해 봄으로써 사회인지적 관점에 대한 이해를 돕는 활동이다.

제시된 검사는 학업 영역에서의 낙관주의-방어적 비관주의 선별척도(Noren & Cantor, 1986)를 국내에서 정영숙, 임서영(2016)이 번안한 척도이다. 엄격한 타당화 과정이 이루어지지 않았으므로, 검사 결과는 대략적인 가능성으로 이해하고 자기탐색을 위한 도구로 활용하는 것이 좋겠다.

1번과 2번 문항을 따라 채점을 진행하되, 3번 문항은 검사에 대해 기계적으로 결과를 해석하기보다 자기를 돌아보는 도구로서 활용하는 것이 바람직함을 강조하기 위한 활동이다. 즉, 이 검사는 자기보고식 검사로 사회적 미화 경향성의 영향을 받을 수 있다. 또한 엄격한 타당화가 이루어지지 않은 검사이므로 그 결과를 기계적으로 해석하는 것이 바람직하지 않다. 검사 결과를 토대로 자신을 면밀히 돌아보는 것이 성격검사를 이해하는 바람직한 태도임을 안내할 수 있다. 4번 문항은 자신의 성격을 사회인지적 관점에서 이해하도록 돕는다. 또한 설명양식이라는 사회인지적 요인이 어떻게 지속적이고 일관된 행동 패턴과 관련되는지 이해하도록 해 준다.

## 활동 10 성격과 유전에 대한 고찰

성격의 많은 부분이 유전에 기인한다는 연구들이 보고되고 있다. 특히 거의 모든 사람의 관심사인 '행복' 역시 유전적으로 타고나는 부분이라는 연구 보고는 행복하게 살고자 하는 사람들에게 다양한 생각을 불러일으킨다. 성격에 유전자가 미치는 영향을 고려할 때, 성격과 관련한 후천적인 노력이 어떤 의미가 있을지 고찰해 보도록 한다.

## 활동 11 나의 자존감 이해하기

이 활동은 자존감의 수반성 척도(이수란, 이동귀, 2008)를 사용하여 자신의 자존감이 어느 영역에 수반되어 있는지를 살펴보고, 자존감 수반성과 자존감 수준의 관계를 고찰해 보는 것을 목적으로 한다. 크로커(Crocker)와 동료들은 개인의 자존감이 얼마나 높은지는 나의 자존감이 어느 영역에 수반되어 있는지와 그 영역에서 내가 얼마나 성공적으로 수행하고 있는지의 상호작용으로 결정된다고 본다. 이 활동을 통해 자존감에 대한 이러한 관점에 동의하는지, 이론에서 부족한 부분은 무엇인지 논의해 본다.

## 활동 12 나의 대인관계양식 알아보기

정남운(2004)이 개발한 한국판 대인관계 형용사 척도를 사용하여 자신의 대인관계 특성을 알아본다. 검사에 대한 방어나 검사 결과에 대한 과대 해석을 막기 위해 검사 전에 대인관계 문제 척도가 아닌 대인관계양식 척도임을 알릴 필요가 있다. 또한 이 검사는 개인의 유형을 결정하는 검사가 아닌 경향성을 보는 검사임에 유념하자. 활동의 목표는 개인에 대한 이해이며, 각 특성은 나름의 장단점을 가질 수 있다.

해당 검사는 대인관계 원형 모델에 근거한 검사이다. 활동 전후에 필요하다면 대인관계 원형 모델에 대한 설명이 이루어져도 좋다. 대인관계 원형 모델은 설리번(Sullivan) 등의 영향을 받아 리어리(Leary)가 제시한 모델로, 대인관계 행동들을 두 차원(친애 차원과 통제 차원)의 평면 위에 원형으로 배열할 수 있다고 제안하였다. '친애' 차원에는 우호-냉담이 양극단에 배치되고 '통제' 차원에는 지배-순종이 양극단에 배치된다. 두 차원은 직각을 이루는데 이 각도를 기준으로 원을 8등분하면 그림과 같이 8개의 분원이 나타난다. 대인관계 행동은 8분원 중 어느 한 곳에 위치하며, 인접한 행동들은 서로 유사하고 반대편으로 갈수록 반대되는 행동이다.

검사를 통해 발견한 자신의 대인관계양식이 자신의 실제 대인관계를 잘 설명하는지, 상황에 따라 자신의 관계양식이 다르게 나타나지는 않는지, 현재의 특성과 발달과정상의 경험이 어떻게 관련되는지 등을 고찰해 보는 기회를 갖는다.

## 활동 13 학습 다지기

이 책을 통해 학습한 내용을 다시 한번 다지기 위한 활동이다. 이 활동을 통해 성격 일반이나 자신의 성격 그리고 성격심리학에 대한 현재의 이해 정도를 확인하고 내용을 명료화할 수 있다. 이에 더하여 이후 연속적인 학습으로 이어질 수 있도록 방향을 설정하고 동기를 부여할 수 있다.

# 참고문헌


곽영희, 정현희(2011). 청소년의 기질과 지각된 부모 양육태도가 우울에 미치는 영향: 초기 부적응도식의 매개효과를 중심으로. 청소년학연구, 18(8), 45-64.

구재선, 서은국(2015). 왜 한국 대학생이 미국 대학생보다 불행한가? 상대적 외적 가치, 사회적 지원, 사회비교의 영향. 한국심리학회지: 사회 및 성격, 29(4), 63-83.

권대훈(2016). 통제소재, 미래시간조망, 그릿(grit)과 지연의 관계 분석. 교육학연구, 54(4), 21-43.

김광은, 이위갑(2005). 연애관계에서 성인 애착유형 및 요인에 따른 관계 만족. 한국심리학회지: 상담 및 심리치료, 17(1), 233-247.

김민정, 이기학(2009). 자존감 불안정성, 자존감 수준, 방어성에 따른 자존감 유형 탐색 연구. 상담학연구, 10(3), 1413-1425.

김민정, 이기학(2014). 외현적, 암묵적 자존감과 분노 상황에 따른 공격성 차이 연구. 상담학연구, 15(4), 1343-1363.

김서영, 이규영(2013). 병원직원의 직무만족 요인 분석. 대한경영학회지, 26(1), 21-40.

김성찬, 임성문(2015). 가해자가 사과했을 때 지각된 가해자 잘못과 용서의 관계: 자존감의 조절효과. 한국심리학회지: 문화 및 사회문제, 21(1), 97-118.

노영천, 김홍석(2013). 아동의 학대 경험과 공격성의 관계에서 초기부적응 도식의 매개효과. 청소년학연구, 20(8), 1-20.

모화숙, 박미라, 하대현(2013). Big 5 성격요인과 주관적 안녕감간의 관계에 대한 자기효능감의 매개효과. 교육심리연구, 27(3), 761-781.

박은미, 정태연(2015). 외향성인 사람과 내향인 사람 간 행복의 차이: 맥락, 정서 및 가치를 중심으로. 한국심리학회지: 사회 및 성격, 29(1), 23-44.

손향신, 유태용(2011). 개방성, 외향성, 핵심자기평가가 변화몰입과 적응수행에 미치는 영향. 한국심리학회지: 산업 및 조직, 24(2), 281-306.

신민희, 구재선(2010). 행복과 창의력의 관계: 행복한 사람이 더 창의적이다. 한국심리학회지: 사회 및 성격, 24(3), 37-51.
신지은, 서은국, 손미나(2014). 3초의 목소리를 통한 외향성 판단. 한국심리학회지: 사회 및 성격, 28(2), 41-61.
심경옥, 전우영(2014). 손가락의 사회심리학: 2D:4D와 사회적 행동의 관계. 한국심리학회지: 사회 및 성격, 28(4), 1-24.
안진아, 이지연(2016). 한국 대학생의 소명의식이 삶의 만족에 미치는 영향: 핵심자기평가, 일 자유의지, 일 희망의 매개효과. 인간발달연구, 23(3), 133-152.
안하얀, 서영석(2010). Young의 단절 및 거절 도식, 부정적 기분, 대인관계문제: 정서적 과민 반응과 정서적 단절의 매개효과 검증. 한국심리학회지: 일반, 29(4), 847-865.
유아진, 서영석(2017). 단절 및 거절 도식과 정서적 단절의 관계에서 거부민감성과 친밀함에 대한 두려움의 매개효과. 상담학연구, 18(5), 41-60.
유태용, 이채령(2016). 성격이 과업수행과 적응수행에 미치는 영향: 직무가공(job crafting)의 매개효과와 리더 임파워링 행동의 조절효과. 한국심리학회지: 산업 및 조직, 29(4), 607-630.
이서현, 양은주, 권정혜(2013). 애착성향이 관계의 질에 미치는 영향 온/오프라인 자기개방의 상호작용효과를 중심으로. 한국심리학회: 사회 및 성격, 27(2), 107-111.
이수란(2008). 한국 대학생의 자존감의 수반성: 영역별 수반성과 자기 평가 사이의 불일치가 정신건강에 미치는 영향. 연세대학교 대학원 석사학위논문.
이수란, 이동귀(2008). 자존감의 영역별 수반성과 자기평가 간 불일치가 정신건강에 미치는 영향. 한국심리학회지: 상담 및 심리치료, 20(2), 313-335.
이주희, 김정규(2015). 자기존중감 및 통제소재가 병사의 군 적응에 미치는 영향: 사회적 지지와 스트레스 대처 방식의 매개효과. 한국심리학회지: 문화 및 사회문제, 21(3), 299-315.
이지연(2006). 한국 대학생들의 가능한 자기(Possible Selves)의 질적 분석: 기대하는 자기와 두려운 자기. 상담학연구, 7(4), 1055-1070.
이지연, 장형심(2013). 성실성과 완벽성이 학습관여에 미치는 영향: 자기조절동기의 매개효과를 중심으로. 한국심리학회지: 사회 및 성격, 27(2), 127-142.
장숙경, 김민정(2020). 대학생의 아동기 외상경험과 성향적 낙관성이 대인관계 문제에 미치는 영향: 단절 및 거절 도식의 매개효과. 한국심리학회지: 상담 및 심리치료, 32(1), 339-364.
전우영, 장경호, 황영선, 한재순(2012). 유명인 점화가 도움에 미치는 영향. 한국심리학회지: 사회 및 성격, 26(1), 37-46.
정남운(2004). 대인관계 원형 모델에 따른 한국판 대인관계 형용사척도의 구성. 한국심리학회지: 상담 및 심리치료, 16(1), 37-51.
정봉교, 윤병수(2013). 외향성이 사회적 및 정서적 자극에 대한 반응에 미치는 영향. 한국심리학회지: 사회 및 성격, 27(1), 33-47.
정영숙, 임서영(2016). 낙관주의자와 방어적 비관주의자의 수행 성과, 수행 만족도 및 자기존중감 안정성의 차이. 한국심리학회지: 사회 및 성격, 30(4), 1-17.
정용석, 고현석(2015). 핵심자기평가, 조직지원인식, 조직생활만족의 관계에 관한 종단적 연구. 대한경영학회지, 28(8), 2029-2046.

조긍호(2002). 문화성향과 허구적 독특성 지각 경향. 한국심리학회: 사회 및 성격, 16(1), 91-111.

조소현, 서은국, 노연정(2005). 혈액형별 성격특징에 대한 믿음과 실제 성격과의 관계. 한국심리학회지: 사회 및 성격, 19(4), 33-47.

조아라, 오제은(2014). 미혼여성이 연애경험 중 인식하는 아버지와의 관계경험에 대한 질적 사례연구. 한국심리학회지: 상담 및 심리치료, 26(2), 479-503.

주현덕, 박세니(2006). 혈액형이 사랑을 결정하는 요인이 될 수 있는가? 혈액형별 사랑유형과 연애태도 특성. 한국심리학회지: 사회 및 성격, 20(3), 67-80.

최정락, 유태용(2012). 성격과 직무수행 간의 비선형적 관계: 직무창의성의 조절효과. 한국심리학회지: 산업 및 조직, 25(2), 299-324.

최종안, 이민하, 권유리, 최인철, 최은수(2016). 낙관적인 사람이 행복할까, 행복한 사람이 낙관적일까? 한국심리학회지: 사회 및 성격, 30(3), 95-114.

황순택, 조혜선, 박미정, 이주영(2015). 성격장애와 기질 및 성격특질 간의 관계. 한국심리학회지: 사회 및 성격, 29(2), 1-13.

황정미, 김민정(2018). 고등학생의 지속성 기질과 지각된 부모양육행동이 분노표출에 미치는 영향: 손상된 한계 도식의 매개효과를 중심으로. 청소년학연구, 25(6), 275-300.

Anitha, R., Jyothi, S., & Rao, S. N. T. (2016). An efficient method to extract brian tissue in schizophrenia patient using image processing techniques. *Science Spectrum*, *1*(2), 215-219.

Bandura, A. (1977). Self-efficacy: Toward a unifying theory of behavioral change. *Psychological Review*, *84*(2), 191-215.

Bartholomew, K., & Horowiz, L. M. (1991). Attachment styles among young adults: A test of a four-category model. *Journal of Personality and Social Psychology*, *61*(2), 226-224.

Baumann, E. A., Mitchell, R. G., Jr., & Persell, C. H. (1989). *Encountering society: Student resource manual* to accompany Persell, *Understanding society* (3rd ed.). New York: Harper & Row.

Baumeister, R. F. (1997). Identity, self-concept, and self-esteem: The self lost and found. In R. Hogan, J. Johnson, & S. Briggs (Eds.), *Handbook of personality psychology* (pp. 681-710). San Diego, CA: Academic Press.

Baumeister, R. F., Schmeichel, B. J., & Vohs, K. D. (2007). Self-regulation and the executive function: The self as controlling agent. In A. W. Kruglanski & E. T. Higgins (Eds.), *Social psychology: Handbook of basic principles* (pp. 516-539). New York: Guilford Press.

Benet-Martínez, V., & Waller, N. G. (2002). From adorable to worthless: Implicit and self-report structure of highly evaluative personality descriptors. *European Journal of Personality*, *16*(1), 1-41.

Bleidorn, W., Arslan, R. C., Denissen, J. J. A., Rentfrow, P. J., Gebauer, J. E., Potter, J., &

Gosling, S. D. (2016). Age and gender differences in self-esteem: A cross-cultural window. *Journal of Personality and Social Psychology, 111*(3), 396-410.

Bouchard, T. J., Jr., Lykken, D. T., McGue, M., Segal, N. L., & Tellegen, A. (1990). Sources of human psychological differences: The Minnesota study of twins reared apart. *Science, 250*(4978), 223-228.

Branden, N. (1969). *The psychology of self-esteem*. New York: Bantam.

Converge Consortium. (2015). Sparse whole-genome sequencing identifies two loci for major depressive disorder. *Nature, 523*(7562), 588-591.

Crocker, J., & Wolfe, C. T. (2001). Contingencies of self-worth. *Psychological Review, 108*, 593-623.

De Neve, J. (2011). Functional polymorphism(5-HTTLPR) in the serotonin transporter gene is associated with subjective well-being: Evidence from a US nationally representative sample. *Journal of Human Genetics, 56*(6), 456-459.

De Neve, J., Christakis, N., Fowler, J., & Frey, B. (2012). Genes, economics, and happiness. *Journal of Neuroscience, Psychology, and Economics, 5*(4), 193-211.

Disner, S. G., Beevers, C. G., & Haigh, E. A. P. (2011). Neural mechanisms of the cognitive model of depression. *Nature Reviews Neuroscience, 12*(8), 467-477.

Feng, J., Spence, I, & Pratt, J. (2007). Playing an action video game reduces gender differences in spatial cognition. *Psychological Science, 18*(10), 850-855.

Fredrickson, B. L. (2001). The role of positive emotions in positive psychology. *American Psychologist, 56*, 218-226.

Gale, A., Edwards, J., Morris, P., Moore, R., & Forrester, D. (2001). Extraversion-introversion, neuroticism-stability, and EEG indicators of positive and negative empathic mood. *Personality and Individual Differences, 30*(3), 449-461.

Gallup, G. G., Jr. (1970). Chimpanzees: Self-recognition. *Science, 167*(3914), 86-87.

Greenwald, A. G., & Banaji, M. R. (1995). Implicit social cognition: Attitudes, self-esteem, and stereotypes. *Psychological Review, 102*, 4-27.

Hassett, J., Siebert, E., & Wallen, K., (2008). Sex differences in rhesus monkey toy preferences parallel those of children. *Hormones and Behavior, 54*(3), 359-364.

Hazan, C., & Shaver, P. R. (1990). Love and work: An attachment-theoretical persopective. *Journal of Personality and Social Psychology, 59*(2), 270-280.

Hetts, J. J., & Pelham, B. W. (2001). A case of non-conscious aspects of the self-concept. In G. Moscowitz (Ed.), *Cognitive social psychology: The Princeton symposium on the legacy and future of social cognition* (pp. 105-123). Mahwah, NJ: Erlbaum.

Horney, K. (1937). *The neurotic personality of our time*. New York: Norton.

Ingalhalikar, M., Smith, A., Parker, D., Satterthwaite, T., Elliott, M., Ruparel, K., Hakonarson, H., Gur, R., Gur, R., & Verma, R. (2014). Sex differences in the structural connectome of the human brain. *PNAS, 111*(2), 823-828.

James, W. (1983). *The principles of psychology*. Cambridge, MA: Harvard University Press. (Original work published 1890.)

Joel, D, Berman, Z., Tavor, I., Wexler, N., Gaber, O., Stein, Y., Shefi, N., Pool, J., Urchs, S., Margulies, D., Liem, F., Hänggi, J., Jäncke, L., & Assaf, Y., (2015). Sex beyond the genitalia: The human brain mosaic. *PNAS, 112*(50), 15468-15473.

Judge, T. A., Locke, E. A., & Durham, C. C. (1997). The dispositional causes of job satisfaction: A core evaluations approach. *Research in Organizational Behavior, 19*, 151-188.

Leary, M. R., & Downs, D. L. (1995). Interpersonal functions of the self-esteem motive: The self-esteem system as a sociometer. In M. H. Kernis (Ed.), *Efficacy, agency, and self-esteem* (pp. 123-144). New York: Plenum Press.

Lee, K., & Ashton, M. C. (2004). Psychometric properties of the HEXACO personality inventory. *Multivariate Behavioral Research, 39*(2), 329-358.

Lee, R., Dean, B., & Jung, K. (2008). Social connectedness, extraversion, and subjective well-being: Testing a mediation model. *Personality and Individual Differences, 45*(5), 414-419.

Lent, R. W., Brown, S. D., & Hackett, G. (1994). Toward a unifying social cognitive theory of career and academic interest, choice, and performance. *Journal of Vocational Behavior, 45*(1), 79-122.

Lewis, M. (1999). On the development of personality. In L. A. Pervin & O. P. John (Eds.), *Handbook of personality: Theory and research* (2nd ed., pp. 327-346). New York: Guilford Press.

Main, M., Kaplan, N., & Cassidy, J. (1985). Security in infancy, childhood, and adulthood: A move to the level of representation. *Monographs of the Society for Research in Child Development, 50*(1/2), 66-104.

Markus, H., & Nurius, P. (1986). Possible selves. *American Psychologist, 41*, 954-969.

Markus, H. R., & Kitayama, S. (1991). Culture and the self: Implications for cognition, emotion, and motivation. *Psychological Review, 98*(2), 224-253.

McCrae, R. R., & Costa, P. T., Jr. (2008). The five-factor theory of personality. In O. P. John, R. W. Robins, & L. A. Pervin (Eds.), *Handbook of personality: Theory and research* (3rd ed., pp. 159-181). New York: Guilford Press.

McCrae, R. R., & Terracciano, A. (2005). Universal features of personality traits from the observer's perspective: Data from 50 cultures. *Journal of Personality and Social Psychology, 88*(3), 547-561.

Minkov, M., & Bond, M. H. (2016). A genetic component to national differences in happiness. *Journal of Happiness Studies*. DOI: 10.1007/s10902-015-9712-y.

Mruk, C. (2006). *Self-Esteem research, theory, and practice: Toward a positive psychology of self-esteem* (3rd ed.). New York: Springer.

Pezawas, L., Meyer-Lindenberg, A., Drabant, E. M., Verchinski, B. A., Munoz, K. E., Kolachana, B. S., Egan, M. F., Mattay, V. S., Hariri, A. R., & Weinberger, D. R. (2005). 5-httlpr polymorphism impacts human cingulate-amygdala interactions: A genetic susceptibility mechanism for depression. *Nature Neuro-science*, *8*(6), 828-834.

Riccelli, R., Toschi, N., Nigro, S., Terracciano, A., & Passamonti, L. (2017). Surface-based morphometry reveals the neuroanatomical basis of the five-factor model of personality. *Social Cognitive and Affective Neuroscience*, *12*(4), 671-684.

Roberts, B. W., Walton, K. E., & Viechtbauer, W. (2006). Patterns of mean-level change in personality traits across the life course: A meta-analysis of longitudinal studies. *Psychological Bulletin*, *132*(1), 1-25.

Romero-Canyas, R., Downey, G., Berenson, K., Ayduk, O. & Kang, N. J. (2010). Rejection sensitivity and the rejection-hostility link in romantic relationships. *Journal of Personality*, *78*(1), 119-148.

Rosenberg, M. (1965). *Society and the adolescent self-image*. Princeton, NJ: Princeton University Press.

Rotter, J. B. (1966). Generalized expectancies for internal versus external control of reinforcement. *Psychological monographs: General and Applied*, *80*(1), 1-28.

Ryan, R. & Deci, E. L. (2000). Intrinsic and extrinsic motivations: Classic definitions and new directions. *Contemporary Educational Psychology 25*, 54-67.

Schultz, R., Heckhausen, J., & Locher, J. L. (1991). Adult development, control, and adaptive functioning. *Journal of Social Issues*, *47*, 177-196.

Seligman, M. E. P., & Maier, S. F. (1967). Failure to escape traumatic shock. *Journal of Experimental Psychology*, *74*(1), 1-9.

Solomon, S., Greenberg, J., & Pyszczynski, T. (1991). A terror management theory of social behavior: The psychological functions of self-esteem and cultural worldviews. In M. P. Zanna (Ed.), *Advances in experimental social psychology* (pp. 91-159). San Diego, CA: Academic Press.

Sternberg, R. J. (1986). A triangular theory of love. *Psychological Review*, *93*(2), 119-135.

Thoresen, C. J., Bradley, J. C., Bliese, P. D., & Thoresen, J. D. (2004). The Big Five personality traits and individual job performance growth trajectories in maintenance and transitional job stages. *Journal of Applied Psychology*, *89*(5), 835-853.

Todd, B., Fischer, R., Costa, S. Roestorf, A., Harbour, K., Hardiman, P., & Barry, J. (2017). Sex differences in children's toy preferences: A systematic review, meta-regression, and meta-analysis. *Infant and Child Development*. e2064. DOI: 10.1002/icd.2064.

Triandis, H. C. (1995). *Individualism and collectivism*. Boulder, CO: Westwiew Press.

Wilson, T. D., Lindsey, S., & Schooler, T. (2000). A model of dual attitudes. *Psychological Review*, *107*, 101-126.

# 찾아보기

## 인명

Adler, A. W. 105
Ainsworth, M. D. 110
Allport, G. W. 42

Bandura, A. 261
Beck, A. T. 217
Bowlby, E. J. M. 109

Cattell, R. B. 47

Ellis, A. 217
Erikson, E. H. 113
Eysenck, H. J. 48

Frankl, V. E. 134

Jung, C. G. 38

Kelly, G. A. 133

Pavlov, I. P. 158

Rogers, C. R. 133, 137

Skinner, B. F. 165
Sternberg, R. J. 286

Watson, J. B. 161

Yalom, I. D. 144
Young, J. E. 190

## 내용

3중 유형론 68
6요인 모델 53
ABC 179
MBTI 38, 73
MMPI 72
NEO-PI 52
Q분류 150
TCI 74

가능한 자기 214
가치의 조건 139
강화 168
강화계획 166
개별사례 접근 43
개인 무의식 117
개인심리학 105
개인적 구성개념 이론 134
개인주의 309
개인특질 43
객관적 불안 90
거울 실험 212
거절민감성 모델 184
경험에 대한 개방성 50
고립 144
고전적 조건형성 157
고차 조건형성 163
고착 95
공통특질 43
관찰 가능한 행동 173
관찰학습 181
구강기 95
귀인 203
긍정적 정서의 확장축적이론 308
기능적 자기공명영상 23, 226

낙관주의자 208
남근기 97
낯선 상황 실험 110
내부귀인 203
내적작동모델 110
내적 통제소재 197
내적 표상 183
뇌전도 23, 225

도덕적 불안 90
도파민 223

로샤검사 124

만다라 122
무의식 80
무의식의 결정론 84

반동형성 93
방어기제 91
법칙 정립적 접근 45
변별 164
변인 24
부인 91
부적응적 인지도식 190
분석심리학 117
불안관리이론 253
비관주의자 208

사교성 234
사랑의 삼각형 이론 286
사회인지진로이론 273
사회적 관심 106
사회적 지표이론 253
삶의 무의미성 143
상관 24
생활양식 108
설명양식 208
성격 11, 37
성격검사 18
성격요인 48
성과 기대 261
성기기 99
성별 296
성실성 50
성인 애착 287
세로토닌 223
소거 163
수량화 173
스키너 상자 165
승화 93
신경성 50
신경전달물질 223
신경증적 불안 90
신뢰도 18
실험 29
심리사회적 발달단계 113
심리성적 발달단계 95
심리어휘들을 사용한 요인분석 방법 45
심리적 안녕감 307
심리적 환경 236
쌍생아 연구 230

암묵적 자존감 255
애착 282
애착양식 110
애착이론 109
양전자 방출 단층촬영 23, 225
어린 앨버트 실험 161
억압 91
역할 구성개념 목록 검사 135
열등감 107
외부귀인 203
외적 통제소재 198
외향성 50
외현적 자존감 255
우울에 대한 인지적 모델 182
우호성 50
원격행동표집 22
원초아 87
원형 118

유기체 137
유형 37
인지도식 182
일반화 164

자기개념 210
자기결정이론 265
자기고양 편파 206
자기공명영상 23, 224
자기보고식 검사 19
자기실현 경향성 141
자기조절 264
자기존중감 250
자기효능감 260
자발적 회복 163
자아 88
자연관찰법 22
자유 144
자유연상 125
자존감 불안정성 257
자존감 수반성 259
잠복기 99

정서성 234
조작적 조건형성 158
주관적 안녕감 307
주의력결핍 과잉행동장애 244
주제통각검사 124
죽음 143
중다행위준거 72
직무만족 276
직무수행 280
직업만족 276
집-나무-사람 검사 124
집단 무의식 117
집단주의 310

책임 144
처벌 168
체계적 둔감화 227
초자아 88
출생순위 108
충분히 기능하는 사람 142
치환 93

컴퓨터 단층촬영 224

타당도 18
타인평정 검사 20
통제소재 197
퇴행 92
투사 92, 123
투사검사 123
투사적 검사 21
특질 41

폴리그래프 22

학습된 무기력 199
합리화 92
항문기 96
핵심자기평가 모델 277
행동조성 170
행복 307
현상적 장 138
활동성 235
효능감 기대 261

## 저자 소개

**김민정**(Kim, Minjeong)
연세대학교 대학원 심리학과 석사 · 박사
한국상담심리학회 상담심리사 1급
한국학교심리학회 학교심리전문가
현 아주대학교 교육대학원 상담심리전공 교수

〈저서 및 역서〉
사례로 배우는 심리상담의 실제(공저, 학지사, 2020)
효과적인 치료전략 선택하기(공역, 시그마프레스, 2017)

쉽게 풀어 쓴

# 성격심리학

Personality Psychology

2020년 9월 10일 1판 1쇄 발행
2022년 8월 10일 1판 2쇄 발행

지은이 • 김민정
펴낸이 • 김진환
펴낸곳 • (주) 학지사
04031 서울특별시 마포구 양화로 15길 20 마인드월드빌딩
대표전화 • 02)330-5114 팩스 • 02)324-2345
등록번호 • 제313-2006-000265호

홈페이지 • http://www.hakjisa.co.kr
페이스북 • https://www.facebook.com/hakjisa

ISBN 978-89-997-2172-4 93180

정가 18,000원



이 도서의 국립중앙도서관 출판시도서목록(CIP)은 서지정보유통지원시스템 홈페이지(http://seoji.nl.go.kr)와 국가자료공동목록시스템(http://www.nl.go.kr/kolisnet)에서 이용하실 수 있습니다.
(CIP 제어번호: CIP2020034287)